어휘가 문해력이다

중학 1학년 2학기

교과서 어휘

교과서 내용을 이해하지 못하는 우리 아이?
평생을 살아가는 힘, '문해력'을 키워 주세요!

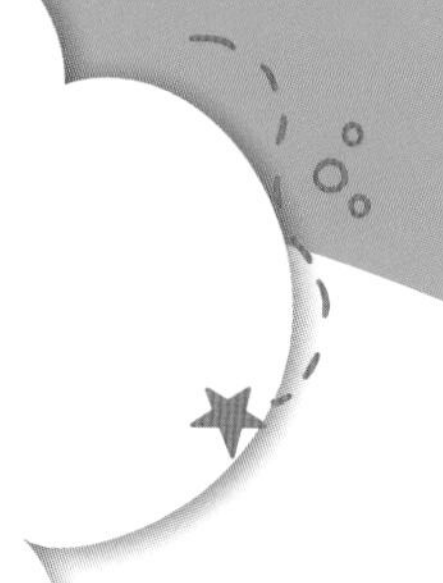

'어휘가 문해력이다'
어휘 학습으로 문해력 키우기

교과서 학습 진도에 따라
과목별(국어/사회·역사/수학/과학)·학기별(1학기/2학기)로 어휘 학습이 가능합니다.

교과 학습을 위한 필수 개념어를 단원별로 선별하여 단원의 핵심 내용을 이해하도록 구성하였습니다.
교과 학습 전 예습 교재로, 교과 학습 후 복습 교재로 활용할 수 있도록 필수 개념어를 엄선하여 수록하였습니다.

교과 어휘를 학년별 2권, 한 학기별 4주 학습으로
단기간에 어휘 학습이 가능합니다.

한 학기에 310여 개의 중요 단어를 공부할 수 있습니다.
쉬운 뜻풀이와 교과서 내용을 담은 다양한 예문을 수록하여 학교 공부에 직접적으로 도움을 주고자 하였습니다.
해당 학기에 학습해야 할 중요 단어를 모두 모아 한 번에 살펴볼 수 있고, 국어사전에서 단어를 찾는 시간과 노력을 줄일 수 있습니다.

관용어, 속담, 한자 성어, 한자, 영문법 어휘 학습까지 가능합니다.

글의 맥락을 이해하고 응용하는 데 도움이 되는 관용어, 속담, 한자 성어뿐만 아니라 중학 교육용 필수 한자, 중학 영문법 필수 어휘 학습까지 놓치지 않도록 구성하였습니다.

확인 문제와 주간 어휘력 테스트를 통해 학습한 어휘를 점검할 수 있습니다.

뜻풀이와 예문을 통해 학습한 어휘를 교과 어휘별로 바로바로 점검할 수 있도록 다양한 유형의 확인 문제를 수록하였습니다.
한 주 동안 학습한 어휘를 종합적으로 점검할 수 있는 주간 어휘력 테스트를 수록하였습니다.

효율적인 교재 구성으로 자학자습 및 가정 학습이 가능합니다.

학습한 어휘를 해당 교재에서 쉽게 찾아볼 수 있도록 과목별로 '찾아보기' 코너를 구성하였습니다.
'정답과 해설'은 축소한 본교재에 정답과 자세한 해설을 실어 스스로 공부할 수 있도록 하였습니다.

EBS 〈당신의 문해력〉 교재 시리즈는 약속합니다.

교과서를 잘 읽고 더 나아가 많은 책과 온갖 글을 읽는 능력을 갖출 수 있도록
문해력을 이루는 핵심 분야별, 학습 단계별 교재를 준비하였습니다.
한 권 5회×4주 학습으로 아이의 공부하는 힘,
평생을 살아가는 힘을 EBS와 함께 키울 수 있습니다.

어휘가 문해력이다

어휘 실력이 교과서를 읽고 이해할 수 있는지를 결정하는 척도입니다.
〈**어휘가 문해력이다**〉는 교과서 진도를 나가기 전에 꼭 예습해야 하는 교재입니다.
20일이면 한 학기 교과서 필수 어휘를 완성할 수 있습니다.
교과서 수록 필수 어휘들을 교과서 진도에 맞춰
날짜별, 과목별로 공부하세요.

쓰기가 문해력이다

쓰기는 자기 생각을 표현하는 미래 역량입니다.
서술형, 논술형 평가의 비중은 점점 커지고 있습니다.
객관식과 단답형만으로는 아이들의 생각과 미래를 살펴볼 수 없기 때문입니다.
막막한 쓰기 공부. 이제 단어와 문장부터 하나씩 써 보며 차근차근 학습하는
〈**쓰기가 문해력이다**〉와 함께 쓰기 지구력을 키워 보세요.

ERI 독해가 문해력이다

독해를 잘하려면 체계적이고 객관적인 단계별 공부가 필수입니다.
기계적으로 읽고 문제만 푸는 독해 학습은 체격만 키우고 체력은 미달인 아이를 만듭니다.
〈**ERI 독해가 문해력이다**〉는 특허받은 독해 지수 산출 프로그램을 적용하여 글의 난이도를
체계화하였습니다.
단어 · 문장 · 배경지식 수준에 따라 설계된 단계별 독해 학습을 시작하세요.

배경지식이 문해력이다

배경지식은 문해력의 중요한 뿌리입니다.
하루 두 장, 교과서의 핵심 개념을 글과 재미있는 삽화로 익히고 한눈에 정리할 수 있습니다.
시간이 부족하여 다양한 책을 읽지 못하더라도 교과서의 중요 지식만큼은 놓치지 않도록
〈**배경지식이 문해력이다**〉로 학습하세요.

디지털독해가 문해력이다

디지털독해력은 다양한 디지털 매체 속 정보를 읽어 내는 힘입니다.
아이들이 접하는 디지털 매체는 매일 수많은 정보를 만들어 내기 때문에
디지털 매체의 정보를 판단하는 문해력은 현대 사회의 필수 능력입니다.
〈**디지털독해가 문해력이다**〉로 교과서 내용을 중심으로 디지털 매체 속 정보를 확인하고
다양한 과제를 해결해 보세요.

이 책의 구성과 특징

1

교과서 어휘 국어/사회·역사/수학/과학

한자 어휘, 영문법 어휘

교과목·단원별로 교과서 속 중요 개념 어휘와 관련 어휘로 교과 어휘 강화!

중학 교육용 필수 한자, 연관 한자어로 한자 어휘 강화! 중학 영문법 필수 어휘로 영어 독해 강화!

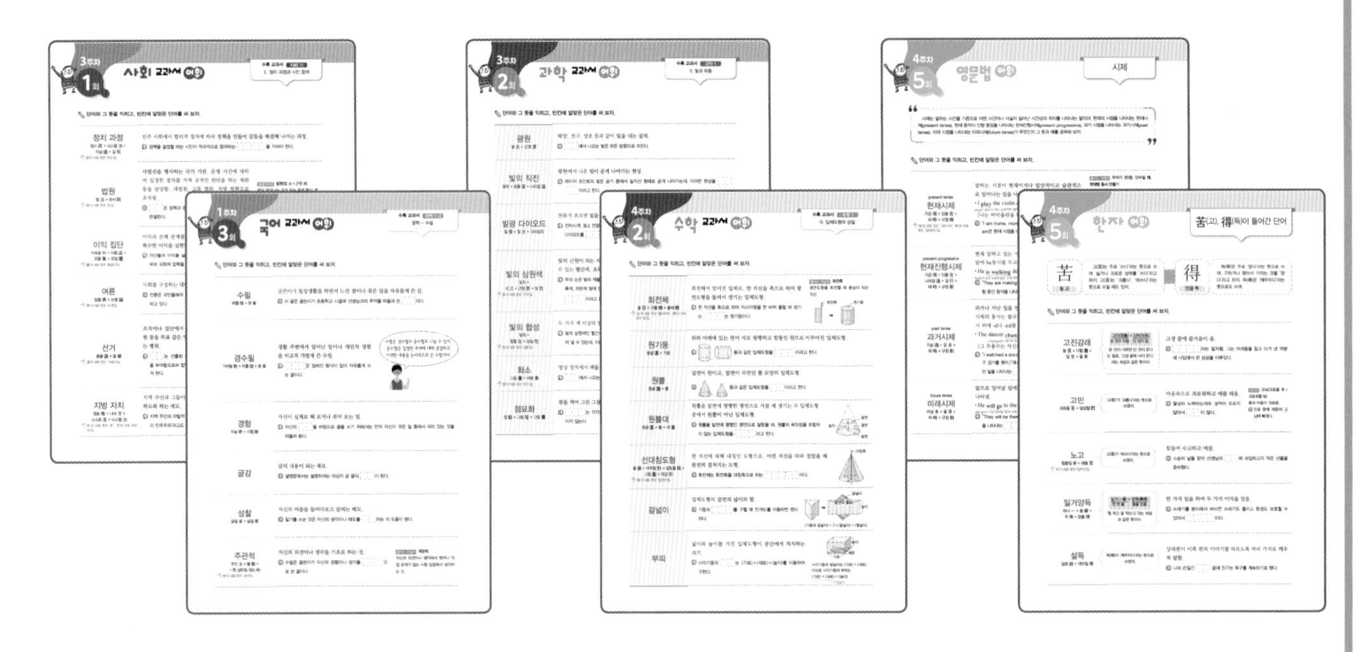

- 여러 출판사의 교과서 속 핵심 어휘를 엄선하여 교과목 특성에 맞게 뜻과 예문을 이해하기 쉽게 제시했어요.
- 어휘를 이해하는 데 도움이 되는 그림 및 사진 자료를 제시했어요.
- 대표 한자 어휘와 연관된 한자 성어, 영문법 필수 어휘에 적합한 예문을 제시했어요.

2

확인 문제

교과서(국어/사회·역사/수학/과학) 어휘, 한자 어휘, 영문법 어휘 학습을 점검할 수 있는 다양한 유형의 확인 문제 수록!

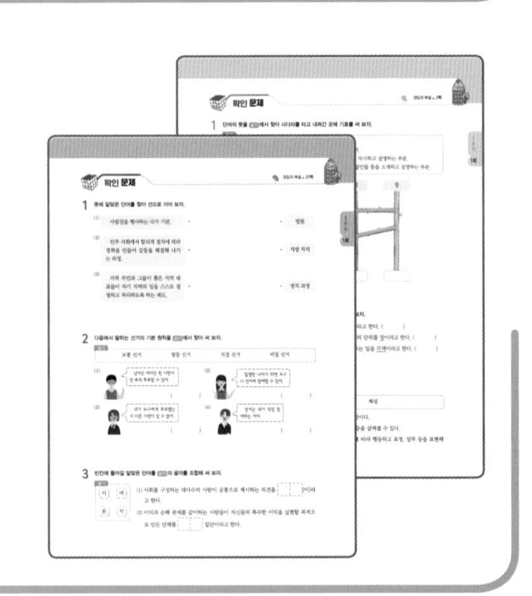

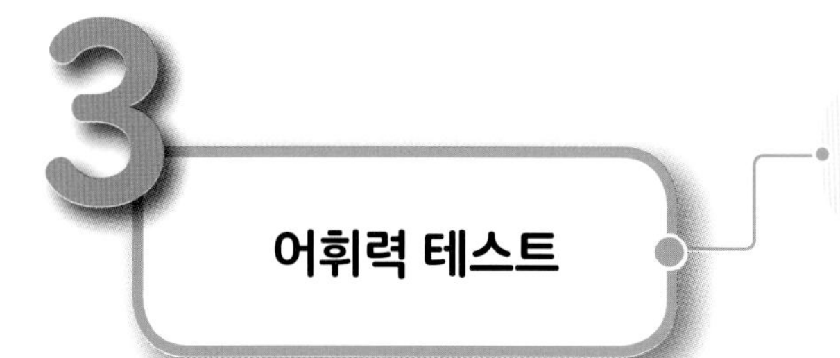

한 주 동안 학습한 교과서 어휘, 한자 어휘, 영문법 어휘를 종합적으로 점검할 수 있는 어휘력 테스트 수록!

찾아보기

학습한 어휘를 찾아보기 쉽게 교과목별로 ㄱ, ㄴ, ㄷ … 순서로 정리했어요.

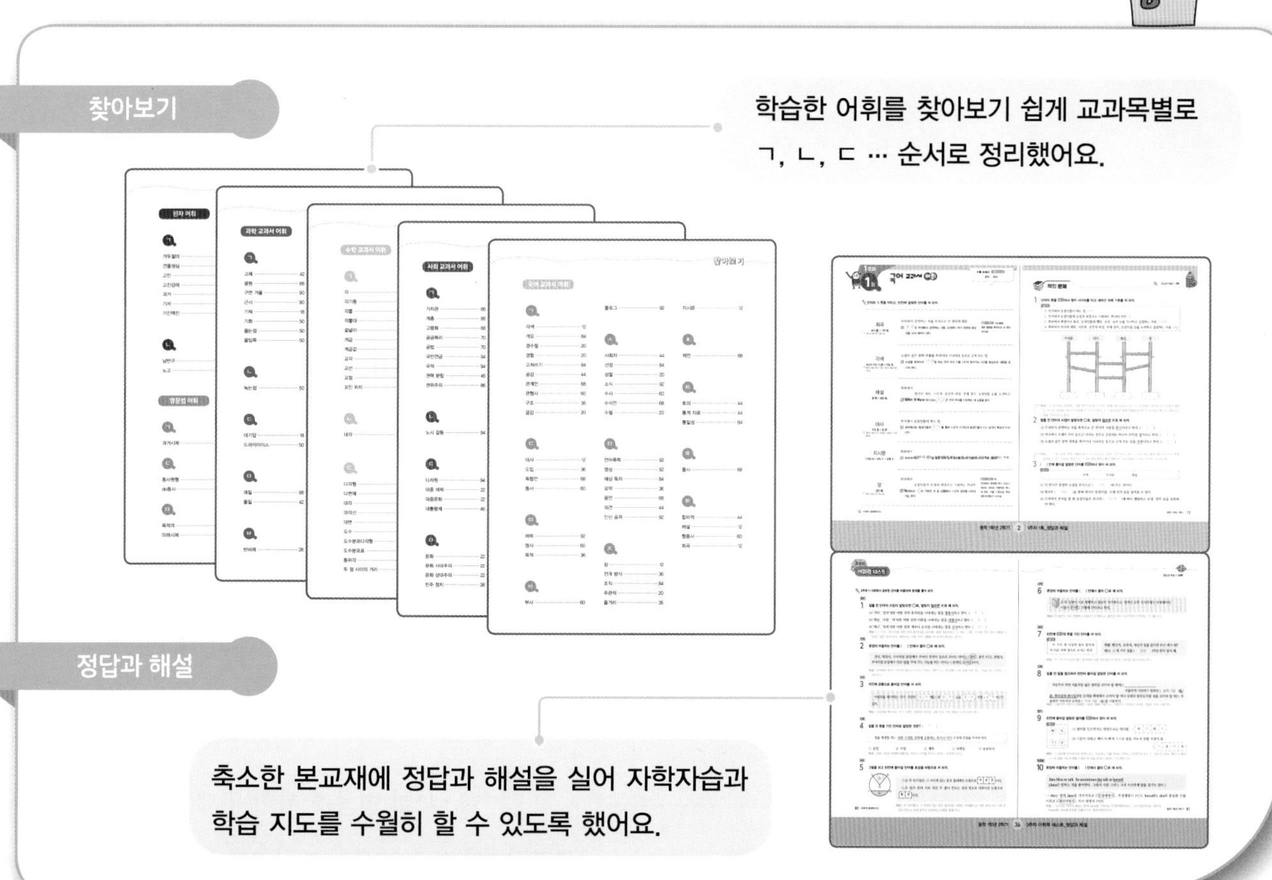

정답과 해설

축소한 본교재에 정답과 해설을 실어 자학자습과 학습 지도를 수월히 할 수 있도록 했어요.

중학 1학년 2학기

교과서 연계 목록

✎『어휘가 문해력이다』에 수록된 모든 어휘는 중학 1학년 2학기 국어, 사회, 수학, 과학 교과서에 실려 있습니다.

✎ 교과서 연계 목록을 살펴보면 과목별 교과서의 단원명에 따라 학습할 교재의 쪽을 한눈에 파악할 수 있습니다.

✎ 교과서 진도 순서에 맞춰 교재에서 해당하는 학습 회를 찾아 효율적으로 공부해 보세요!

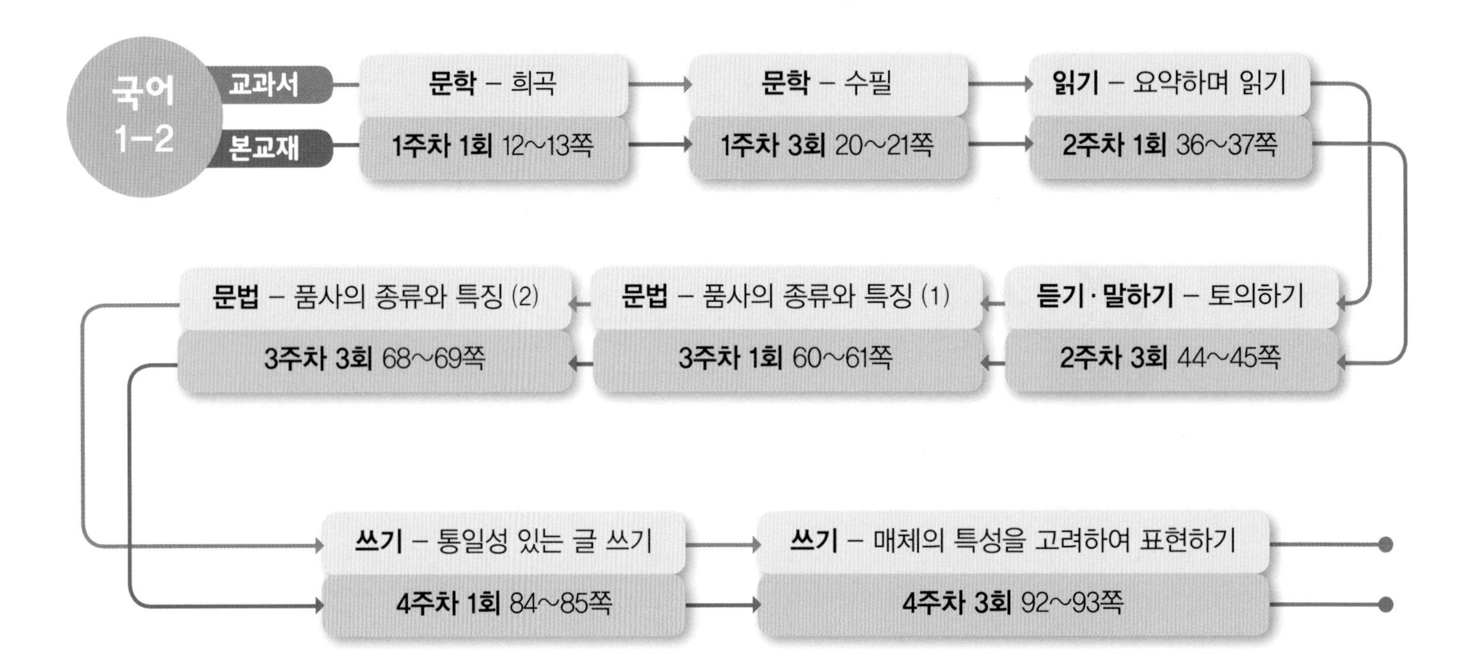

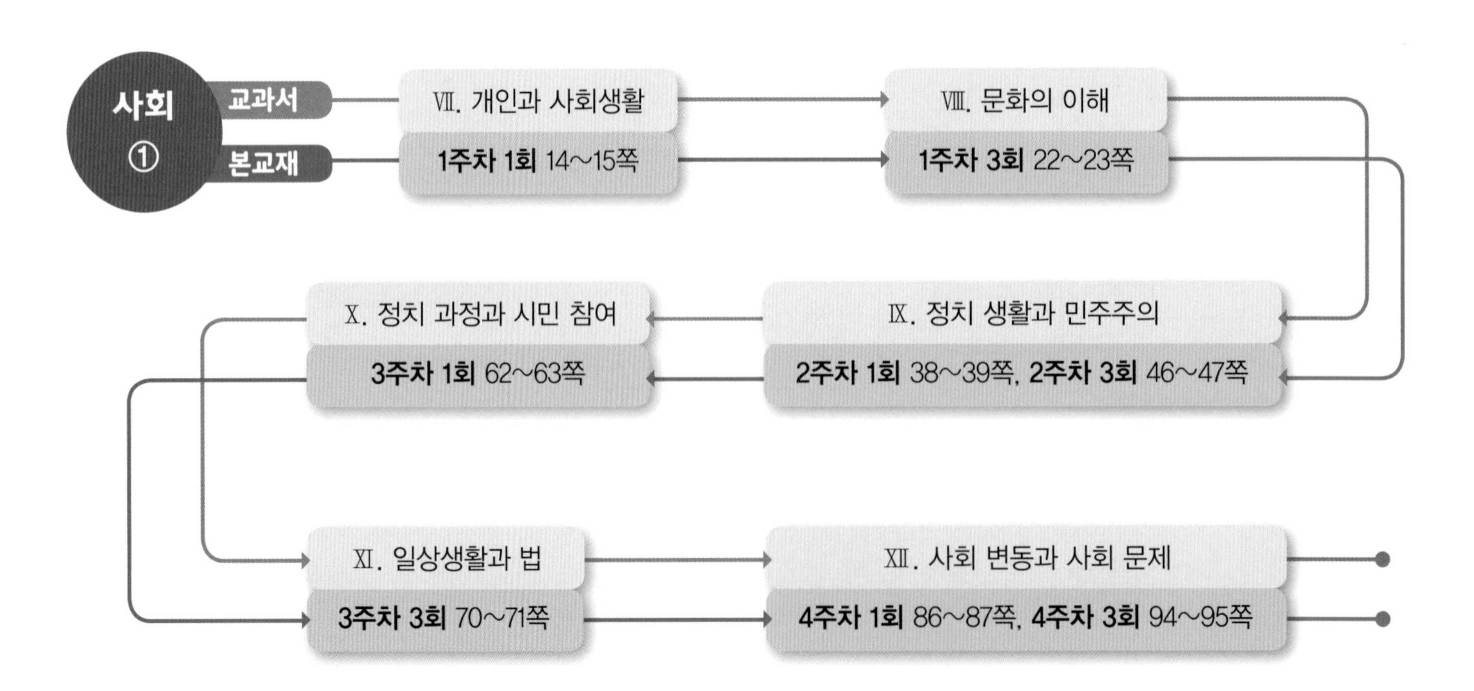

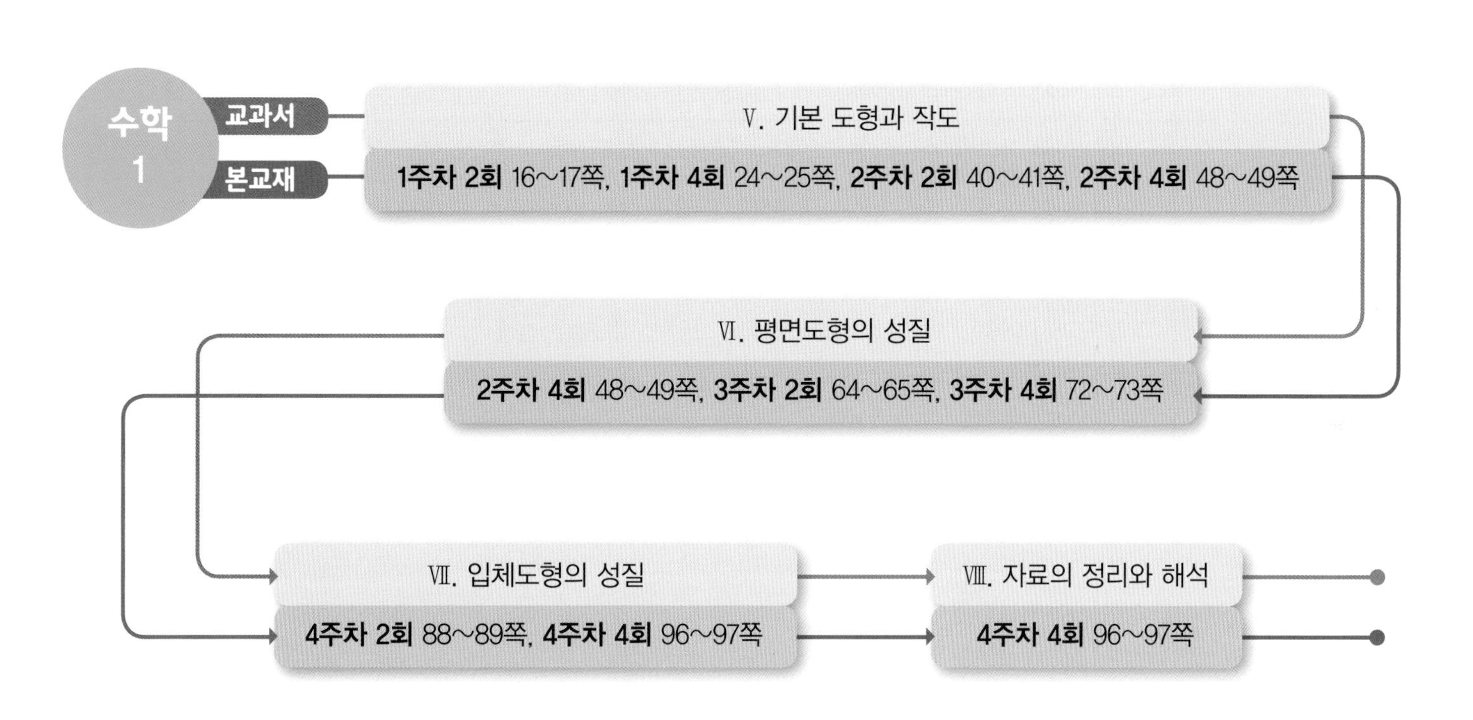

수학 1
교과서
본교재
Ⅴ. 기본 도형과 작도
1주차 2회 16~17쪽, 1주차 4회 24~25쪽, 2주차 2회 40~41쪽, 2주차 4회 48~49쪽
Ⅵ. 평면도형의 성질
2주차 4회 48~49쪽, 3주차 2회 64~65쪽, 3주차 4회 72~73쪽
Ⅶ. 입체도형의 성질
4주차 2회 88~89쪽, 4주차 4회 96~97쪽
Ⅷ. 자료의 정리와 해석
4주차 4회 96~97쪽

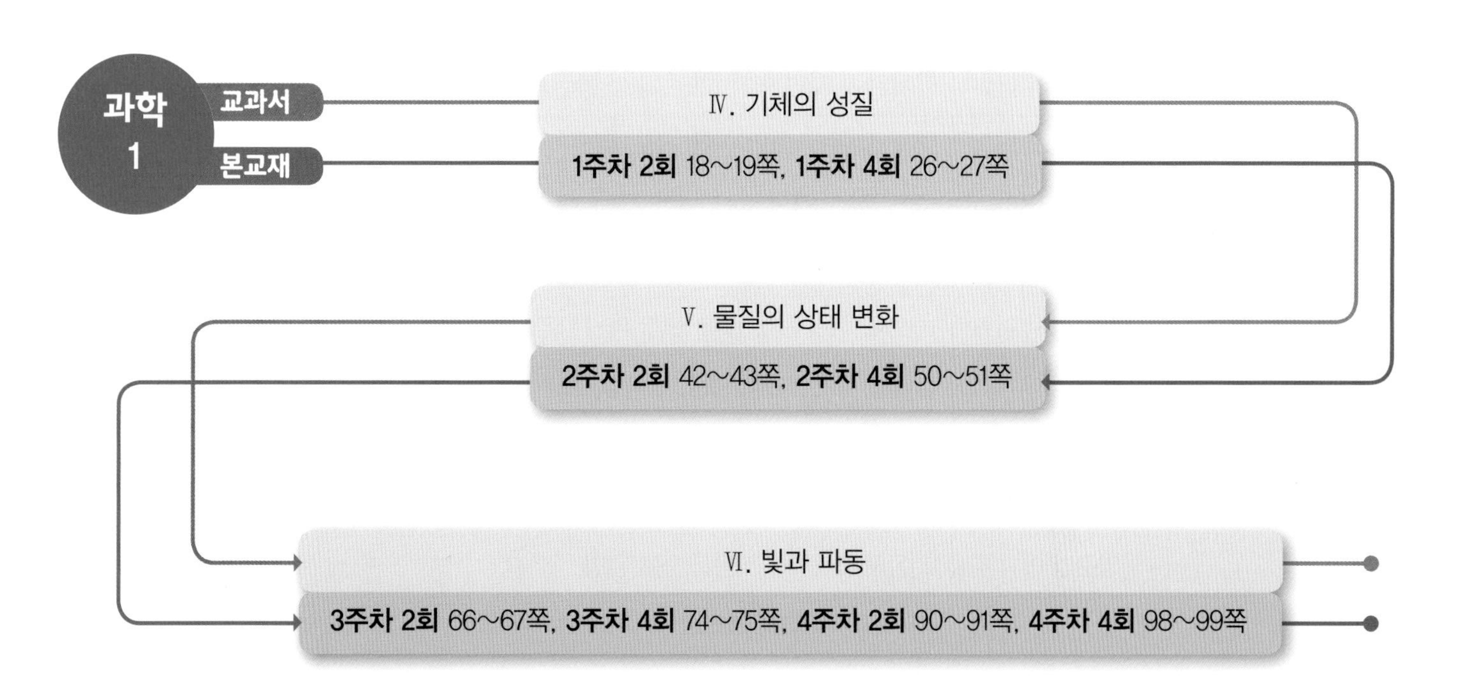

과학 1
교과서
본교재
Ⅳ. 기체의 성질
1주차 2회 18~19쪽, 1주차 4회 26~27쪽
Ⅴ. 물질의 상태 변화
2주차 2회 42~43쪽, 2주차 4회 50~51쪽
Ⅵ. 빛과 파동
3주차 2회 66~67쪽, 3주차 4회 74~75쪽, 4주차 2회 90~91쪽, 4주차 4회 98~99쪽

이 책의 차례

3 주차

4 주차

1주차 어휘 미리 보기

한 주 동안
공부할 어휘들이야.
쓱 한번 훑어볼까?

1회 학습 계획일 ( )월 ( )일

국어 교과서 어휘	사회 교과서 어휘
희곡	사회화
각색	지위
해설	자아 정체성
대사	사회 집단
지시문	준거 집단
장	질풍노도

2회 학습 계획일 ( )월 ( )일

수학 교과서 어휘	과학 교과서 어휘
교점	입자
교선	기체
선분	증발
반직선	확산
직선	압력
선분의 중점	대기압
두 점 사이의 거리	

3회 학습 계획일 ( )월 ( )일

국어 교과서 어휘	사회 교과서 어휘
수필	문화
경수필	문화 사대주의
경험	문화 상대주의
글감	대중 매체
성찰	대중문화
주관적	취향

4회

학습 계획일 월 일

수학 교과서 어휘
- 각
- 평각
- 교각
- 맞꼭지각
- 직교
- 수직이등분선
- 수선의 발

과학 교과서 어휘
- 온도
- 정비례
- 반비례
- 보일 법칙
- 샤를 법칙

5회

학습 계획일 월 일

한자 어휘
- 견물생심
- 편견
- 수거
- 과거
- 거두절미

영문법 어휘
- 주격
- 목적격
- 소유격
- 소유대명사

어휘력 테스트

2주차
어휘 학습으로
가 보자!

국어 교과서 어휘

수록 교과서 국어 1-2
문학 – 희곡

단어와 그 뜻을 익히고, 빈칸에 알맞은 단어를 써 보자.

희곡
놀이 戲 + 가락 曲
'曲'의 대표 뜻은 '굽다'임.

무대에서 공연하는 것을 목적으로 쓴 연극의 대본.

예 ☐☐은 무대에서 공연하는 것을 고려해야 하기 때문에 등장 인물 수에 제약이 있다.

플러스 개념어 **시나리오**
영화 촬영을 목적으로 쓴 영화의 대본.

각색
토대가 되는 것 脚 + 꾸밀 色
'脚'의 대표 뜻은 '다리', '色'의 대표 뜻은 '빛'임.

소설과 같은 문학 작품을 희곡이나 시나리오 등으로 고쳐 쓰는 일.

예 소설을 희곡으로 ☐☐할 때는 먼저 주요 인물 사이에 벌어지는 사건을 중심으로 내용을 정리해 본다.

해설
풀 解 + 말씀 說

희곡에서 연극의 제목, 시간적·공간적 배경, 무대 장치, 등장인물 등을 소개하고 설명하는 부분.

예 희곡의 첫 부분에 제시되는 ☐☐은 연극 무대를 이해하는 데 도움을 준다.

대사
무대 臺 + 말 詞
'臺'의 대표 뜻은 '대(높고 평평한 건축물)'임.

연극에서 등장인물이 하는 말.

예 희곡에서는 등장인물의 ☐☐를 통해 사건이 전개되며 등장인물이 지닌 성격과 특징이 드러난다.

지시문
가리킬 指 + 보일 示 + 글월 文

희곡에서 배경이나 효과, 등장인물의 행동·표정·심리 등을 지시하고 설명하는 부분.

예 희곡에서는 ☐☐☐을 괄호 안에 넣어 표현함으로써 인물의 대사와 구분 짓는다.

장
장면 場
'場'의 대표 뜻은 '장소'임.

연극에서 등장인물의 등장과 퇴장으로 구분되는 하나의 단위.

예 희곡에서 ☐의 구분은 극 중 상황에서 시간의 경과를 나타내기도 한다.

플러스 개념어 **막**
연극에서 무대의 막이 오르고 내리는 것으로 구분되는 하나의 단위. 막을 기준으로 무대 장면의 변화가 나타남.

확인 문제

정답과 해설 ▶ 2쪽

1 단어의 뜻을 보기에서 찾아 사다리를 타고 내려간 곳에 기호를 써 보자.

보기
- ㉠ 연극에서 등장인물이 하는 말.
- ㉡ 연극에서 등장인물의 등장과 퇴장으로 구분되는 하나의 단위.
- ㉢ 희곡에서 배경이나 효과, 등장인물의 행동·표정·심리 등을 지시하고 설명하는 부분.
- ㉣ 희곡에서 연극의 제목, 시간적·공간적 배경, 무대 장치, 등장인물 등을 소개하고 설명하는 부분.

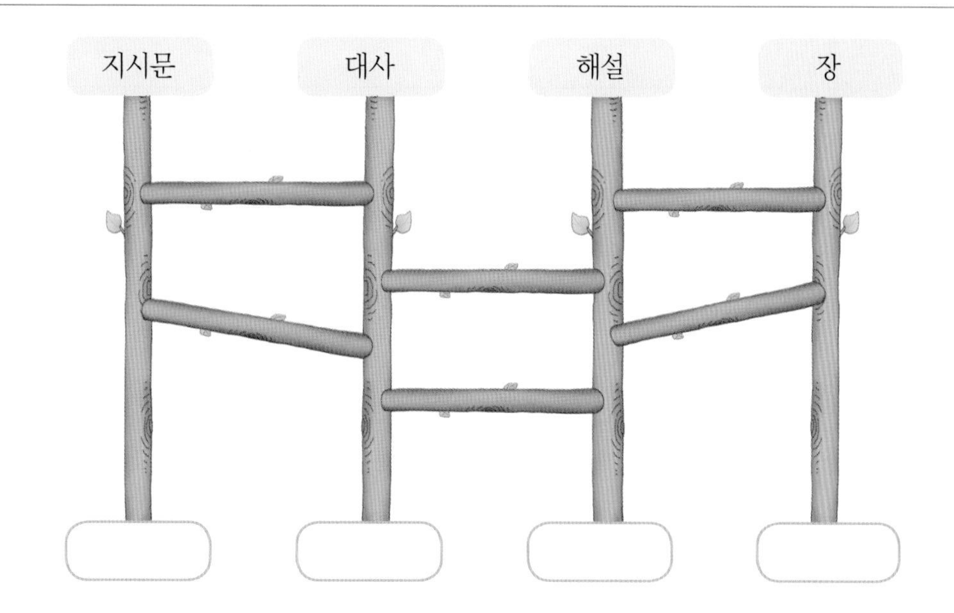

2 밑줄 친 단어의 쓰임이 알맞으면 ○표, 알맞지 않으면 ×표 해 보자.

(1) 무대에서 공연하는 것을 목적으로 쓴 연극의 대본을 희곡이라고 한다. (　　　)

(2) 연극에서 무대의 막이 오르고 내리는 것으로 구분되는 하나의 단위를 장이라고 한다. (　　　)

(3) 소설과 같은 문학 작품을 희곡이나 시나리오 등으로 고쳐 쓰는 일을 각색이라고 한다. (　　　)

3 (　　) 안에 들어갈 알맞은 단어를 보기에서 찾아 써 보자.

보기
각색　　지시문　　해설

(1) 이 연극은 유명한 소설을 희곡으로 (　　　　)해 만든 것이다.

(2) 희곡의 (　　　　)을 통해 연극의 등장인물, 무대 장치 등을 살펴볼 수 있다.

(3) 무대에서 연극을 할 때 등장인물은 희곡의 (　　　　)에 따라 행동하고 표정, 말투 등을 표현해야 한다.

사회 교과서 어휘

수록 교과서 사회 ①
Ⅶ. 개인과 사회생활

단어와 그 뜻을 익히고, 빈칸에 알맞은 단어를 써 보자.

사회화
모일 社 + 모일 會 + 될 化

한 개인이 자신이 속한 사회 구성원과의 상호 작용을 통해 언어, 규범, 가치관 등을 배워 나가는 과정.

예 가정은 인간이 처음으로 만나게 되는 □□□ 기관이다.

플러스 개념어 **재사회화**
급속한 사회 변화에 적응하기 위해 성인이 된 후에도 새로운 지식과 생활 양식 등을 습득하는 것.

지위
자리 地 + 자리 位
'地'의 대표 뜻은 '땅'임.

어떤 조직이나 사회에서 차지하는 개인의 위치나 자리.

예 한 개인이 자신이 속한 사회나 집단 내에서 차지하는 위치를 사회적 □□라고 한다.

플러스 개념어 **귀속 지위, 성취 지위**
- 귀속 지위: 딸, 아들처럼 태어나면서부터 갖는 지위.
- 성취 지위: 교사, 작가, 의사처럼 개인의 노력으로 얻게 되는 지위.

자아 정체성
스스로 自 + 나 我 + 바를 正 + 몸 體 + 성질 性
'性'의 대표 뜻은 '성품'임.

다른 사람들과 구별되는 자신만의 고유성을 깨닫고 자신이 누구인지 명확히 이해하는 것. 주로 청소년기에 형성됨.

예 사이버 공간에서도 □□ □□□을 지켜 나가도록 노력해야 한다.

사회 집단
모일 社 + 모일 會 + 모을 集 + 모일 團
'團'의 대표 뜻은 '둥글다'임.

둘 이상의 사람이 소속감을 가지고 지속적인 상호 작용을 하는 집단.

예 □□ □□은 구성원 간의 접촉 방식에 따라 1차 집단과 2차 집단으로 나뉜다.

플러스 개념어 **내집단, 외집단**
구성원에게 소속감이 있는지 없는지에 따른 구분임.
- 내집단(우리 집단): 개인이 그 집단에 소속감이 있으며, '우리'라는 공동체 의식이 강하게 나타나는 집단.
- 외집단(그들 집단): 개인이 그 집단에 소속되어 있지 않고 낯선 감정을 느끼는 집단.

준거 집단
준할 準 + 근거 據 + 모을 集 + 모일 團

개인이 어떤 행위나 판단을 할 때 기준으로 삼는 집단. 준거 집단은 개인이 소속된 집단과 반드시 일치하는 것은 아님.

예 □□ □□이 자신이 속한 집단일 경우에 개인은 만족감과 안정감을 가진다.

질풍노도
빠를 疾 + 바람 風 + 세찰 怒 + 물결 濤
'疾'의 대표 뜻은 '질병', '怒'의 대표 뜻은 '성내다'임.

매서운 바람과 거센 물결이라는 뜻으로, 심리적으로 큰 혼란을 겪는 청소년기를 이르는 말.

예 □□□□의 시기인 청소년기에는 감정 조절이 어렵고 충동적으로 행동하려는 경향이 있다.

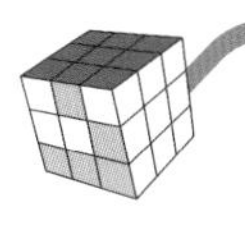

확인 문제

정답과 해설 ▶ 3쪽

1 뜻에 알맞은 단어를 찾아 선으로 이어 보자.

(1) 성인이 된 후에도 새로운 지식과 생활 양식 등을 습득하는 것. •

(2) 개인이 어떤 행위나 판단을 할 때 기준으로 삼는 집단. •

(3) 둘 이상의 사람이 소속감을 가지고 지속적인 상호 작용을 하는 집단. •

• 사회 집단

• 재사회화

• 준거 집단

2 빈칸에 알맞은 단어가 되도록 글자를 조합해 써 보자.

(1) 아동기와 성인기의 과도기에 해당하는 청소년기를 □□□□의 시기라고도 한다.

도 풍 속 노 질

(2) □□□은/는 소속감이 없으며 낯선 감정을 느끼는 집단으로, '그들 집단'이라고도 한다.

집 외 거 준 단

3 (　　) 안에 알맞은 단어를 보기에서 골라 써 보자.

보기

사회화　　정체성　　성취 지위

(1) 인간은 (　　　　)을/를 통해 자신만의 독특한 개성과 자아를 형성한다.

(2) 자아 (　　　　)은/는 자신의 노력뿐만 아니라 가정, 학교, 또래 집단 등 다양한 사회 구성원과의 상호 작용을 통해 형성된다.

(3) 전통 사회에서는 귀속 지위를 중요하게 생각했지만, 현대 사회에서는 개인의 노력으로 얻게 되는 (　　　　)의 중요성이 커지고 있다.

수학 교과서 어휘

단어와 그 뜻을 익히고, 빈칸에 알맞은 단어를 써 보자.

교점
교차할 交 + 점 點
'交'의 대표 뜻은 '사귀다'임.

선과 선 또는 선과 면이 만나서 생기는 점.

예 직선과 직선이 만나면 1개의 [ ][ ]이 생기지만, 곡선과 직선이 만나면 여러 개의 [ ][ ]이 생길 수 있다.

▲ 선과 선이 만날 때 ▲ 선과 면이 만날 때

교선
교차할 交 + 줄 線

면과 면이 만나서 생기는 선.

예 [ ][ ]은 두 평면이 만나는 경우에는 직선으로, 평면과 곡면이 만나는 경우에는 곡선으로 나타난다.

교선 교선

선분
줄 線 + 나눌 分

두 점을 곧게 이은 선.

예 A B 와 같이 두 점 A와 B를 곧게 이은 선을 [ ][ ] AB 또는 [ ][ ] BA라고 하고, $\overline{AB}$로 나타낸다.

반직선
반 半 + 곧을 直 + 줄 線

직선의 절반이라는 의미로, 한 점에서 시작해 한쪽으로 끝없이 늘인 곧은 선.

예 A B 와 같이 점 A에서 시작해 점 B를 지나는 선을 [ ][ ][ ] AB라고 하고, $\overrightarrow{AB}$로 나타낸다.

직선
곧을 直 + 줄 線

곧은 선으로, 선분을 양쪽으로 끝없이 늘인 곧은 선.

예 A B 와 같이 점 A와 점 B를 지나는 곧은 선을 [ ][ ] AB 또는 [ ][ ] BA라고 하고, $\overleftrightarrow{AB}$로 나타낸다.

선분의 중점
줄 線 + 나눌 分 + 의 + 가운데 中 + 점 點

선분의 양 끝점에서 같은 거리에 있는 점.

예 선분 AB 위의 양 끝점에서 같은 거리에 있는 점 M이 선분 AB의 [ ][ ]이다.

A M B

$\overline{AM}=\overline{BM}=\frac{1}{2}\overline{AB}$

두 점 사이의 거리
두 점 사이의 + 상거할 距 + 떨어질 離
'상거하다'는 서로 떨어지는 것을 뜻함.
'離'의 대표 뜻은 '이별하다'임.

떨어져 있는 두 점 사이의 거리로, 두 점을 잇는 가장 짧은 길이.

예 두 점 A, B를 잇는 무수한 선 중에서 길이가 가장 짧은 선분 AB의 길이를 두 점 A, B 사이의 [ ][ ]라고 한다.

A B

확인 문제

정답과 해설 ▶ 4쪽

1 **빈칸에 알맞은 단어를 글자판에서 찾아 묶어 보자.** (단어는 가로, 세로, 대각선 방향에서 찾기)

중	헌	직	거
사	점	리	섭
반	직	교	외
교	점	직	선

❶ 면과 면이 만나서 생기는 선을 [ ](이)라고 한다.
❷ 선과 선 또는 선과 면이 만나서 생기는 점을 [ ](이)라고 한다.
❸ 두 점을 잇는 가장 짧은 길이를 두 점 사이의 [ ](이)라고 한다.
❹ 선분의 양 끝점에서 같은 거리에 있는 점을 선분의 [ ](이)라고 한다.

2 **( ) 안에 들어갈 알맞은 단어를 보기에서 찾아 써 보자.**

보기

선분 반직선 직선 중점

(1) 점 A에서 시작해 점 B를 지나는 선 $\overrightarrow{AB}$는 (   ) AB이다.
(2) 선분 AB 위의 양 끝점에서 같은 거리에 있는 점 M은 $\overline{AB}$의 (   )이다.
(3) 두 점 A, B를 곧게 이은 선 $\overline{AB}$는 (   ) AB 또는 (   ) BA이다.
(4) 점 A와 점 B를 지나는 곧은 선 $\overleftrightarrow{AB}$는 (   ) AB 또는 (   ) BA이다.

3 **친구들의 설명이 알맞으면 ○표, 알맞지 않으면 ×표 해 보자.**

(1)

(   )

(2)

(   )

(3)

(   )

과학 교과서 어휘

단어와 그 뜻을 익히고, 빈칸에 알맞은 단어를 써 보자.

입자 낟알 粒 + 열매 子 '子'의 대표 뜻은 '아들'임.	거의 눈에 보이지 않을 정도로 아주 작은 크기의 물체. 예 물, 에탄올, 공기 등 모든 물질은 □□로 구성되어 있다.
기체 기체 氣 + 물체 體 '氣'의 대표 뜻은 '기운', '體'의 대표 뜻은 '몸'임.	공기와 같이 물질을 이루는 입자 사이의 거리가 멀고 각 입자가 자유롭게 운동하는 상태. 예 공기는 질소, 산소, 이산화 탄소 등으로 구성된 □□이다.
증발 김 오를 蒸 + 필 發 '蒸'의 대표 뜻은 '찌다'임.	운동이 활발한 입자가 액체 표면에서 떨어져 나와 기체로 변하는 현상. 예 바람이 강하게 불수록, 온도가 높을수록, 습도가 낮을수록 □□이 잘 일어난다.
확산 넓힐 擴 + 흩을 散	입자가 스스로 운동하여 모든 방향으로 고르게 퍼져 나가는 현상. 예 부엌이나 식당에서 음식 냄새가 퍼져 나가는 것은 기체의 □□ 때문이다.
압력 누를 壓 + 힘 力	일정한 넓이에 수직으로 작용하는 힘의 크기. $(\text{압력}) = \dfrac{\text{힘의 크기}(N)}{\text{힘을 받는 면의 넓이}(m^2)}$ 예 기체 분자가 운동하면서 용기 벽면에 충돌할 때 용기를 밖으로 미는 힘을 기체의 □□이라고 한다. **플러스 개념어 Pa(파스칼)** 압력의 단위는 Pa(파스칼)을 사용하는데, 1Pa은 1N(뉴턴)의 힘이 $1m^2$에 가해질 때의 압력임.
대기압 큰 大 + 기체 氣 + 누를 壓	지구를 둘러싸고 있는 공기의 압력. 예 우리가 평상시에 생활하면서 받는 □□□의 크기는 1기압이다.

확인 문제

1 뜻에 알맞은 단어가 되도록 보기 의 글자를 조합해 써 보자.

보기

압	증	기
확	입	력
자	체	산

(1) 일정한 넓이에 수직으로 작용하는 힘의 크기. → ☐☐

(2) 거의 눈에 보이지 않을 정도로 작은 크기의 물체. → ☐☐

(3) 물질을 이루는 입자 사이의 거리가 멀고 각 입자가 자유롭게 운동하는 상태.

→ 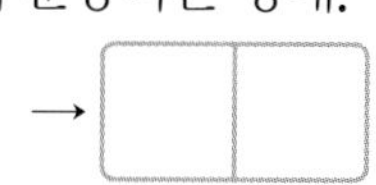

2 단어의 뜻을 찾아 선으로 이어 보자.

(1) 증발 •

(2) 확산 •

• 입자가 스스로 운동하여 모든 방향으로 고르게 퍼져 나가는 현상.

• 운동이 활발한 입자가 액체 표면에서 떨어져 나와 기체로 변하는 현상.

3 빈칸에 들어갈 알맞은 말을 초성을 바탕으로 써 보자.

(1) 높은 곳으로 올라갈수록 공기의 양이 줄어들기 때문에 ㄷ ㄱ ㅇ 이 낮아진다.

(2) 벽에 페인트를 칠하면 냄새 입자가 퍼져 나가면서 페인트 냄새가 나는데, 이는 ㅎ ㅅ 의 예이다.

(3) 젖은 빨래가 마르거나 물에 젖은 머리카락이 마르는 것은 액체가 기체로 변하는 ㅈ ㅂ 의 예이다.

(4) 풍선을 불어 풍선 안으로 공기가 들어가면 공기 입자가 풍선의 안쪽 벽면에 충돌할 때 작용하는 기체의 ㅇ ㄹ 때문에 풍선이 부풀어 오른다.

국어 교과서 어휘

수록 교과서 국어 1-2
문학 – 수필

단어와 그 뜻을 익히고, 빈칸에 알맞은 단어를 써 보자.

수필
따를 隨 + 붓 筆

글쓴이가 일상생활을 하면서 느낀 점이나 겪은 일을 자유롭게 쓴 글.

예 이 글은 글쓴이가 초등학교 시절에 선생님과의 추억을 떠올려 쓴 ☐☐이다.

경수필
가벼울 輕 + 따를 隨 + 붓 筆

생활 주변에서 일어난 일이나 개인적 경험을 비교적 가볍게 쓴 수필.

예 ☐☐☐은 정해진 형식이 없이 자유롭게 쓰는 글이다.

수필은 경수필과 중수필로 나눌 수 있어. 중수필은 일정한 주제에 대해 관찰하고 사색한 내용을 논리적으로 쓴 수필이야.

경험
지날 經 + 시험 驗

자신이 실제로 해 보거나 겪어 보는 일.

예 자신의 ☐☐을 바탕으로 글을 쓰기 위해서는 먼저 자신이 겪은 일 중에서 의미 있는 것을 떠올려 본다.

글감

글의 내용이 되는 재료.

예 설명문에서는 설명하려는 대상이 곧 글의 ☐☐이 된다.

성찰
살필 省 + 살필 察

자신의 마음을 들여다보고 살피는 태도.

예 일기를 쓰는 것은 자신의 생각이나 태도를 ☐☐하는 데 도움이 된다.

주관적
주인 主 + 볼 觀 + ~한 상태로 되는 的
'的'의 대표 뜻은 '과녁'임.

자신의 의견이나 생각을 기초로 하는 것.

예 수필은 글쓴이가 자신의 경험이나 생각을 ☐☐☐으로 쓴 글이다.

플러스 개념어 **객관적**
자신의 의견이나 생각에서 벗어나 직접 관계가 없는 사람 입장에서 생각하는 것.

확인 문제

정답과 해설 ▶ 6쪽

1 단어의 뜻을 찾아 선으로 이어 보자.

(1)	객관적 •	•	자신의 의견이나 생각을 기초로 하는 것.
(2)	주관적 •	•	생활 주변에서 일어난 일이나 개인적 경험을 쓴 수필.
(3)	경수필 •	•	일정한 주제에 대해 관찰하고 사색한 내용을 논리적으로 쓴 수필.
(4)	중수필 •	•	자신의 의견이나 생각에서 벗어나 직접 관계가 없는 사람 입장에서 생각하는 것.

2 밑줄 친 단어가 알맞으면 ○표, 알맞지 <u>않으면</u> ×표 해 보자.

(1) 글의 내용이 되는 재료를 <u>글감</u>이라고 한다. (　　　)

(2) 자신의 마음을 들여다보고 살피는 태도를 <u>경험</u>이라고 한다. (　　　)

(3) 글쓴이가 일상생활을 하면서 느낀 점이나 겪은 일을 자유롭게 쓴 글을 <u>수필</u>이라고 한다. (　　　)

3 빈칸에 공통으로 들어갈 단어로 알맞은 것은? (　　　)

경험을 담은 글을 쓰면서 자신의 삶을 [　　　]해 볼 수 있어.

깨달음을 얻기 위해서는 자신을 돌아보며 살피고 반성하는 [　　　]의 태도가 필요해.

① 경험　② 글감　③ 수필　④ 성찰　⑤ 해설

사회 교과서 어휘

수록 교과서 사회 ①
Ⅷ. 문화의 이해

단어와 그 뜻을 익히고, 빈칸에 알맞은 단어를 써 보자.

문화
글월 文 + 될 化

한 사회의 구성원들이 주위 환경에 적응하고, 이를 극복해 가는 과정에서 공통적으로 나타나는 생활 양식.

예 한 사회의 구성원들은 [ ][ ]를 서로 공유하기 때문에 공통된 행동과 사고방식을 가진다.

문화 사대주의
글월 文 + 될 化 + 섬길 事 + 큰 大 + 주장할 主 + 뜻 義
'事'의 대표 뜻은 '일', '主'의 대표 뜻은 '임금', '義'의 대표 뜻은 '옳다'임.

자기가 속한 사회의 문화는 낮게 평가하고, 다른 사회의 문화는 우수하다고 여겨 동경하거나 따르는 태도.

예 [ ][ ] [ ][ ][ ][ ]에 빠져 다른 사회의 문화만 좇다 보면 자기 문화의 주체성을 잃을 수 있다.

플러스 개념어 **자문화 중심주의**
자신이 속한 사회의 문화는 우수하다고 평가하고, 다른 사회의 문화는 부정적으로 평가하는 태도.

문화 상대주의
글월 文 + 될 化 + 서로 相 + 대할 對 + 주장할 主 + 뜻 義

상대방의 문화를 인정하면서 한 사회의 문화를 그 사회가 처한 특수한 환경과 사회적 맥락 속에서 이해하려는 태도.

예 [ ][ ] [ ][ ][ ][ ]는 다른 사회의 문화를 상대방의 관점에서 객관적으로 이해할 수 있게 한다.

대중 매체
큰 大 + 무리 衆 + 매개 媒 + 몸 體
'媒'의 대표 뜻은 '중매'임.

많은 사람에게 많은 양의 정보를 동시에 전달하는 수단. 신문, 라디오, 텔레비전, 인터넷 등이 있음.

예 뉴 미디어와 같은 새로운 [ ][ ] [ ][ ]의 등장으로 쌍방향 의사소통이 가능해졌다.

▲ 다양한 대중 매체

대중문화
큰 大 + 무리 衆 + 글월 文 + 될 化

가요, 영화, 드라마 등과 같이 대다수의 사람이 즐기고 누리는 문화.

예 [ ][ ][ ][ ]는 사람들에게 오락과 휴식을 제공하고, 새로운 소식과 정보를 전달한다.

플러스 개념어 **1인 미디어**
새로운 대중문화로 등장한 1인 미디어는 개인이 혼자서 콘텐츠 기획부터 생산까지 담당하여 유행을 만들고 수익을 얻음.

취향
뜻 趣 + 향할 向

무엇을 얻고자 하거나 무슨 일을 하고자 하는 마음이 생기는 방향.

예 많은 사람들의 [ ][ ]을 반영한 대중문화는 사람들의 삶에 즐거움을 준다.

확인 문제

정답과 해설 ▶ 7쪽

1 뜻에 알맞은 단어를 찾아 선으로 이어 보자.

(1) 자신이 속한 사회의 문화는 우수하다고 평가하고, 다른 사회의 문화는 부정적으로 평가하는 태도. •

(2) 자기가 속한 사회의 문화는 낮게 평가하고, 다른 사회의 문화는 우수하다고 여겨 동경하거나 따르는 태도. •

(3) 상대방의 문화를 인정하면서 한 사회의 문화를 그 사회가 처한 특수한 환경과 사회적 맥락 속에서 이해하려는 태도. •

• 문화 사대주의

• 문화 상대주의

• 자문화 중심주의

2 문화를 바라보는 태도로 알맞은 단어를 골라 ○표 해 보자.

(1) 나체로 살던 자파테크 족을 미개하다고 생각한 유럽 사람들은 그들에게 강제로 옷을 입혔어.

(자문화 중심주의 , 문화 상대주의)

(2) 인도를 여행해 보면, 소고기를 먹지 않는 인도 사람들의 입장을 이해할 수 있어.

(자문화 중심주의 , 문화 상대주의)

3 빈칸에 들어갈 알맞은 단어를 초성을 바탕으로 써 보자.

(1) 오늘날 사람들의 [ㅊ][ㅎ]을/를 반영한 다양한 대중문화 콘텐츠가 만들어지고 있다.

(2) [ㄷ][ㅈ] [ㅁ][ㅊ]의 종류에는 신문, 잡지와 같은 인쇄 매체, 영화, 텔레비전과 같은 영상 매체가 있다.

수학 교과서 어휘

수록 교과서 수학 1
Ⅴ. 기본 도형과 작도

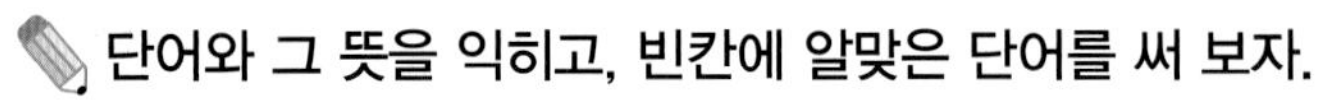

각
각도 角
'角'의 대표 뜻은 '뿔'임.

한 점에서 그은 두 반직선으로 이루어진 도형.

예 한 점 B에서 시작하는 반직선 BA와 반직선 BC로 이루어진 도형을 □ ABC 또는 □ CBA라고 한다.

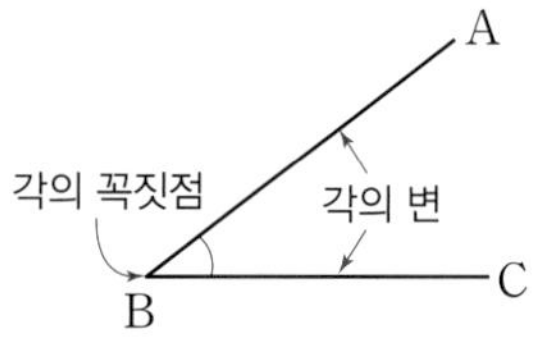

(그림: A, B, C / 각의 꼭짓점 / 각의 변)

평각
평평할 平 + 각도 角

평평한 각으로, 한 점에서 나간 두 반직선이 일직선을 이루는 각으로 180°.

예 각 BAC의 두 변 AB, AC가 점 A를 중심으로 반대쪽에 있으면서 한 직선을 이룰 때 각 BAC는 □□이다.

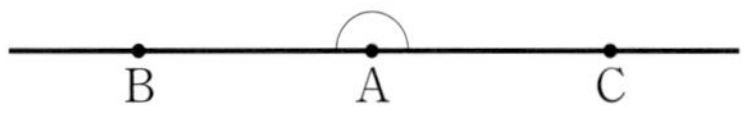

(그림: B A C)

플러스 개념어 직각, 예각, 둔각
- 직각: 두 직선이 만나서 이루는 90°의 각.
- 예각: 0°보다 크고 90°보다 작은 각.
- 둔각: 90°보다 크고 180°보다 작은 각.

교각
교차할 交 + 각도 角
'交'의 대표 뜻은 '사귀다'임.

두 직선이 만나서 생기는 각.

예 두 직선이 한 점에서 만나서 생기는 네 각 $\angle a$, $\angle b$, $\angle c$, $\angle d$는 두 직선의 □□이다.

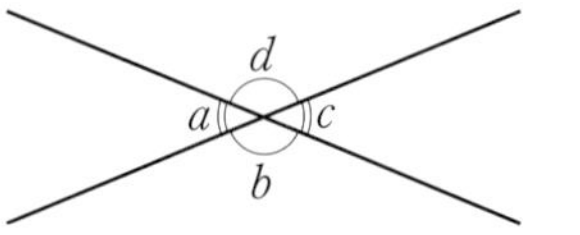

(그림: a, b, c, d)

맞꼭지각
맞꼭지 + 각도 角

두 직선의 교각 중에서 서로 마주 보는 두 각.

예 서로 마주 보는 두 각 $\angle a$와 $\angle c$, $\angle b$와 $\angle d$를 □□□□이라고 한다.

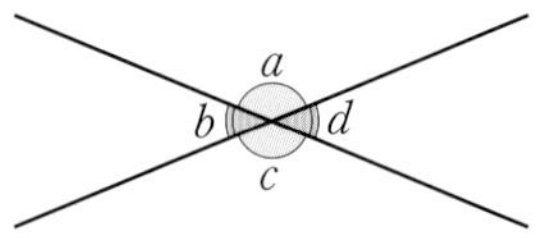

(그림: a, b, c, d)

직교
곧을 直 + 교차할 交

두 직선이 서로 직각으로 만나는 것.

예 두 직선이 □□일 때, 두 직선 AB, CD의 교각은 직각이다. 이때 $\overleftrightarrow{AB}$와 $\overleftrightarrow{CD}$는 수직이고, $\overleftrightarrow{AB}$는 $\overleftrightarrow{CD}$의 수선이다.

두 직선이 만나서 이루는 각이 직각일 때 두 직선은 서로 수직이라고 하고, 두 직선이 서로 수직으로 만날 때 한 직선을 다른 직선의 수선이라고 함.

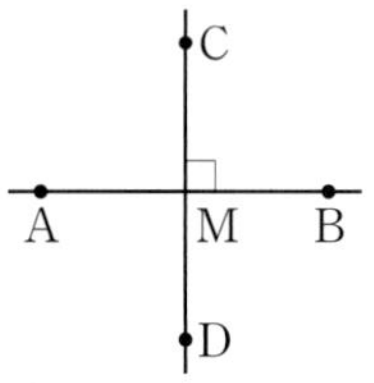

(그림: C, A, M, B, D)

수직이등분선
드리울 垂 + 곧을 直 + 두 二 + 같을 等 + 나눌 分 + 줄 線

선분을 수직으로 이등분하는 직선으로, 선분의 중점을 지나고 그 선분에 수직인 직선.

예 선분 AB의 중점 M을 지나면서 선분 AB에 수직인 직선 l은 선분 AB의 □□□□□□이다.

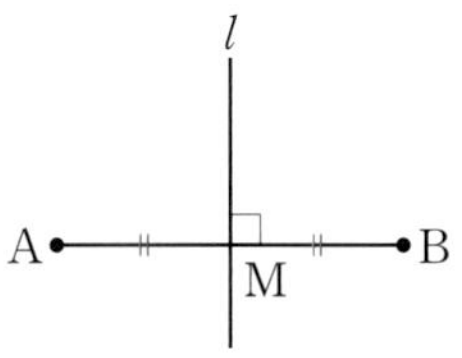

(그림: l, A, M, B)

수선의 발
드리울 垂 + 줄 線 + 의 발

직선 위에 있지 않은 한 점에서 직선에 그은 수선과 직선과의 교점.

예 직선 l 위에 있지 않은 점 P에서 직선 l에 그은 수선과 직선 l이 만나서 생기는 교점이 H일 때, 점 H를 점 P에서 직선 l에 내린 □□□ □이라고 한다.

직선 위에 있지 않은 한 점에서 직선에 내린 수선의 발까지의 거리를 '점과 직선 사이의 거리'라고 함.

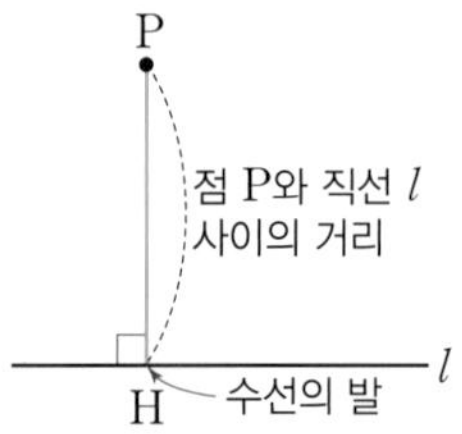

(그림: P, 점 P와 직선 l 사이의 거리, H, 수선의 발, l)

확인 문제

정답과 해설 ▶ 8쪽

1 뜻에 알맞은 단어를 보기에서 찾아 사다리를 타고 내려간 곳에 써 보자.

보기

예각 직각 평각 둔각

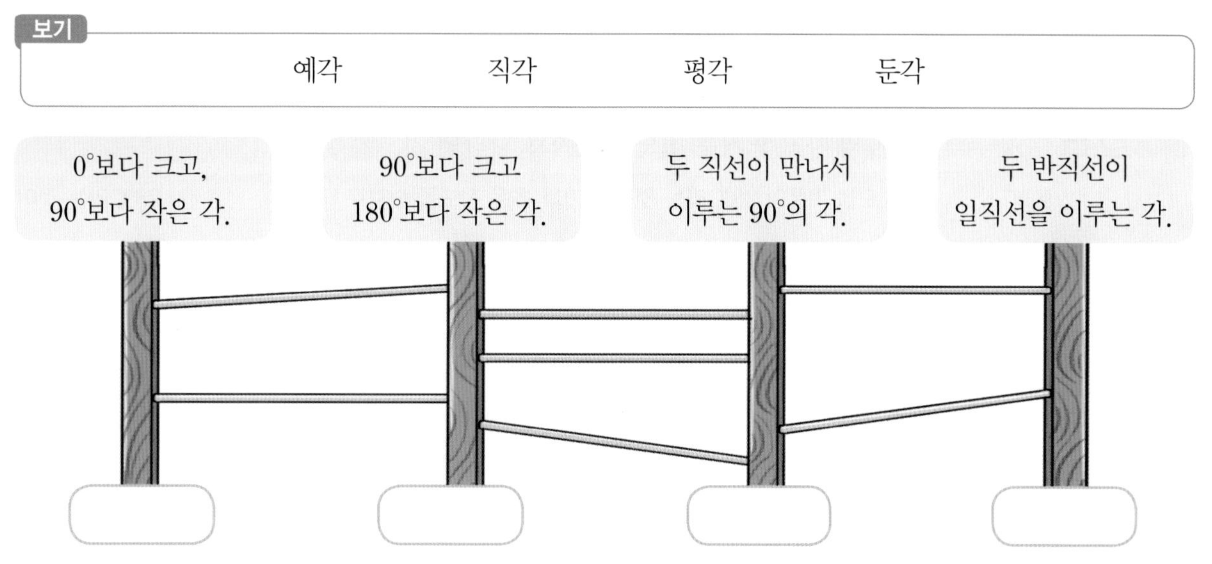

2 뜻에 알맞은 단어가 되도록 보기의 글자를 조합해 써 보자. (같은 글자가 여러 번 쓰일 수 있음.)

보기

수 각 등 선 직 발 교 이 분

(1) 두 직선이 만나서 생기는 각. → ☐☐

(2) 두 직선이 서로 직각으로 만나는 것. → ☐☐

(3) 선분의 중점을 지나면서 그 선분에 수직인 직선. → ☐☐☐☐☐☐

(4) 직선 위에 있지 않은 한 점에서 직선에 그은 수선과 직선과의 교점. → ☐☐의 ☐

3 그림에 대한 설명이 알맞으면 ○표, 알맞지 않으면 ×표 해 보자.

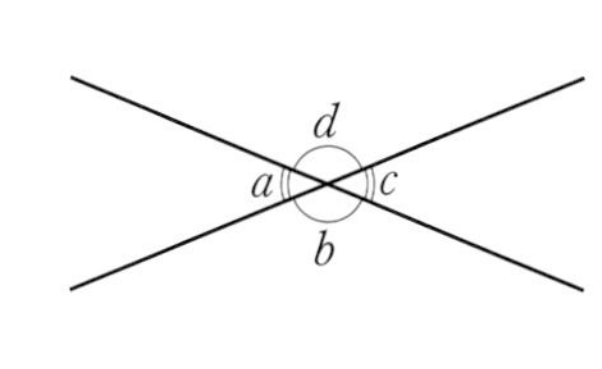

(1) 두 직선이 만나는 교각은 4개이다. (　　　)

(2) $\angle a$와 $\angle c$는 서로 맞꼭지각이다. (　　　)

(3) $\angle a$와 $\angle d$는 서로 맞꼭지각이다. (　　　)

(4) $\angle b$와 $\angle d$는 서로 맞꼭지각이다. (　　　)

과학 교과서 어휘

단어와 그 뜻을 익히고, 빈칸에 알맞은 단어를 써 보자.

온도

따뜻할 溫 + 정도 度

'度'의 대표 뜻은 '법도'임.

물체의 차고 뜨거운 정도를 숫자로 나타낸 것.

예 오늘 기온이 28℃라는 것은 덥거나 추운 정도를 숫자로 나타낸 [ ][ ]가 28℃라는 것이다.

정비례

같을 正 + 견줄 比 + 법식 例

'正'의 대표 뜻은 '바르다'임.

한쪽 양이 커질 때 다른 쪽 양도 같은 비로 커지는 관계.

예 두 변수 x와 … 사이에 x의 값이 2배, 3배, 4배, …로 변할 때, …의 값도 2배, 3배, 4배, …가 되면 …는 x에 [ ][ ][ ]한다.

반비례

돌이킬 反 + 견줄 比 + 법식 例

한쪽 양이 커질 때 다른 쪽 양은 같은 비로 작아지는 관계.

예 변화하는 두 양 x, …에서 x의 값이 2배, 3배, 4배, …로 변할 때, …의 값이 $\frac{1}{2}$배, $\frac{1}{3}$배, $\frac{1}{4}$배, …가 되면 …는 x에 [ ][ ][ ]한다.

보일 법칙

보일 + 법 法 + 법칙 則

온도가 일정할 때, 일정한 양의 기체의 부피는 압력에 반비례한다는 법칙.

예 주사기의 피스톤을 밀면 기체 입자가 운동할 수 있는 공간이 좁아지면서 주사기 속의 부피가 줄어드는데, 기체 입자의 충돌 횟수가 많아져 주사기 속 기체의 압력은 커진다. 이와 같은 기체의 부피와 압력의 관계를 나타낸 법칙을 [ ][ ] [ ][ ]이라고 한다.

샤를 법칙

샤를 + 법 法 + 법칙 則

압력이 일정할 때, 기체의 부피는 기체의 온도에 비례한다는 법칙.

예 일정한 압력에서 기체가 들어 있는 비닐 주머니를 냉장고 속에 넣어 두면 기체 입자들의 운동이 느려지기 때문에 비닐 주머니 속 기체의 부피가 줄어들어 비닐 주머니의 크기가 작아진다. 작아진 비닐 주머니를 뜨거운 물에 넣으면 기체 입자들의 운동이 빨라지면서 비닐 주머니 속 기체의 부피가 늘어나 비닐 주머니의 크기가 커진다. 이와 같은 기체의 부피와 온도의 관계를 나타낸 법칙을 [ ][ ] [ ][ ]이라고 한다.

온도가 높아지면 비닐 주머니 안의 공기가 팽창한다.

비닐 주머니
공기
차가운 물
공기
뜨거운 물

확인 문제

정답과 해설 ▶ 9쪽

1 뜻에 알맞은 단어가 되도록 보기의 글자를 조합해 써 보자. (같은 글자가 여러 번 쓰일 수 있음.)

보기

비 정 온 반 례 도

(1) 물체의 차고 뜨거운 정도를 숫자로 나타낸 것. → ☐☐

(2) 한쪽 양이 커질 때 다른 쪽 양도 같은 비로 커지는 관계. → ☐☐☐

(3) 한쪽 양이 커질 때 다른 쪽 양은 같은 비로 작아지는 관계. → ☐☐☐

2 문장에 어울리는 단어를 (   ) 안에서 골라 ◯표 해 보자.

(1) 온도가 일정할 때, 용기에 들어 있는 기체에 가하는 압력이 2배, 3배가 되면 기체의 부피는 $\frac{1}{2}$, $\frac{1}{3}$로 줄어든다. 이는 기체의 부피와 압력의 관계를 나타낸 (보일 법칙 , 샤를 법칙)과 관련 있다.

(2) 압력이 일정할 때, 용기에 들어 있는 기체의 온도가 높아지면 기체의 부피는 커진다. 이는 기체의 부피와 온도의 관계를 나타낸 (보일 법칙 , 샤를 법칙)과 관련 있다.

3 (   ) 안에 들어갈 알맞은 단어를 보기에서 찾아 써 보자.

보기

보일 법칙　　　샤를 법칙

(1) 찌그러진 탁구공을 뜨거운 물에 넣으면 탁구공 속 기체의 온도가 높아져서 부피가 늘어나므로 탁구공이 펴지게 되는데, 이것은 (   )의 예이다.

(2) 밀폐 용기의 뚜껑이 잘 열리지 않을 경우, 아랫 부분을 뜨거운 물에 넣으면 쉽게 열 수 있는데, 이것은 기체의 온도가 높아지면 부피가 커지는 (   )의 예이다.

(3) 하늘 높이 올라간 헬륨 풍선이 점점 커지다가 터지는 것은 하늘 높이 올라갈수록 대기압이 감소하여 풍선에 작용하는 압력이 작아져 부피가 커지는 것으로 (   )의 예이다.

見(견), 去(거)가 들어간 단어

볼 견

견(見)은 주로 '보다'라는 뜻으로 쓰여. 눈으로 대상의 존재나 형태적 특징을 아는 것을 '보다'라고 하지. 견(見)은 '견해'라는 뜻으로 쓰일 때도 있어.

갈 거

거(去)는 주로 '가다'라는 뜻으로 쓰여. 한곳에서 다른 곳으로 옮기는 것을 '가다'라고 하지. 거(去)는 '지나간 때', '버리다'라는 뜻으로도 쓰여.

단어와 그 뜻을 익히고, 빈칸에 알맞은 단어를 써 보자.

견물생심
볼 見 + 물건 物 + 날 生 + 마음 心

견물(見物) + 생심(生心)
물건을 봄. 욕심이 생김.
다른 사람의 물건을 욕심내서 함부로 가져가면 안 돼!

어떠한 실물을 보게 되면 그것을 가지고 싶은 욕심이 생김.

예 내가 갖고 싶었던 게임기를 보자 나도 모르게 [| | |]이 되었다.

편견
치우칠 偏 + 견해 見

견(見)이 '견해'라는 뜻으로 쓰였어. 자신의 생각을 '견해'라고 해.

공정하지 못하고 한쪽으로 치우친 생각.

예 뚱뚱한 사람은 게으를 것이라고 생각하는 것은 [|]이다.

플러스 개념어
색안경(빛 色 + 눈 眼 + 거울 鏡) 주관이나 선입견에 얽매여 좋지 않게 보는 태도.
예 색안경을 끼고 사람을 판단하는 것은 옳지 않다.

수거
거둘 收 + 갈 去

거두어 감.

예 우리 동네 재활용 쓰레기는 매주 금요일에 [|]를 한다.

과거
지날 過 + 지나간 때 去

거(去)가 '지나간 때'라는 뜻으로 쓰였어.

이미 지나간 때.

예 타임머신을 타고 [|]나 미래로 시간 여행을 떠나고 싶다.

거두절미
버릴 去 + 머리 頭 + 끊을 截 + 꼬리 尾

거두(去頭) + 절미(截尾)
머리를 버림. 꼬리를 끊음.
머리와 꼬리를 끊어 버린다는 뜻으로, 거(去)가 '버리다'라는 뜻으로 쓰였어.

앞과 뒤의 군더더기를 빼고 어떤 일의 중심만 간단히 말함.

예 나는 [| | |]하고 용건만 짧게 말했다.

확인 문제

정답과 해설 ▸ 10쪽

1 뜻에 알맞은 단어가 되도록 보기 의 글자를 조합해 써 보자.

보기

견 두 심 절 생 미 물 거

(1) 어떠한 실물을 보게 되면 그것을 가지고 싶은 욕심이 생김. → □□□□

(2) 앞과 뒤의 군더더기를 빼고 어떤 일의 중심만 간단히 말함. → □□□□

2 단어의 뜻을 찾아 선으로 이어 보자.

(1) 편견 •		• 거두어 감.
(2) 수거 •		• 이미 지나간 때.
(3) 과거 •		• 공정하지 못하고 한쪽으로 치우친 생각.

3 (   ) 안에 들어갈 알맞은 단어를 보기 에서 찾아 써 보자.

보기

과거   편견   거두절미   견물생심

(1) 할아버지께서는 한국 전쟁을 겪었던 (   )을/를 떠올리며 눈물을 흘리셨다.

(2) 나는 대형 마트에 가면 (   )에 필요하지 않은 물건도 충동적으로 구매하는 일이 많다.

(3) 외국에서 온 노동자들은 능력이 떨어질 것이라고 단정 짓는 것은 (   )에 불과하다.

(4) 마감 시간이 다가오자 사회자는 발표자들에게 발표 내용을 (   )하고 짧게 요약하여 말해 줄 것을 요구하였다.

영문법 어휘

대명사의 격

대명사는 문장에서의 쓰임에 따라 그 모양새와 부르는 이름이 달라. 주어로 쓰일 때는 주격, 목적어로 쓰일 때는 목적격, 소유를 나타낼 때는 소유격, 소유한 것을 나타낼 때는 소유대명사라고 해. 주격(subjective case), 목적격(objective case), 소유격(possessive case), 소유대명사(possessive pronoun)가 무엇인지 그 뜻과 예를 공부해 보자.

단어와 그 뜻을 익히고, 빈칸에 알맞은 단어를 써 보자.

---

subjective case

주격

주인 主 + 격식 格

'主'의 대표 뜻은 '임금'임.

문장에서 대명사가 주어로 쓰일 때 사용하는 대명사의 형태를 가리키는 말. 주격의 대명사는 I, You, He, She, We, They, It이 있음.

• **They** like fish much. (그들은 생선을 많이 좋아한다.)

They(그들은)는 주어 역할을 하는 대명사의 주격

예 "She is running to school. (그녀는 학교로 뛰어가고 있다.)"에서 She(그녀)는 주어로서 □□ 대명사이다.

---

objective case

목적격

지칭할 目 + 목표 的 + 격식 格

'目'의 대표 뜻은 '눈', '的'의 대표 뜻은 '과녁'임.

문장에서 대명사가 목적어로 쓰일 때 사용하는 대명사의 형태를 가리키는 말. 목적격의 대명사는 me, you, him, her, us, them, it이 있음.

• She like **him** much.

him(그를)은 목적어 역할을 하는 대명사의 목적격

(그녀는 그를 많이 좋아한다.)

예 "He made it for me. (그는 나를 위해 그것을 만들었다.)"에서 it(그것을)은 목적어로서 □□□ 대명사이다.

플러스 개념어 전치사의 목적격

전치사 다음에 인칭대명사가 올 경우에는 목적격으로 전환해야 함.

예 • He made it for me. (○)

• He made it for I. (×)

(그는 나를 위해 그것을 만들었다.)

---

possessive case

소유격

있을 所 + 있을 有 + 격식 格

'所'의 대표 뜻은 '바(방법)'임.

문장에서 명사의 소유를 나타낼 때 사용하는 대명사의 형태를 가리키는 말. 소유격의 대명사는 my, your, his, her, our, their, its가 있음.

• Is this **your** book? (이거 네 책이니?)

your(너의)는 소유를 의미하는 대명사의 소유격

예 "Our bags are on the desk. (우리의 가방들이 책상 위에 있다.)"에서 Our(우리의)는 명사의 소유를 나타내는 대명사의 □□□ 이다.

플러스 개념어 명사의 소유격

보통 명사의 소유격은 명사 뒤에 's나 소유의 뜻을 갖는 전치사 of를 써서 만듦.

예 • Kate's hat is so pretty.

(Kate의 모자는 매우 예쁘다.)

• I finally found his bag.

(나는 드디어 그의 가방을 찾았다.)

• We didn't get today's newspaper.

(우리는 오늘의 신문을 받지 못했다.)

---

possessive pronoun

소유대명사

있을 所 + 있을 有 + 대신할 代 + 이름 名 + 말 詞

문장에서 '소유격+명사'를 하나의 대명사로 나타낸 말. '~의 것'이라는 의미를 가지며 mine, yours, his, hers, ours, theirs, its가 있음.

• Your bag is as good as **mine**. (네 가방은 내 것만큼 좋다.)

my bag(내 가방) 대신 사용한 소유대명사

예 "Is this cell phone yours? (이 휴대폰 네 것이니?)"에서 your cell phone(네 휴대폰)을 대신하는 yours(네 것)는 □□□□□ 이다.

확인 문제

정답과 해설 ▶ 11쪽

1 단어의 뜻을 찾아 선으로 이어 보자.

(1) 주격 •　　　　• 주어로 쓰인 대명사.

(2) 소유격 •　　　　• 목적어로 쓰인 대명사.

(3) 목적격 •　　　　• 명사의 소유를 나타내는 대명사.

(4) 소유대명사 •　　　　• '소유격+명사'를 의미하는 대명사.

2 밑줄 친 단어의 격으로 알맞은 것을 골라 ○표 해 보자.

(1) We got some advice from **our** teacher.
(우리는 우리의 선생님에게서 충고를 얻었다.)
(주격 , 목적격 , 소유격)

(2) **You** should follow the teacher's advice.
(너는 선생님의 충고를 따라야 해.)
(주격 , 목적격 , 소유격)

(3) Please wait for **me** here.
(여기서 저를 기다려 주세요.)
(주격 , 목적격 , 소유격)

3 밑줄 친 단어가 소유대명사인 것을 찾아 ○표 해 보자.

(1) It's cold. Put on **your** muffler. (날이 추워. 네 목도리를 해라.) (　　　)

(2) This is my pen. I'll give you **mine**.
(이것은 내 펜이야. 내가 너에게 내 것을 줄게.) (　　　)

(3) She went to the park with **him**. (그녀는 그와 함께 공원에 갔다.) (　　　)

(4) This car is not **yours**. It's John's.
(이 차는 네 것이 아니야. 그것은 John의 것이야.) (　　　)

어휘력 테스트

1주차 1~5회에서 공부한 단어를 떠올리며 문제를 풀어 보자.

국어

1 빈칸에 들어갈 알맞은 단어를 보기 의 글자를 조합해 써 보자.

보기

나 오 시 곡 희 리

→ 연극의 대본은 [ ][ ]이고, 영화의 대본은 [ ][ ][ ][ ]이다.

국어

2 밑줄 친 뜻을 가진 단어를 골라 ○표 해 보자.

선생님: 이번 시간에는 일상생활에서 느낀 것이나 겪은 일을 자유롭게 쓴 글에 대해 배울 거예요.

(시 , 소설 , 수필)

사회

3 빈칸에 들어갈 단어로 알맞은 것은? (　　　)

둘 이상의 사람이 [　　]을 가지고 지속적인 상호 작용을 하는 집단을 '사회 집단'이라고 한다.

① 공감　② 소속감　③ 책임감　④ 자신감　⑤ 존재감

사회

4 빈칸에 보기 의 뜻을 가진 단어를 초성을 바탕으로 써 보자.

보기

대다수의 사람이 즐기고 누리는 문화.

• 우리 가요와 영화 등이 전 세계에서 인기를 끌면서 우리 [ㄷ][ㅈ][ㅁ][ㅎ]에 관심을 갖는 외국인이 점점 늘고 있다.

수학

5 문장에 어울리는 단어를 (　) 안에서 골라 ○표 해 보자.

(1) 선분을 양쪽으로 끝없이 늘인 곧은 선을 (교선 , 직선)이라고 한다.

(2) 선과 선 또는 선과 면이 만나서 생기는 점을 (교점 , 중점)이라고 한다.

수학

6 그림을 보고 문장에 어울리는 단어를 ( ) 안에서 골라 ○표 해 보자.

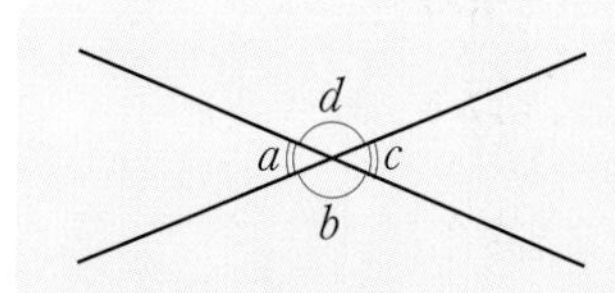

$\angle a$, $\angle b$, $\angle c$, $\angle d$는 두 직선이 만나서 생긴 (교각 , 평각)이다.

과학

7 문장에 어울리는 단어를 ( ) 안에서 골라 ○표 해 보자.

소금물이 든 물컵을 뜨거운 햇볕에 며칠 두었더니 물이 (확산 , 증발)하고 소금만 남았다.

과학

8 빈칸에 들어갈 단어로 알맞은 것은? (   )

소미: 어제 동생이 집에 있던 풍선을 밖으로 가져가더니 풍선이 쭈그러들었다고 울상을 짓더라.
창민: 아, 겨울이라 집과 밖의 온도 차이 때문에 풍선의 [   ]이/가 줄어든 거구나.

① 무게　② 질량　③ 부피　④ 입자　⑤ 압력

한자

9 빈칸에 알맞은 단어가 되도록 글자를 조합해 써 보자.

(1)
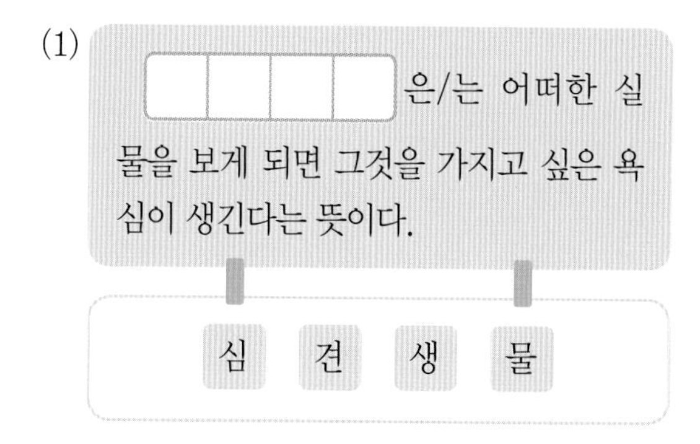

(2)
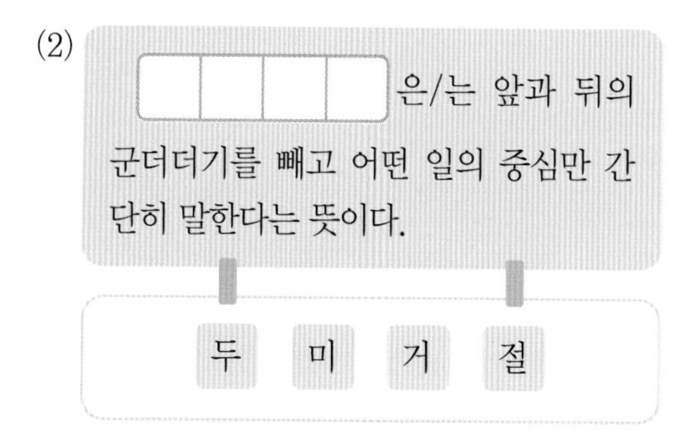

영문법

10 밑줄 친 대명사가 주격, 목적격, 소유격 중 무엇인지 각각 써 보자.

<u>It</u> is <u>my</u> ball. (그것은 나의 공이다.)

(1) It → (   )　(2) my → (   )

2주차 어휘 미리 보기

한 주 동안
공부할 어휘들이야.
쏙 한번 훑어볼까?

1회

학습 계획일  월 일

국어 교과서 어휘	사회 교과서 어휘
요약	정치권력
줄거리	시민 혁명
구조	인종 차별
목적	민주 정치
전개 방식	존엄성
도입	평등

2회

학습 계획일  월 일

수학 교과서 어휘	과학 교과서 어휘
평행	물질
평행선	고체
꼬인 위치	액체
작도	상태 변화
동위각	융해
엇각	응고

3회

학습 계획일  월 일

국어 교과서 어휘	사회 교과서 어휘
토의	윤번제
의견	입헌주의
사회자	권력 분립
합리적	의원 내각제
공감	대통령제
통계 자료	탄핵

4회 학습 계획일 ( )월 ( )일

수학 교과서 어휘	과학 교과서 어휘
삼각형	기화
대변	액화
대각	드라이아이스
합동	승화
다각형	끓임쪽
정다각형	끓는점
대각선	녹는점
	어는점

5회 학습 계획일 ( )월 ( )일

한자 어휘	영문법 어휘
소탐대실	be동사
실수	do동사
실례	조동사
주경야독	동사원형
독해	

어휘력 테스트

3주차
어휘 학습으로
가 보자!

국어 교과서 어휘

수록 교과서 국어 1-2
읽기 – 요약하며 읽기

단어와 그 뜻을 익히고, 빈칸에 알맞은 단어를 써 보자.

요약
중요할 要 + 묶을 約
'約'의 대표 뜻은 '맺다'임.

글에서 중요한 점만을 골라 간략하게 정리하는 일.
예 설명하는 글을 [ ][ ]할 때는 먼저 문단에서 중심 문장을 찾아야 한다.

플러스 개념어 **중심 문장**
문단에서 중심이 되는 문장으로, 말하려고 하는 핵심 내용을 나타낸 문장.

줄거리

어떤 내용에 덧붙은 군더더기를 다 떼어 버리고 중심이 되는 것만 연결한 것.
예 소설의 [ ][ ][ ]는 소설의 전체 내용을 요약한 것이다.

구조
얽을 構 + 지을 造

부분이나 요소가 어떤 전체를 이루는 모양.
예 문단별로 중심 내용을 정리하면 글의 [ ][ ]를 파악하기 쉽다.

플러스 개념어 **글의 구조**
글의 구조에는 여러 가지 내용을 죽 늘어놓은 열거, 원인과 결과를 아울러 이르는 인과, 공통점과 차이점을 찾아 설명하는 비교와 대조 등이 있음.

목적
견해 目 + 목표 的
'目'의 대표 뜻은 '눈', '的'의 대표 뜻은 '과녁'임.

실현하려고 하는 일이나 나아가고자 하는 방향.
예 교과서를 읽는 [ ][ ]은 공부할 내용을 배워서 익히기 위한 것이다.

글을 읽는 목적에 따라 글을 요약하는 방법도 달라져야 해.

전개 방식
펼 展 + 열 開 + 방법 方 + 법 式
'方'의 대표 뜻은 '모(모퉁이)'임.

글의 내용을 펼쳐 나가는 일정한 방법이나 형식.
예 그는 이번 작품에서도 결말에서 반전이 일어나는 [ ][ ] [ ][ ]을 보여 주었다.

도입
이끌 導 + 들 入
'導'의 대표 뜻은 '인도하다'임.

문학 작품이나 책 등에서 전체를 살펴보고, 방향이나 방법 등을 미리 알리는 일.
예 저자는 이 글의 [ ][ ] 부분에서 두 바이러스의 서로 다른 특징에 관해 설명할 것임을 밝혔다.

확인 문제

정답과 해설 ▶ 14쪽

1 뜻에 알맞은 단어가 되도록 보기 의 글자를 조합해 써 보자.

보기

약	축	조
요	목	분
구	상	적

(1) 실현하려고 하는 일이나 나아가고자 하는 방향. → □□

(2) 부분이나 요소가 어떤 전체를 이루는 모양. → □□

(3) 글에서 중요한 점만을 골라 간략하게 정리하는 일. → □□

2 밑줄 친 단어의 뜻으로 알맞은 것은? (　　　)

> 읽었던 내용을 한 번 더 되새겨 보면 자연스럽게 <u>줄거리</u>가 정리될 수 있다.

① 부분이나 요소가 어떤 전체를 이루는 모양.
② 글의 내용을 펼쳐 나가는 일정한 방법이나 형식.
③ 글에서 중요한 점만을 골라 간략하게 정리하는 일.
④ 어떤 내용에 덧붙은 군더더기를 다 떼어 버리고 중심이 되는 것만 연결한 것.
⑤ 문학 작품이나 책 등에서 전체를 살펴보고, 방향이나 방법 등을 미리 알리는 일.

3 (　) 안에 들어갈 알맞은 단어를 보기 에서 찾아 써 보자.

보기

도입　　목적　　요약　　전개 방식

(1) 논설문은 주장과 근거를 중심으로 글을 (　　　　)해야 한다.

(2) 이 책은 (　　　　) 부분에서 남극 연구에 대한 흥미를 유발하고 있다.

(3) 글을 읽는 (　　　　)에 따라 글에서 중요하게 생각하는 내용이 다를 수 있다.

(4) 문학에서 '선경후정'은 앞부분에서 경치를 묘사하고 뒷부분에서 그에 대한 감상을 표현하는 (　　　　)을 가리킨다.

사회 교과서 어휘

수록 교과서 사회 ①
Ⅸ. 정치 생활과 민주주의

단어와 그 뜻을 익히고, 빈칸에 알맞은 단어를 써 보자.

정치권력

정사 政 + 다스릴 治 + 권세 權 + 힘 力

'정사'는 나라를 다스리는 일을 뜻함.

국가가 정치적 기능을 다하기 위해 행사하는 힘.

예 좁은 의미의 정치는 정치인들이 [ ][ ][ ][ ]을 획득하고 행사하는 활동을 말한다.

시민 혁명

저자 市 + 백성 民 + 고칠 革 + 규정 命

'革'의 대표 뜻은 '가죽', '命'의 대표 뜻은 '목숨'임.

상공업을 통해 재산을 쌓은 시민 계급이 봉건주의를 무너뜨리고 자유롭고 평등한 시민이 중심인 사회를 확립하기 위해 일으킨 사회 혁명.

예 영국의 명예혁명이나 프랑스 혁명은 절대 왕정에 맞선 대표적인 [ ][ ] [ ][ ]의 예이다.

플러스 개념어 **절대 왕정**
군주가 어떠한 법률이나 기관에도 구속받지 않는 절대적인 권한을 가지는 정치 체제.

인종 차별

사람 人 + 씨 種 + 다를 差 + 나눌 別

인종적인 차이를 이유로 특정 인간 집단을 차이를 두어 구별하는 일. 피부색에 따른 것이 대표적임.

예 마틴 루터 킹은 [ ][ ] [ ][ ]에 대항하여 미국 내 흑인 인권 운동을 펼쳤다.

플러스 개념어 **차별, 차이**
- 차별: 나와 다르거나 내가 속한 집단에 어울리지 않는다는 이유로 어떤 사람이나 집단을 부당하게 대우하는 것.
- 차이: 서로 같지 않고 다른 것으로, 다양한 사람들이 모여 사는 사회에서 차이가 발생하는 것은 자연스러운 현상임.

민주 정치

백성 民 + 주인 主 + 정사 政 + 다스릴 治

'主'의 대표 뜻은 '임금'임.

국가의 주권이 국민에게 있고, 국민의 뜻에 따라 이루어지는 정치를 의미함.

예 고대 아테네에서는 모든 시민들이 국가의 일을 직접 결정하는 직접 [ ][ ] [ ][ ]가 이루어졌다.

존엄성

높을 尊 + 엄할 嚴 + 성질 性

'性'의 대표 뜻은 '성품'임.

감히 범할 수 없는 높고 엄숙한 성질.

예 민주주의는 인간의 [ ][ ][ ]을 실현하여 모든 사람이 그 자체로 존중받는 것을 목표로 한다.

플러스 개념어 **인간의 존엄성**
인간이 다른 모든 조건을 떠나서 인간이라는 이유만으로도 존중받아야 한다는 의미임. 아무리 흉악한 인간이라도 그 죄를 뉘우치고 선한 사람이 될 수 있는 가능성을 지니고 있기에 그의 존엄성을 부정하거나 거부해서는 안 된다고 봄.

평등

평평할 平 + 무리 等

모든 사람이 성별, 인종, 재산, 신분 등에 의해 부당하게 차별당하지 않고 동등하게 대우받는 것.

예 인간의 존엄성을 실현하기 위해서는 자유와 [ ][ ]을 보장해야 한다.

확인 문제

1 뜻에 알맞은 단어를 찾아 선으로 이어 보자.

(1) 국민의 뜻에 따라 이루어지는 정치. •　　　　• 시민 혁명

(2) 국가가 정치적 기능을 다하기 위해 행사하는 힘. •　　　　• 민주 정치

(3) 시민 계급이 봉건주의를 무너뜨리고 자본주의적인 정치, 경제 체제를 확립한 사회 혁명. •　　　　• 정치권력

2 뜻에 알맞은 단어가 되도록 보기의 글자를 조합해 써 보자.

보기

절　평　왕　대　정　등

(1) 어떠한 법률이나 기관에도 구속받지 않는 절대적인 권한을 가지는 정치 체제.

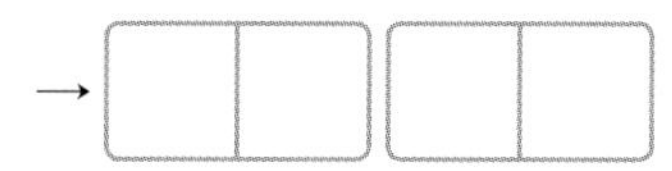

(2) 모든 사람이 성별, 인종, 재산, 신분 등에 의해 부당하게 차별당하지 않고 동등하게 대우받는 것.

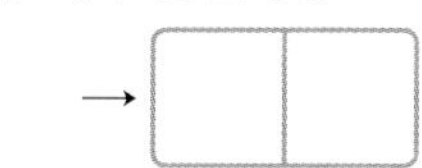

3 (　　) 안에 들어갈 알맞은 단어를 보기에서 찾아 써 보자.

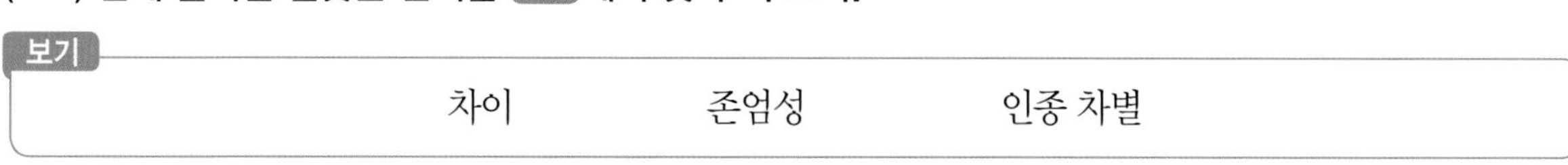

보기

차이　　존엄성　　인종 차별

(1) 인간의 (　　　　)을/를 실현하기 위해서는 자유와 평등을 보장해야 한다.

(2) 국민의 뜻에 따라 이루어지는 민주 정치는 독재 정치와 (　　　　)이/가 있다.

(3) 링컨의 노예 해방 선언 이후에도 피부색이 다르다는 이유로 (　　　　)이/가 이루어지고 있다.

수학 교과서 어휘

수록 교과서 수학 1
Ⅴ. 기본 도형과 작도

단어와 그 뜻을 익히고, 빈칸에 알맞은 단어를 써 보자.

평행
평평할 平 + 다닐 行

두 직선이 서로 만나지 않을 때, 그 두 직선은 평행이라고 함.

예 두 직선이 서로 만나지 않고 일정한 거리를 유지한다면 이 두 직선은 서로 □□하다.

두 직선 l, m은 서로 평행 ⇨ $l /\!/ m$

평행선
평평할 平 + 다닐 行 + 줄 線

평행한 두 직선으로, 서로 만나지 않는 두 직선.

예 l, m처럼 평행한 두 직선을 □□□이라고 한다.

꼬인 위치
꼬인 + 자리 位 + 둘 置

공간에서 두 직선이 서로 만나지도 평행하지도 않은 위치.

예 공간에서 만나지도 않고 평행하지도 않는 두 직선을 □□ □□에 있다고 한다.

작도
지을 作 + 그림 圖

일정한 조건에 적합한 도형을 그리는 일로, 수학에서는 눈금이 없는 자와 컴퍼스만을 사용하여 도형을 그리는 것.

예 눈금이 없는 자와 컴퍼스만을 사용하여 선분이나 원을 그리는 것을 □□라고 한다.

$\overline{AB}$와 길이가 같은 선분의 작도		직선 l과 l 위의 점 P 그리기	$\overline{AB}$의 길이 재기	$\overline{AB}=\overline{PQ}$인 점 Q를 그려 $\overline{PQ}$ 완성하기
A B	➡	❶ P l	❷ A B	❸ P Q l

▲ 길이가 같은 선분의 작도

동위각
같을 同 + 자리 位 + 각도 角
'角'의 대표 뜻은 '뿔'임.

같은 위치에 있는 각으로, 두 직선이 다른 한 직선과 만나서 생기는 각 중 같은 쪽에 있는 각.

예 두 직선 l, m이 다른 한 직선 n과 만나서 생기는 8개의 각 중 같은 위치에 있는 두 각 $\angle a$와 $\angle e$, $\angle b$와 $\angle f$, $\angle c$와 $\angle g$, $\angle d$와 $\angle h$를 □□□이라고 한다.

엇각
엇 + 각도 角

엇갈린 위치에 있는 각으로, 두 직선이 다른 한 직선과 만나서 생기는 각 중 서로 반대쪽에 어긋나 있는 각.

예 두 직선 l, m이 다른 한 직선 n과 만나서 생기는 8개의 각 중 엇갈린 위치에 있는 각 $\angle b$와 $\angle h$, $\angle c$와 $\angle e$를 □□이라고 한다.

1 단어의 뜻을 보기에서 찾아 사다리를 타고 내려간 곳에 기호를 써 보자.

보기

㉠ 서로 만나지 않는 두 직선.
㉡ 공간에서 두 직선이 서로 만나지도 평행하지도 않은 위치.
㉢ 두 직선이 다른 한 직선과 만나서 생기는 각 중 같은 쪽에 있는 각.
㉣ 두 직선이 다른 한 직선과 만나서 생기는 각 중 서로 반대쪽에 어긋나 있는 각.

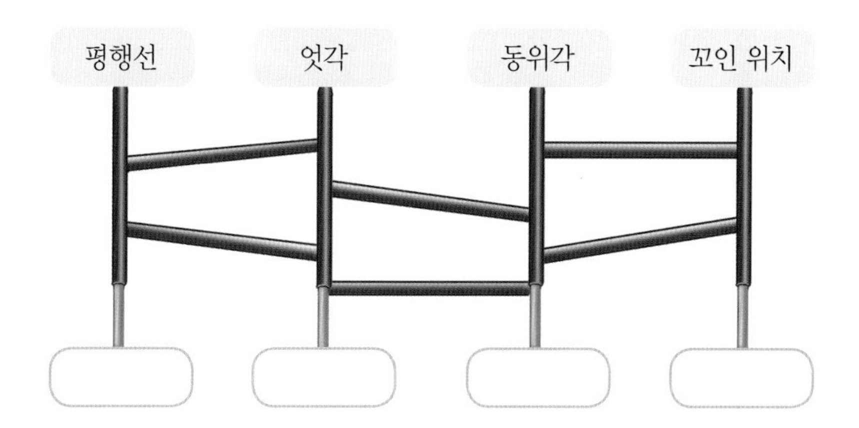

2 빈칸에 들어갈 알맞은 말을 초성을 바탕으로 써 보자.

세 변의 길이가 a, b, c인 삼각형 ABC를 눈금이 없는 자와 컴퍼스만을 사용하여 다음 순서로 그리는 것을 ㅈ ㄷ 라고 한다.

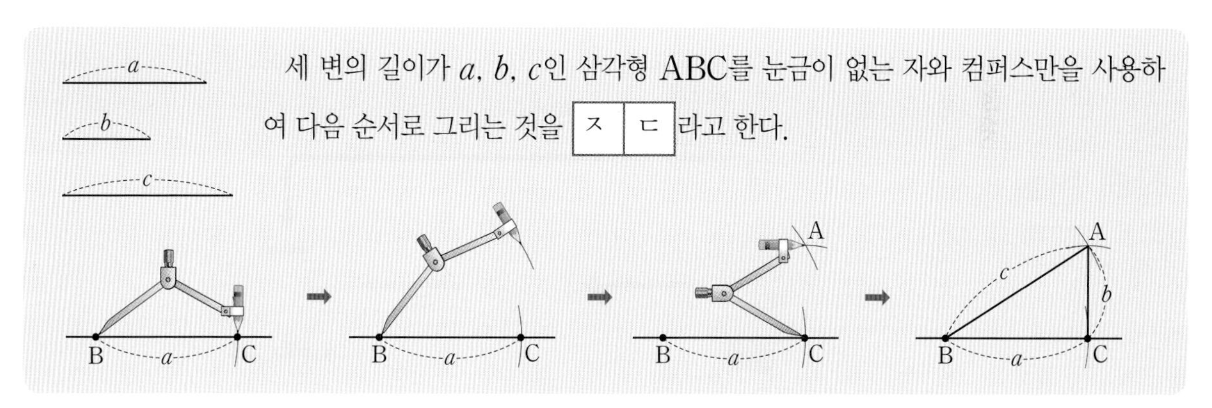

3 (   ) 안에 들어갈 알맞은 단어를 보기에서 찾아 써 보자.

보기

동위각 엇각

(1) $\angle a$와 $\angle e$는 (   )이다.
(2) $\angle b$와 $\angle h$는 (   )이다.
(3) $\angle c$와 $\angle e$는 (   )이다.
(4) $\angle d$와 $\angle h$는 (   )이다.

과학 교과서 어휘

수록 교과서 과학 1
Ⅴ. 물질의 상태 변화

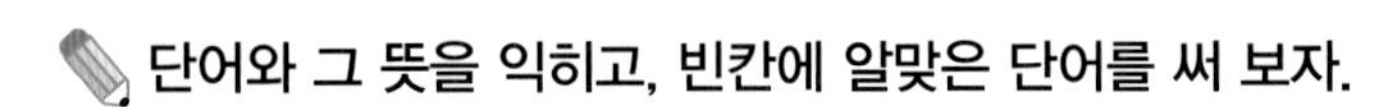
단어와 그 뜻을 익히고, 빈칸에 알맞은 단어를 써 보자.

물질
물건 物 + 바탕 質

물체를 이루고 있는 재료.

예 농구공을 만드는 가죽이나 헬멧을 만드는 플라스틱 등 물체를 이루는 재료를 □□이라고 한다.

고체
굳을 固 + 물체 體
'體'의 대표 뜻은 '몸'임.

일정한 모양과 부피를 가지고 있는, 입자 배열이 규칙적인 상태.

예 나무, 철, 플라스틱처럼 일정한 모양과 크기를 가지고 있는 물질은 □□이다.

액체
즙 液 + 물체 體
'液'의 대표 뜻은 '진(끈끈한 물질)'임.

일정한 부피를 가지고 있으나 담는 그릇의 모양에 따라 형태가 변하고, 입자 배열이 불규칙적인 상태.

예 물, 우유, 수돗물, 식용유처럼 흐르는 성질이 있어서 담는 그릇에 따라 모양이 달라지는 물질은 □□이다.

상태 변화
형상 狀 + 모양 態 + 변할 變 + 될 化

물질이 온도와 압력에 따라 다른 상태로 변하는 현상.

예 페트병에 물을 넣고 얼리면 부피가 커지면서 병이 볼록하게 튀어나오는데, 이는 액체에서 고체로 □□ □□가 일어나기 때문이다.

생수
생수
얼음(고체)
물(액체)
수증기(기체)
가열
냉각

융해
녹을 融 + 녹일 解
'解'의 대표 뜻은 '풀다'임.

고체에서 액체로 상태가 변하는 현상.

예 아이스크림이나 얼음이 녹는 것은 □□의 예이다.

플러스 개념어 **용해**
소금이 물에 녹아 소금물이 되는 것과 같이 어떤 물질이 다른 물질에 녹는 현상.

응고
엉길 凝 + 굳을 固

액체에서 고체로 상태가 변하는 현상.

예 지붕의 눈이 녹았다가 처마 밑에서 다시 얼면서 고드름이 되는 것은 □□의 예이다.

확인 문제

정답과 해설 ▶ 17쪽

1 단어의 뜻을 보기에서 찾아 사다리를 타고 내려간 곳에 기호를 써 보자.

보기
㉠ 물체를 이루고 있는 재료.
㉡ 일정한 모양과 부피를 가지고 있는, 입자 배열이 규칙적인 상태.
㉢ 일정한 부피를 가지고 있으나 담는 그릇의 모양에 따라 형태가 변하고, 입자 배열이 불규칙적인 상태.

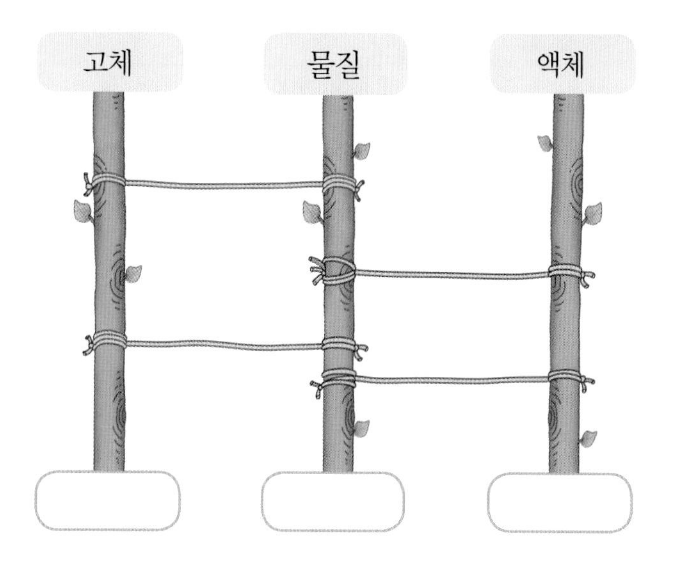

2 문장에 어울리는 단어를 ( ) 안에서 골라 ○표 해 보자.

고체에서 액체로 상태가 변하는 현상을 (응고 , 융해)라고 하고, 액체에서 고체로 상태가 변하는 현상을 (응고 , 융해)라고 한다.

3 ( ) 안에 들어갈 알맞은 단어를 보기에서 찾아 써 보자.

보기
물질 융해 응고 상태 변화

(1) 촛농이 녹아 흘러내리면서 굳는 것은 ( )의 예이다.

(2) 초콜릿이 열에 녹아 액체 상태로 되는 것은 ( )의 예이다.

(3) 연필, 지우개를 이루고 있는 흑연, 고무 등의 재료를 ( )(이)라고 한다.

(4) 고체 비누 베이스를 가열하면 액체 상태로 변하고, 녹은 비누 베이스를 틀에 부어 굳히면 고체 비누로 변하는데, 이 현상을 ( )(이)라고 한다.

국어 교과서 어휘

수록 교과서 국어 1-2
듣기·말하기 – 토의하기

✎ 단어와 그 뜻을 익히고, 빈칸에 알맞은 단어를 써 보자.

토의
찾을 討 + 의논할 議
'討'의 대표 뜻은 '치다'임.

공통의 문제를 해결하려고 여러 사람이 서로 협력하여 의논하는 말하기.

예 [ ] 를 할 때는 개인의 문제가 아닌, 여러 사람들에게 공통된 문제를 주제로 다루어야 한다.

토의와 달리 '토론'은 찬성과 반대의 입장으로 나뉘는 주제에 대하여, 근거를 들어 자신의 주장을 논리적으로 펼치는 말하기야.

의견
뜻 意 + 견해 見
'見'의 대표 뜻은 '보다'임.

어떤 대상에 대하여 가지는 생각.

예 토의를 할 때는 토의 주제를 분석한 뒤 문제의 해결 방안을 [ ] 으로 제시한다.

사회자
맡을 司 + 모일 會 + 사람 者

모임에서 진행을 맡아보는 사람.

예 토의에서 [ ] 의 역할은 토의 주제와 토의 순서 및 규칙을 안내하고, 토의를 진행하는 것이다.

플러스 개념어 **토의 참여자**
토의에 참여하는 사람은 토의를 진행하는 사회자, 문제 해결에 필요한 의견과 근거를 제시하는 참가자, 토의를 관람하는 청중이 있음.

합리적
맞을 合 + 이치 理 + ~한 상태로 되는 的
'合'의 대표 뜻은 '합하다', '理'의 대표 뜻은 '다스리다', '的'의 대표 뜻은 '과녁'임.

어떤 일을 해 나갈 방법으로 꼭 알맞은 것.

예 토의를 통해 [ ] 인 해결 방안을 찾을 수 있다.

공감
한가지 共 + 느낄 感

다른 사람의 의견, 주장, 감정에 대하여 자기도 그렇다고 느끼는 것.

예 상대방이 말할 때 고개를 끄덕이는 것은 상대방의 말에 [ ] 하고 있음을 나타내는 행동이다.

통계 자료
합칠 統 + 셀 計 + 재물 資 + 헤아릴 料
'統'의 대표 뜻은 '거느리다'임.

어떤 현상을 한눈에 알아보기 쉽게 정리하여 일정한 기준에 따라 숫자로 나타낸 자료.

예 [ ] [ ] 를 제시할 때는 그 자료를 얻은 출처를 함께 밝혀야 한다.

확인 문제

1 뜻에 알맞은 단어를 빈칸에 써 보자.

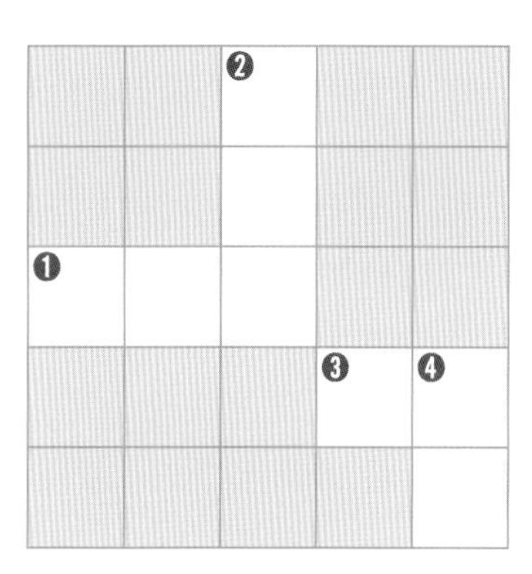

가로 열쇠
❶ 토의에 참여하여 의견과 근거를 제시하는 사람.
❸ 공통의 문제를 해결하려고 여러 사람이 서로 협력하여 의논하는 말하기.

세로 열쇠
❷ 모임에서 진행을 맡아보는 사람.
❹ 어떤 대상에 대하여 가지는 생각.

2 보기의 뜻을 가진 단어로 알맞은 것은? (   )

보기
- 어떤 현상을 한눈에 알아보기 쉽게 정리하여 일정한 기준에 따라 숫자로 나타낸 자료.
- 어떤 주제에 대하여 여러 사람들에게 물어보거나 조사를 통해 얻은 자료.

① 공감 ② 의견 ③ 토의 ④ 사회자 ⑤ 통계 자료

3 (   ) 안에 들어갈 알맞은 단어를 보기에서 찾아 써 보자.

보기
공감 의견 토의 합리적

(1) 우리는 음식물 쓰레기의 양을 줄여야 한다는 것에 (   )하였다.

(2) 학교에서 발생한 이번 문제의 해결을 위해 (   )인 방법을 함께 찾기로 하였다.

(3) 선생님께서는 문제를 해결하려면 식습관부터 바로잡는 것이 좋겠다는 (   )을/를 주셨다.

(4) 우리는 (   )을/를 통해서 우리 반에서 발생하는 문제에 관해 최선의 해결 방안을 얻고자 하였다.

2주차 3회

사회 교과서 어휘

수록 교과서 사회 ①
Ⅸ. 정치 생활과 민주주의

단어와 그 뜻을 익히고, 빈칸에 알맞은 단어를 써 보자.

윤번제
바퀴 輪 + 차례 番 + 법도 制
'制'의 대표 뜻은 '절제하다'임.

어떤 임무를 차례로 돌아가면서 맡는 제도.

예 아테네 시민들은 추첨이나 [ ][ ][ ]를 통해 공직을 맡을 수 있었다.

입헌주의
설 立 + 법 憲 + 주장할 主 + 뜻 義
'主'의 대표 뜻은 '임금', '義'의 대표 뜻은 '옳다'임.

국민의 자유와 권리가 국가 권력에 의해서 부당하게 침해당하지 않도록 국가의 운영과 행정을 헌법에 따르도록 하는 통치 원리.

예 헌법에 따라 국가 기관을 구성하고 국가를 운영해야 한다는 것이 [ ][ ][ ][ ] 원리이다.

권력 분립
권세 權 + 힘 力 + 나눌 分 + 설 立

국가 권력을 각각 독립된 기관이 나누어 맡도록 함으로써, 각 기관이 서로 견제하여 권력의 균형을 이루고자 하는 정치 원리.

예 우리나라에서는 국민의 자유와 권리를 보장하기 위해 국가의 권력을 입법, 사법, 행정으로 나누는 [ ][ ] [ ][ ] 제도를 채택하고 있다.

▲ 삼권 분립

의원 내각제
의논할 議 + 관서 院 + 안 內 + 관서 閣 + 법도 制
'院'과 '閣'의 대표 뜻은 '집'임.

입법부와 행정부가 긴밀한 관계를 맺고 국가를 운영하는 정부 형태. 영국에서 처음 시작됨.

예 [ ][ ] [ ][ ][ ]에서는 의회에서 선출된 총리가 내각을 구성한다.

대통령제
큰 大 + 거느릴 統 + 거느릴 領 + 법도 制

입법부와 행정부가 엄격히 분리되어 서로 견제와 균형을 이루는 정부 형태. 대통령을 중심으로 국정이 운영됨.

예 [ ][ ][ ][ ]에서는 대통령의 임기가 정해져 있어 행정부가 안정적으로 정책을 수행할 수 있다.

탄핵
탄핵할 彈 + 꾸짖을 劾
'彈'의 대표 뜻은 '탄알'임.

대통령, 국무총리, 법관 등 신분이 강력하게 보장되어 있어 소추가 곤란한 고급 공무원을 헌법에 따라 처벌하거나 파면하는 특별한 제도.

예 [ ][ ]은 법을 어긴 고위 공무원을 민주적으로 파면하기 위한 제도이다.

플러스 개념어 **소추**
검사가 특정한 형사 사건에 관하여 법원에 재판을 청구하는 것.

확인 문제

정답과 해설 ▶ 19쪽

1 단어의 뜻을 보기에서 찾아 사다리를 타고 내려간 곳에 기호를 써 보자.

보기

㉠ 헌법에 의한 통치를 의미함.
㉡ 입법부와 행정부가 긴밀한 관계를 맺고 국가를 운영하는 정부 형태.
㉢ 입법부와 행정부가 엄격히 분리되어 견제와 균형이 이루어지는 정부 형태.

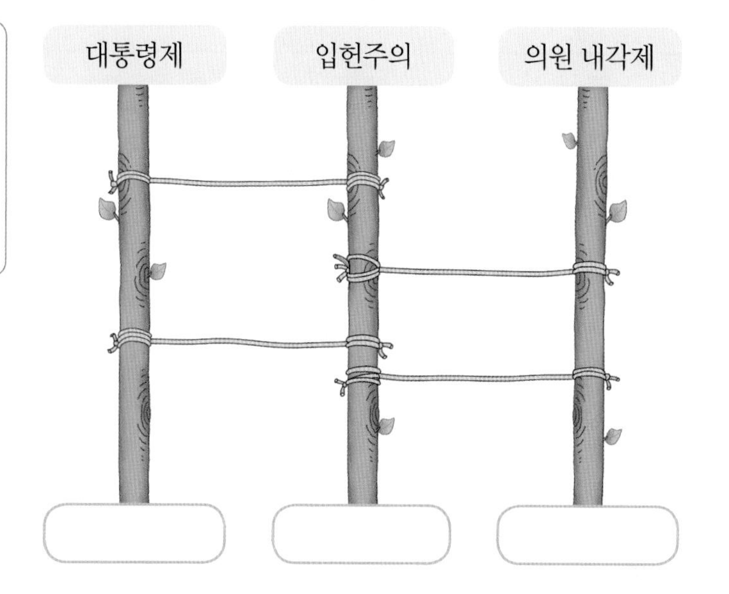

2 빈칸에 들어갈 알맞은 단어를 찾아 선으로 이어 보자.

(1) 권력 분립: 국가의 권력을 입법, [　　　], 행정으로 나누는 것. •

(2) 고대의 민주 정치: 직접 민주주의를 실시한 아테네에서는 [　　　]을/를 통해 공직을 맡고 임무를 처리하도록 함. •

(3) [　　　]: 신분이 강력하게 보장되어 있어 소추가 곤란한 고급 공무원을 헌법에 따라 처벌하거나 파면하는 특별한 제도. •

• 윤번제

• 사법

• 탄핵

3 문장에 어울리는 단어를 (　　) 안에서 골라 ○표 해 보자.

(1) 법을 제정하는 권리는 (행정부 , 입법부)에 있다.

(2) 영국, 일본, 인도, 독일 등은 입법부와 행정부의 관계가 밀접한 (의원 내각제 , 대통령제)를 시행하고 있다.

(3) 독재 권력의 출현을 막기 위해 국가의 권력을 각각 독립된 기관이 나누어 맡도록 하는 것을 (권력 분립 , 국민 주권)이라고 한다.

수학 교과서 어휘

수록 교과서 수학 1
Ⅴ. 기본 도형과 작도
Ⅵ. 평면도형의 성질

단어와 그 뜻을 익히고, 빈칸에 알맞은 단어를 써 보자.

삼각형
석 三 + 모 角 + 모양 形
'角'의 대표 뜻은 '뿔'임.

세 꼭짓점과 세 변으로 이루어진 도형.

예 세 꼭짓점 A, B, C와 세 변 AB, BC, CA로 이루어진 도형을 ☐☐☐이라고 한다.

대변
마주할 對 + 가장자리 邊

마주 보는 변으로, 삼각형에서 한 꼭짓점과 마주 보는 변.

예 삼각형 ABC에서 각 A의 ☐☐은 꼭짓점 A와 마주 보는 변 BC이다.

BC의 대각
∠A의 대변

대각
마주할 對 + 모 角

마주 보는 각으로, 삼각형에서 변과 마주 보는 각.

예 삼각형 ABC에서 변 BC의 ☐☐은 변 BC와 마주 보는 각 A이다.

합동
합할 合 + 같을 同
'同'의 대표 뜻은 '한가지'임.

포개었을 때 완전히 겹치는 것으로, 모양과 크기가 같아 완전히 포개어지는 관계.

예 서로 ☐☐인 두 도형을 포개었을 때 완전히 겹치는 점을 대응점, 겹치는 변을 대응변, 겹치는 각을 대응각이라고 한다.

대응점
대응변
대응각

삼각형 ABC와 삼각형 DEF가 서로 합동일 때, △ABC≡△DEF임.

다각형
많을 多 + 모 角 + 모양 形

각이 많은 평면도형으로, 선분으로만 둘러싸인 도형.

예 변이 3개, 4개, 5개, …의 선분으로 둘러싸인 ☐☐☐을 삼각형, 사각형, 오각형, …이라고 한다.

정다각형
같을 正 + 많을 多 + 모 角 + 모양 形
'正'의 대표 뜻은 '바르다'임.

모든 변의 길이가 서로 같고, 각의 크기가 모두 같은 다각형.

예 왼쪽 직사각형은 네 각의 크기는 모두 같지만 변의 길이는 모두 같지 않으므로 ☐☐☐☐이 아니다.

정삼각형 정사각형
정오각형 정육각형

▲ 정다각형

대각선
마주할 對 + 모 角 + 줄 線

마주 보는 두 각을 이은 선으로, 다각형에서 서로 이웃하지 않는 두 꼭짓점을 이은 선분.

예 삼각형은 꼭짓점이 3개인데 3개의 꼭짓점이 모두 이웃하고 있기 때문에 ☐☐☐을 그을 수 없다.

삼각형: 0개 사각형: 2개 오각형: 5개

▲ 다각형의 대각선 수

확인 문제

정답과 해설 ▶ 20쪽

1 뜻에 알맞은 단어를 빈칸에 써 보자.

가로 열쇠 ❷ 모든 변의 길이가 서로 같고, 각의 크기가 모두 같은 다각형.

세로 열쇠 ❶ 세 꼭짓점과 세 변으로 이루어진 도형.

2 ( ) 안에 들어갈 알맞은 단어를 보기에서 찾아 써 보자.

보기: 합동 대각선 대각 대변

(1) 삼각형에서 변과 마주 보는 각은 ( )이다.

(2) 삼각형에서 한 꼭짓점과 마주 보는 변은 ( )이다.

(3) 모양과 크기가 같아 완전히 포개어지는 관계를 ( )이라고 한다.

(4) 다각형에서 서로 이웃하지 않는 두 꼭짓점을 이은 선분은 ( )이다.

3 빈칸에 들어갈 알맞은 단어를 초성을 바탕으로 써 보자.

(1) 삼각형 ABC에서 각 B의 [ㄷ][ㅂ]은 꼭짓점 B와 마주 보는 변 AC이다.

(2) 오른쪽 도형은 선분과 곡선으로 이루어진 도형이므로 [ㄷ][ㄱ][ㅎ]이 아니다.

(3) 사각형 ABCD와 사각형 EFGH가 서로 [ㅎ][ㄷ]일 때, 각 A의 대응각인 각 E의 크기는 87°이다.

(4) 오각형의 한 꼭짓점에서 그을 수 있는 [ㄷ][ㄱ][ㅅ]의 개수는 2개이고, 오각형의 [ㄷ][ㄱ][ㅅ] 수는 5개이다.

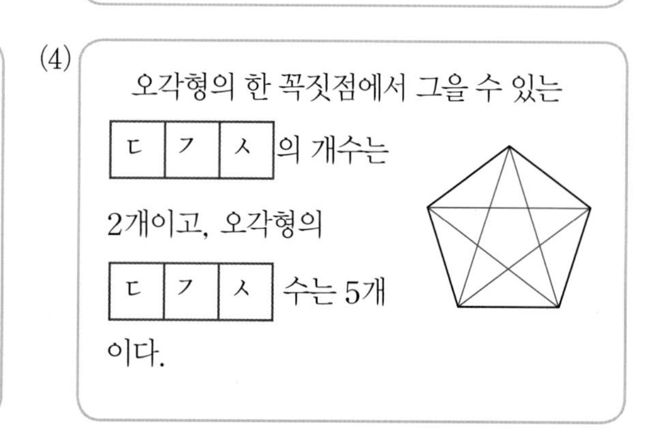

과학 교과서 어휘

단어와 그 뜻을 익히고, 빈칸에 알맞은 단어를 써 보자.

기화
기체 氣 + 될 化
'氣'의 대표 뜻은 '기운'임.

액체에서 기체로 상태가 변하는 현상.

예 물을 끓이면 수증기가 되는 것은 ☐☐의 예이다.

기화
액체
기체
액화

액화
즙 液 + 될 化
'液'의 대표 뜻은 '진(끈끈한 물질)'임.

기체에서 액체로 상태가 변하는 현상.

예 차가운 음료를 담은 컵 표면에 물방울이 맺히는 것은 ☐☐의 예이다.

드라이아이스

이산화 탄소를 압축하고 냉각하여 만든 흰색의 고체.

예 ☐☐☐☐☐☐는 아이스크림이 녹지 않도록 포장할 때 넣어 주는 흰색의 덩어리이다.

승화
오를 昇 + 빛날 華

고체에서 기체로 상태가 변하거나 기체에서 고체로 상태가 변하는 현상.

예 드라이아이스가 시간이 지나면서 크기가 줄어들거나 없어지는 것은 ☐☐의 예이다.

끓임쪽

액체가 갑자기 끓어오르는 것을 막기 위해 넣는 돌이나 유리 조각.

예 물의 온도가 100℃ 이상이 되면 갑자기 끓어 넘치는 경우가 생기는데, 물이 끓기 전에 ☐☐☐을 넣어 주면 물이 넘치는 것을 막을 수 있다.

끓는점
끓는 + 점 點

액체에서 기체로 상태 변화가 일어날 때 일정하게 유지되는 온도.

예 물이 끓는 동안에는 열을 가해도 온도가 더 높아지지 않고 일정하게 유지되는데, 이 온도를 물의 ☐☐☐이라고 한다.

녹는점
녹는 + 점 點

고체에서 액체로 상태 변화가 일어날 때 일정하게 유지되는 온도.

예 얼음이 녹는 동안에는 열을 가해도 온도가 더 높아지지 않고 일정하게 유지되는데, 이 온도를 얼음의 ☐☐☐이라고 한다.

어는점
어는 + 점 點

액체에서 고체로 상태 변화가 일어날 때 일정하게 유지되는 온도.

예 물이 얼기 시작하거나 얼음이 녹기 시작할 때의 온도를 ☐☐☐이라고 한다.

확인 문제

1 뜻에 알맞은 단어를 글자판에서 찾아 묶어 보자. (단어는 가로, 세로 방향에서 찾기)

기	점	끓	도	드
화	사	이	임	라
어	는	점	이	쪽
녹	액	구	승	화
화	온	녹	는	점

❶ 액체에서 기체로 상태가 변하는 현상.
❷ 기체에서 액체로 상태가 변하는 현상.
❸ 기체에서 고체로, 고체에서 기체로 상태가 변하는 현상.
❹ 액체가 갑자기 끓어오르는 것을 막기 위해 넣는 돌이나 유리 조각.

2 밑줄 친 단어의 쓰임이 알맞으면 ○표, 알맞지 않으면 ×표 해 보자.

(1) 액체에서 기체로 상태 변화가 일어날 때 일정하게 유지되는 온도를 끓는점이라고 해.

( )

(2) 고체에서 액체로 상태 변화가 일어날 때 일정하게 유지되는 온도를 녹는점이라고 해.

( )

(3) 기체에서 고체로 상태 변화가 일어날 때 일정하게 유지되는 온도를 어는점이라고 해.

( )

3 ( ) 안에 들어갈 알맞은 단어를 보기에서 찾아 써 보자.

보기

기화　　액화　　승화

(1) 풀잎에 이슬이 맺히는 것은 ( )의 예이다.

(2) 햇볕에 젖은 빨래가 마르는 것은 ( )의 예이다.

(3) 목욕탕 거울에 물방울이 맺혀 흐려지는 것은 ( )의 예이다.

(4) 고체 방충제가 시간이 흐르면서 크기가 점점 작아지는 것은 ( )의 예이다.

(5) 창문에 성에가 생기는 것은 영하의 온도에서 공기 중의 수증기가 고체로 변하는 ( )의 예이다.

失(실), 讀(독)이 들어간 단어

잃을 실

실(失)은 주로 '잃다'라는 뜻으로 쓰여. 지니고 있던 것이 없어져서 더 이상 갖지 않게 된 것을 뜻해. 실(失)은 '잘못하다', '어긋나다'라는 뜻도 있어.

읽을 독

독(讀)은 주로 '읽다'라는 뜻으로 쓰여. 글을 읽거나 책을 읽는 것을 말하지. 독(讀)은 '이해하다'라는 뜻으로도 쓰여.

단어와 그 뜻을 익히고, 빈칸에 알맞은 단어를 써 보자.

소탐대실

작을 小 + 탐낼 貪 + 큰 大 + 잃을 失

소탐(小貪) + 대실(大失)
작은 것을 탐함. 큰 것을 잃음.
사소한 것에 욕심을 부리다가 더 큰 손해를 볼 수 있어.

작은 것을 탐하다가 큰 것을 잃음.

예 공사비를 조금 아끼려다 큰 사고가 났으니 이것이야말로 ☐☐☐☐이다.

실수

잘못할 失 + 손 手

실(失)이 '잘못하다'라는 뜻으로 쓰였어.

조심하지 아니하여 잘못함. 또는 그런 행위.

예 ☐☐로 유리병을 깨뜨리고 말았다.

실례

어긋날 失 + 예도 禮

실(失)이 '어긋나다'라는 뜻으로 쓰였어. '어긋나다'는 정해진 기준에서 벗어난다는 뜻이야.

말이나 행동이 예의에 어긋남. 또는 그런 말이나 행동.

예 남의 집에 밤늦게 찾아가는 것은 ☐☐가 된다.

동음이의어

실례(열매 實+법식 例)
구체적인 실제의 예.
예 나는 상품을 사용하는 실례를 보여 주었다.

주경야독

낮 晝 + 밭 갈 耕 + 밤 夜 + 읽을 讀

주경(晝耕) + 야독(夜讀)
낮에 밭을 갊. 밤에 책을 읽음.
낮에는 농사를 짓고 밤에는 글을 읽는다는 뜻이야.

어려운 여건 속에서도 꿋꿋이 공부함.

예 삼촌은 꿈을 펼치기 위해 ☐☐☐☐하며 야간 대학에 다니고 있다.

독해

이해할 讀 + 풀 解

독(讀)이 '이해하다'라는 뜻으로 쓰였어.

글을 읽어서 뜻을 이해함.

예 오늘 있었던 영어 시험은 ☐☐ 문제가 유난히 어려웠다.

정답과 해설 ▶ 22쪽

1 빈칸에 알맞은 단어가 되도록 글자를 조합해 써 보자.

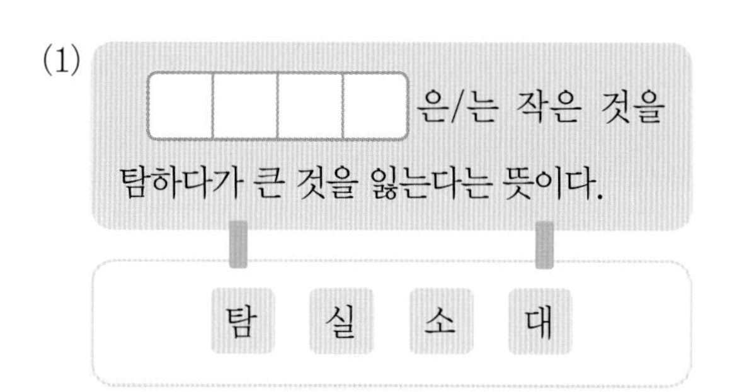

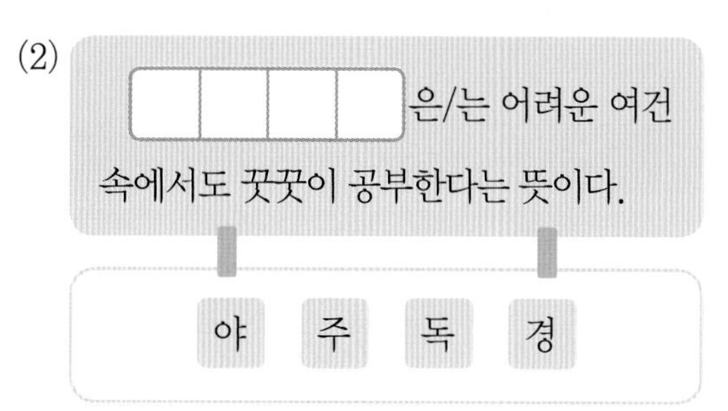

2 단어의 뜻을 찾아 선으로 이어 보자.

(1) 실수 •		• 글을 읽어서 뜻을 이해함.
(2) 실례 •		• 조심하지 아니하여 잘못함. 또는 그런 행위.
(3) 독해 •		• 말이나 행동이 예의에 어긋남. 또는 그런 말이나 행동.

3 (　　) 안에 알맞은 말을 보기에서 찾아 써 보자.

보기
독해　　실수　　소탐대실　　주경야독

(1) 나는 학예회 무대에서 춤 동작을 잊어버리는 (　　　　)을/를 하였다.

(2) 나는 다양한 글을 찾아 읽으며 (　　　　) 실력을 키우기 위해 힘썼다.

(3) 이모는 낮에는 직장을 다니고, 밤에는 대학원을 다니며 (　　　　)을/를 하였다.

(4) 주차비를 아끼려고 불법 주차를 하다가 더 큰 벌금을 물게 되었으니 (　　　　)이/가 되어 버렸다.

동사의 종류

66 문장에서 주어의 행동, 동작, 상황을 나타내는 동사에는 크게 4가지 종류가 있어. 문장에서의 쓰임에 따라 기능과 의미가 각각 다른 be동사(be verb), do동사(do verb), 조동사(auxiliary verb), 동사원형(base form of the verb)이 무엇인지 그 뜻과 예를 공부해 보자. 99

 **단어와 그 뜻을 익히고, 빈칸에 알맞은 단어를 써 보자.**

---

be verb
be동사
be + 움직일 動 + 말 詞

이름, 직업, 직위 등 주어에 대한 정보를 설명하도록 연결해 주는 동사. 주어와 시제에 따라 am, are, is, was, were가 쓰임.

• I **am** Michael Jordan. (나는 Michael Jordan이다.)
주어가 누구인지를 설명하도록 연결해 주는 be동사

예 "My friends are in the garden. (내 친구들이 정원에 있다.)"에서 are(있다)는 주어가 어디에 있는지를 나타내는 be[ ][ ]이다.

---

do verb
do동사
do + 움직일 動 + 말 詞

의문문을 만들거나 부정문을 만들 때 사용하는 동사. 동사 앞에 위치하여 의미는 따로 없는 기능적인 말. 주어와 시제에 따라 do, does, did가 쓰임.

• **Do** you want some water?(물을 좀 원하나요?)
주어 you와 동사 want 앞에 위치하여 의문문을 만드는 do동사

예 "You do not like watching TV. (너는 TV 시청을 좋아하지 않아.)"에서 do는 부정어 not 앞에 놓여 부정문을 만드는 do[ ][ ]이다.

플러스 개념어 **도치**
동사는 보통 주어 뒤에 있으나 do동사를 이용해 의문문을 만들 때 do동사를 주어 앞으로 이동시키는 것을 도치 현상이라 함.
예 Do you want some juice? (주스를 좀 원하나요?)

---

auxiliary verb
조동사
도울 助 + 움직일 動 + 말 詞

동사 앞에 놓여 능력, 허락, 추측 등의 의미를 추가하여 동사를 보조하는 말. will, can, may 등이 있음.

• He **can** swim in ther river.
동사 swim(수영하다)을 보조하여 '~할 수 있다'라는 의미를 추가하는 가능의 조동사
(그는 강에서 수영을 할 수 있어.)

예 "May I come in? (제가 들어가도 되나요?)"에서 May는 허락을 구하는 역할을 하는 [ ][ ][ ]이다.

플러스 개념어 **조동사 축약형**
'축약'은 줄여서 간략하게 쓰는 것을 뜻하며, 조동사는 주어 또는 부정어 not과 축약을 이룸.
예 I'll(I will) be there someday. (나는 언젠가 그곳에 갈 거야.)
I can't(can not) go there. (나는 그곳에 갈 수 없어.)

---

base form of the verb
동사원형
움직일 動 + 말 詞 + 근원 原 + 모양 形

동사의 본래 형태를 나타내는 말로, 영어에서는 시제에 따라 동사의 형태가 변할 수 있음. 이런 변형된 동사의 원래 형태를 가리키는 말로, do동사나 조동사 뒤에 오는 동사는 반드시 동사원형이어야 함.

• Does he **walk** to school? (그는 학교에 걸어가니?)
조동사 뒤 동사 walk(걷다)는 동사원형

예 "Could you send me email? (저에게 이메일 보내 주시겠어요?)"에서 조동사 Could 뒤의 동사 send(보내다)는 [ ][ ][ ][ ]이다.

확인 문제

정답과 해설 ▶ 23쪽

1 단어의 뜻을 찾아 선으로 연결해 보자.

(1) be동사 •　　　　• 동사의 본래 형태를 나타내는 말.

(2) do동사 •　　　　• 주어의 정보를 설명하도록 연결해 주는 동사.

(3) 조동사 •　　　　• 의문문이나 부정문을 만들 때 사용하는 동사.

(4) 동사원형 •　　　　• 뒤의 동사가 능력, 허락, 추측의 의미를 갖도록 보조하는 말.

2 밑줄 친 단어의 동사 유형이 알맞으면 ○표, 알맞지 않으면 ×표 해 보자.

(1) **Do** (be동사) you need any money? (너 돈이 좀 필요하니?) (　　　)

(2) Math and science **are** (do동사) difficult. (수학과 과학은 어렵다.) (　　　)

(3) Judy **can** (조동사) walk to school. (Judy는 학교에 걸어갈 수 있다.) (　　　)

(4) We don't **travel** (동사원형) a lot of countries. (우리는 많은 나라들을 여행하지 못해.) (　　　)

3 밑줄 친 단어의 동사 유형을 보기에서 찾아 써 보자.

보기

동사원형　　조동사　　do동사　　be동사

(1) Every window **is** shut. (모든 창이 닫혀 있다.) (　　　)

(2) **Do** you have a good idea? (너 좋은 생각을 가지고 있니?) (　　　)

(3) You don't **know** this yet. (너 아직 이걸 알지 못하니?) (　　　)

(4) I **will** change my clothes. (나는 옷을 갈아입을 것이다.) (　　　)

어휘력 테스트

2주차 1~5회에서 공부한 단어를 떠올리며 문제를 풀어 보자.

국어

1 밑줄 친 뜻을 가진 단어를 골라 ○표 해 보자.

민수: 선생님께서 추천해 주신 책 읽어 봤니? 공부에 도움이 되는 내용이 많더라.
지은: 응, 나도 읽었어. 중요한 내용을 잊지 않기 위해 중요한 점만 골라 간략하게 정리해 두는 것이 필요하겠어.

(도입 , 요약 , 구조)

국어

2 문장에 어울리는 단어를 (   ) 안에서 골라 ○표 해 보자.

토의에 참여하는 사람 중 토의를 진행하는 사람을 (참가자 , 사회자 , 청중)(이)라고 한다.

사회

3 보기의 내용과 관련 있는 단어로 알맞은 것은? (   )

보기
인간은 누구나 동등하게 대우받을 권리를 가진다.

① 혁명 ② 평등 ③ 권력 ④ 차별 ⑤ 정치

사회

4 보기에서 설명하는 단어를 초성을 바탕으로 써 보자.

보기
- 입법부와 행정부가 엄격히 분리되어 서로 견제와 균형을 이루는 정부 형태.
- 대통령을 중심으로 국정이 운영됨.

→ 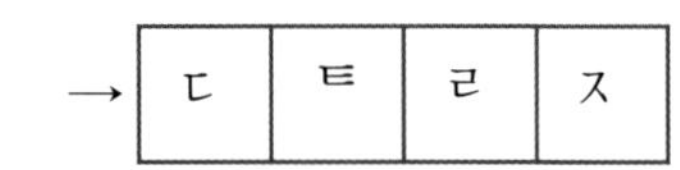

수학

5 그림을 보고 문장에 어울리는 단어를 (   ) 안에서 골라 ○표 해 보자.

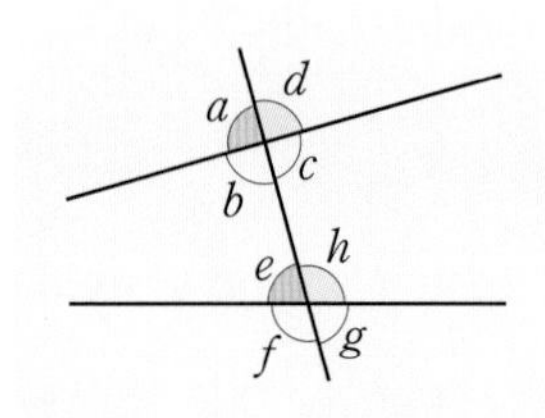

$\angle a$와 $\angle e$, $\angle d$와 $\angle h$처럼 두 직선이 다른 한 직선과 만나서 생기는 각 중 같은 쪽에 있는 각을 (엇각 , 동위각)이라고 한다.

수학

6 **밑줄 친 단어의 쓰임이 알맞으면 ○표, 알맞지 않으면 ×표 해 보자.**

(1) 삼각형에서 한 꼭짓점과 마주 보는 변을 대변이라고 한다. (　　　)

(2) 다각형 중에서 모든 변의 길이가 같고, 각의 크기가 모두 같은 것을 합동이라고 한다. (　　　)

과학

7 **문장에 어울리는 단어를 (　) 안에서 골라 ○표 해 보자.**

버터는 일정한 모양과 부피를 가지는 (기체 , 고체)이다. 여기에 열을 가하면 액체로 변하는데, 이를 (응고 , 융해)라고 한다.

과학

8 **밑줄 친 단어의 쓰임이 알맞으면 ○표, 알맞지 않으면 ×표 해 보자.**

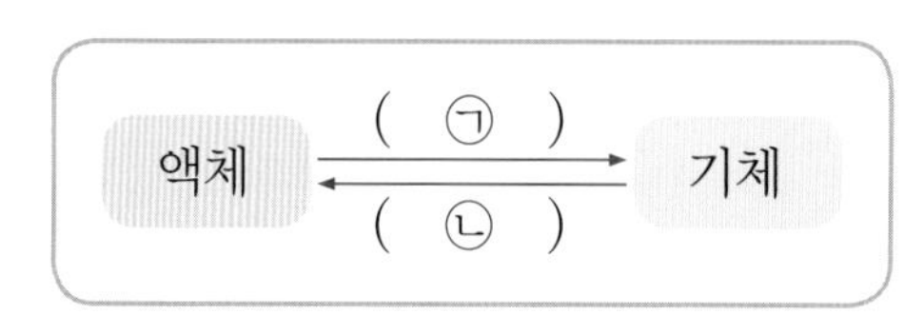

(1) ㉠은 액체에서 기체로 상태가 변하는 현상인 승화이다. (　　　)

(2) ㉡은 기체에서 액체로 상태가 변하는 현상인 액화이다. (　　　)

한자

9 **뜻에 알맞은 단어가 되도록 글자를 모두 찾아 ○표 해 보자.**

(1) 작은 것을 탐하다가 큰 것을 잃음.

경	소	주	탐	서	대	준	실

(2) 어려운 여건 속에서도 꿋꿋이 공부함.

주	실	경	례	야	해	독	수

영문법

10 **밑줄 친 단어의 쓰임이 알맞으면 ○표, 알맞지 않으면 ×표 해 보자.**

Can you read it? (너는 그것을 읽을 수 있니?)

(1) can은 동사의 의미를 추가하여 보조하는 조동사이다. (　　　)

(2) read는 주어의 정보를 설명하도록 연결해 주는 be동사이다. (　　　)

3주차 어휘 미리 보기

한 주 동안
공부할 어휘들이야.
쏙 한번 훑어볼까?

1회 학습 계획일 월 일

국어 교과서 어휘	사회 교과서 어휘
명사	정치 과정
수사	법원
동사	이익 집단
형용사	여론
관형사	선거
부사	지방 자치

2회 학습 계획일 월 일

수학 교과서 어휘	과학 교과서 어휘
내각	광원
외각	빛의 직진
원	발광 다이오드
호	빛의 삼원색
현	빛의 합성
활꼴	화소
부채꼴	점묘화
중심각	

3회 학습 계획일 월 일

국어 교과서 어휘	사회 교과서 어휘
품사	공공복리
체언	공법
용언	사법
수식언	사회법
관계언	재판
독립언	심급 제도

4회

학습 계획일 ( )월 ( )일

수학 교과서 어휘	과학 교과서 어휘
다면체	평면거울
각기둥	상
각뿔	빛의 반사
각뿔대	반사 법칙
정다면체	볼록 거울
	오목 거울

5회

학습 계획일 ( )월 ( )일

한자 어휘	영문법 어휘
반신반의	인칭대명사
남반구	지시대명사
기진맥진	부정대명사
연기	재귀대명사
기세	

어휘력 테스트

4주차
어휘 학습으로
가 보자!

국어 교과서 어휘

수록 교과서 국어 1-2
문법 – 품사의 종류와 특징 (1)

단어와 그 뜻을 익히고, 빈칸에 알맞은 단어를 써 보자.

명사
이름 名 + 말 詞

어떤 것의 이름을 나타내는 말.

예 ☐☐는 '나무', '얼굴' 등과 같이 구체적인 사물이나 '행복', '평화' 등과 같이 추상적인 것의 이름을 나타내는 말이다.

플러스 개념어 **대명사**
어떤 것의 이름을 대신하여 나타내는 말.
예 나, 너, 이것, 여기

수사
셈 數 + 말 詞

어떤 것의 개수나 순서를 나타내는 말.

예 ☐☐는 '하나', '둘' 등과 같이 개수를 나타내거나 '첫째', '둘째' 등과 같이 순서를 나타내는 말이다.

동사
움직일 動 + 말 詞

어떤 것의 움직임을 나타내는 말.

예 ☐☐는 '먹다', '달리다', '만들다' 등과 같이 동작을 나타내는 말이다.

플러스 개념어 **활용**
동사와 형용사가 문장에서 쓰일 때 형태가 변하는 것을 '활용'이라고 함. 예를 들어, 형용사인 '작다'는 문장에서 '작았다', '작았니', '작아서' 등으로 형태가 변할 수 있음.

형용사
모양 形 + 모양 容 + 말 詞
'容'의 대표 뜻은 '얼굴'임.

어떤 것의 특성이나 상태를 나타내는 말.

예 ☐☐☐는 '맛있다', '쫄깃하다', '작다' 등과 같이 어떤 것의 특징이나 모양을 나타내는 말이다.

관형사
갓 冠 + 모양 形 + 말 詞

명사, 대명사, 수사를 꾸며 주는 말.

예 ☐☐☐는 명사, 대명사, 수사와 떨어져서 혼자서는 쓰일 수 없다.

부사
도울 副 + 말 詞
'副'의 대표 뜻은 '버금(으뜸의 바로 아래)'임.

주로 동사, 형용사를 꾸며 주는 말.

예 ☐☐는 문장에서 쓰일 때 형태가 변하지 않는다.

조사와 감탄사도 있는데, 조사는 체언 뒤에 붙어 문법적인 관계나 특별한 뜻을 더해 주고, 감탄사는 말하는 이의 느낌이나 부름, 대답 등을 나타내는 말이야.

정답과 해설 ▶ 26쪽

1 단어의 뜻을 보기에서 찾아 사다리를 타고 내려간 곳에 기호를 써 보자.

보기

㉠ 어떤 것의 이름을 나타내는 말.
㉡ 어떤 것의 움직임을 나타내는 말.
㉢ 어떤 것의 개수나 순서를 나타내는 말.
㉣ 어떤 것의 특성이나 상태를 나타내는 말.

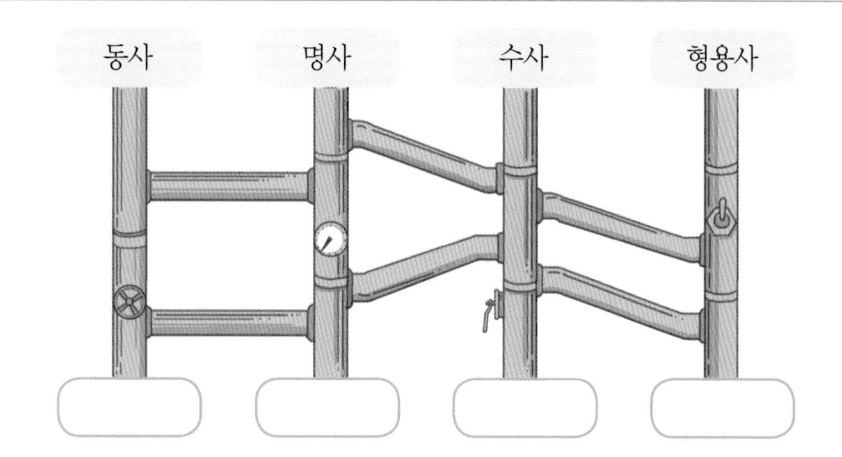

2 밑줄 친 단어가 알맞으면 ○표, 알맞지 않으면 ×표 해 보자.

(1) 주로 동사와 형용사를 꾸며 주는 말을 부사라고 한다. (   )

(2) 어떤 것의 이름을 대신하여 나타내는 말을 대명사라고 한다. (   )

(3) 동사와 형용사가 문장에서 쓰일 때 형태가 변하는 것을 응용이라고 한다. (   )

3 보기에서 설명하는 단어를 써 보자.

보기

• 주로 명사, 대명사, 수사를 꾸며 주는 말이다.
• 체언과 떨어져서 혼자서 쓰일 수 없는 말이다.

(   )

사회 교과서 어휘

수록 교과서 사회 ①
Ⅹ. 정치 과정과 시민 참여

단어와 그 뜻을 익히고, 빈칸에 알맞은 단어를 써 보자.

정치 과정

정사 政 + 다스릴 治 + 지날 過 + 길 程
'程'의 대표 뜻은 '한도'임.

민주 사회에서 합리적 절차에 따라 정책을 만들어 갈등을 해결해 나가는 과정.

예 정책을 결정할 때는 시민이 적극적으로 참여하는 ☐☐ ☐☐을 거쳐야 한다.

법원

법 法 + 관서 院
'院'의 대표 뜻은 '집'임.

사법권을 행사하는 국가 기관. 분쟁 사건에 대하여 일정한 절차를 거쳐 공적인 판단을 하는 재판 등을 담당함. 대법원, 고등 법원, 지방 법원으로 조직됨.

예 ☐☐은 정책과 관련한 분쟁이 생겼을 때 재판을 통해 판결한다.

동음이의어 **법원**(법 法 + 근원 源)
법이 생겨나는 근거 또는 존재 형식. 법관이 재판의 기준으로 적용하는 법 규범의 존재 형식을 가리킴.

이익 집단

이로울 利 + 더할 益 + 모을 集 + 모일 團
'團'의 대표 뜻은 '둥글다'임.

이익과 손해 관계를 같이하는 사람들이 자신들의 특수한 이익을 실현할 목적으로 만든 단체.

예 자신들의 이익을 실현하기 위해 ☐☐ ☐☐은 정부와 국회에 압력을 행사하기도 한다.

플러스 개념어 **시민 단체**
여러 가지 사회 문제를 해결하고 공동체의 가치를 지켜 나가기 위해 시민들이 자발적으로 만든 단체.

여론

많을 輿 + 논할 論
'輿'의 대표 뜻은 '수레'임.

사회를 구성하는 대다수의 사람이 공통으로 제시하는 의견.

예 언론은 국민들에게 정책에 관한 정보를 전달함으로써 ☐☐을 형성하는 데 중요한 역할을 하고 있다.

선거

뽑을 選 + 들 擧
'選'의 대표 뜻은 '가리다'임.

조직이나 집단에서 그 대표자나 임원 등을 투표 같은 방법으로 가려 뽑는 행위.

예 ☐☐는 선출된 대표자에게 정당성을 부여함으로써 합법적인 권한을 가지게 한다.

플러스 개념어 **선거의 기본 원칙**
- 보통 선거: 일정한 나이가 된 모든 국민에게 선거권을 주는 원칙.
- 평등 선거: 신분이나 재산, 성별, 학력 등 조건에 관계없이 한 사람이 한 표씩 투표할 수 있는 원칙.
- 직접 선거: 선거할 권리를 가진 사람이 직접 투표해야 한다는 원칙.
- 비밀 선거: 선거할 권리를 가진 사람이 어느 후보에게 투표했는지 비밀이 보장되어야 한다는 원칙.

지방 자치

영토 地 + 나라 方 + 스스로 自 + 다스릴 治
'地'의 대표 뜻은 '땅', '方'의 대표 뜻은 '모'임.

지역 주민과 그들이 뽑은 지역 대표들이 자기 지역의 일을 스스로 결정하고 처리하도록 하는 제도.

예 지역 주민의 자발적 참여를 통해 민주주의를 실현한다는 뜻에서 ☐☐ ☐☐ 제도를 '풀뿌리 민주주의'라고도 한다.

확인 문제

정답과 해설 ▶ 27쪽

1 뜻에 알맞은 단어를 찾아 선으로 이어 보자.

(1) 사법권을 행사하는 국가 기관. •

(2) 민주 사회에서 합리적 절차에 따라 정책을 만들어 갈등을 해결해 나가는 과정. •

(3) 지역 주민과 그들이 뽑은 지역 대표들이 자기 지역의 일을 스스로 결정하고 처리하도록 하는 제도. •

• 법원

• 지방 자치

• 정치 과정

2 다음에서 말하는 선거의 기본 원칙을 보기에서 찾아 써 보자.

보기

보통 선거 평등 선거 직접 선거 비밀 선거

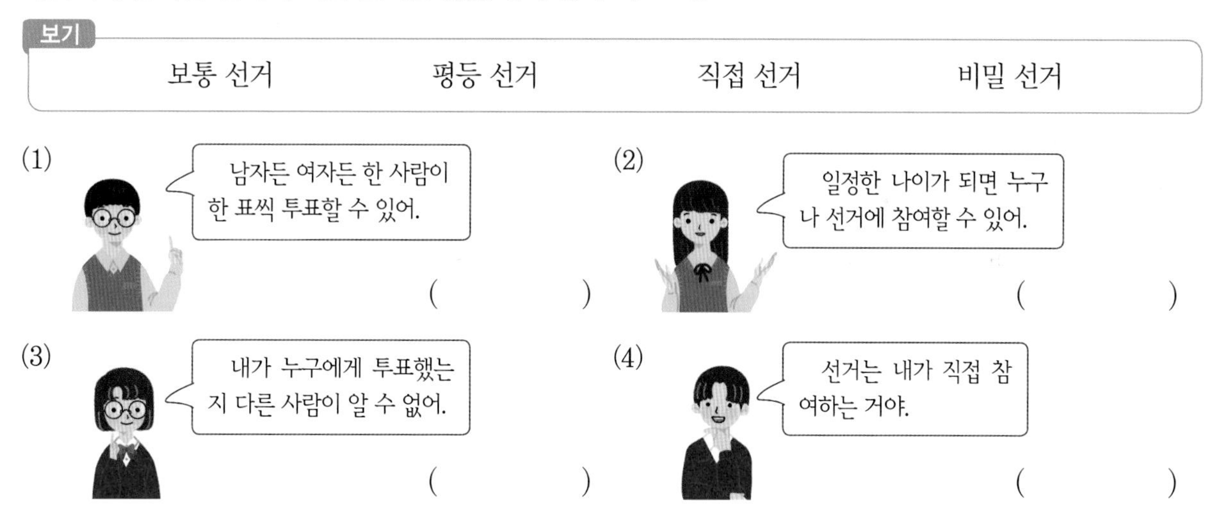

(1) (   )
(2) (   )
(3) (   )
(4) (   )

3 빈칸에 들어갈 알맞은 단어를 보기의 글자를 조합해 써 보자.

(1) 사회를 구성하는 대다수의 사람이 공통으로 제시하는 의견을 □□(이)라고 한다.

(2) 이익과 손해 관계를 같이하는 사람들이 자신들의 특수한 이익을 실현할 목적으로 만든 단체를 □□ 집단이라고 한다.

수학 교과서 어휘

단어와 그 뜻을 익히고, 빈칸에 알맞은 단어를 써 보자.

내각
안 内 + 각도 角
'角'의 대표 뜻은 '뿔'임.

안에 있는 각으로, 이웃한 두 변으로 이루어진 안쪽의 각.

예 한 꼭짓점과 두 변으로 만들어진 다각형의 안쪽에 있는 각을 □□이라고 한다.

외각
바깥 外 + 각도 角

바깥쪽에 있는 각으로, 한 변과 그 변에 이웃하는 변의 연장선이 이루는 각.

예 다각형의 한 내각의 꼭짓점에서 한 변과 그 변에 이웃한 변의 연장선이 이루는 각을 그 내각의 □□이라고 한다.

원
둥글 圓

평면 위의 한 점에서 일정한 거리에 있는 점으로 이루어진 곡선.

예 한 점 O로부터 일정한 거리에 있는 점들로 이루어진 도형을 □이라고 하고, 점 O는 □의 중심이다.
일정한 거리 → 원의 중심에서 원 위의 한 점까지의 거리를 원의 반지름이라고 함.

한 원에서 원의 반지름을 무수히 많이 그릴 수 있어.

호
활 弧

원주 위의 두 점을 양 끝점으로 하는 원의 일부분.

예 원 O 위의 두 점 A, B에 의해 나누어지는 두 부분을 각각 □라고 한다. 초록색의 짧은 호를 '열호', 주황색의 긴 호를 '우호'라고 함. 점 A, B를 양 끝점으로 하는 호 AB는 '⌒'를 써서 $\widehat{AB}$로 나타낸다.

현
활시위 弦

원주 위의 서로 다른 두 점을 연결한 선분.

예 한 원 위의 두 점 A, B를 이은 선분을 □이라고 한다.
한 원의 현 중 가장 긴 것은 지름이다.

활꼴

원주 위의 서로 다른 두 점이 만드는 호와 현으로 이루어진 도형.

예 원 O에서 현 CD와 호 CD로 이루어진 활 모양의 도형이 □□이다.

부채꼴

부채를 편 것과 같은 모양으로, 두 반지름과 그 사이에 있는 호로 둘러싸인 도형.

예 원 O에서 두 반지름 OA, OB와 호 AB로 이루어진 부채 모양의 도형을 □□□이라고 한다.

중심각
가운데 中 + 가운데 心 + 각도 角
'心'의 대표 뜻은 '마음'임.

부채꼴에서 두 반지름이 만드는 각.

예 원 O에서 두 반지름 OA, OB가 이루는 각 AOB가 부채꼴 AOB의 □□□이다.

확인 문제

정답과 해설 ▶ 28쪽

1 뜻에 알맞은 단어가 되도록 보기의 글자를 조합해 써 보자. (같은 글자가 여러 번 쓰일 수 있음.)

보기

내 외 원 각

(1) 이웃한 두 변으로 이루어진 안쪽의 각. → ☐☐

(2) 한 변과 그 변에 이웃하는 변의 연장선이 이루는 각. → ☐☐

(3) 평면 위의 한 점에서 일정한 거리에 있는 점으로 이루어진 곡선. → ☐

2 문장에 어울리는 단어를 (　　) 안에서 골라 ○표 해 보자.

(1) 원주 위의 두 점을 양 끝점으로 하는 원의 일부분은 (호 , 현)이고, 원주 위의 서로 다른 두 점을 연결한 선분은 (호 , 현)이다.

(2) 원에서 두 반지름과 그 사이에 있는 호로 둘러싸인 도형은 (부채꼴 , 활꼴)이고, 원주 위의 서로 다른 두 점이 만드는 호와 현으로 이루어진 도형은 (부채꼴 , 활꼴)이다.

(3) 한 꼭짓점과 두 변으로 만들어진 다각형의 안쪽에 있는 각은 (내각 , 외각)이고, 한 내각의 꼭짓점에서 한 변과 그 변에 이웃한 변의 연장선이 이루는 각은 그 내각의 (내각 , 외각)이다.

3 빈칸에 들어갈 알맞은 단어를 초성을 바탕으로 써 보자.

(1) 원주 위의 두 점 A, B를 양 끝점으로 하는 원의 일부분을 [ㅎ] AB라고 한다.

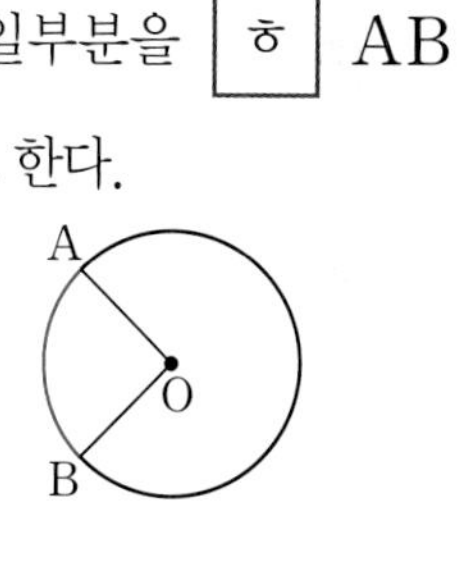

(2) 원주 위의 두 점 A, B를 이은 선분인 현 AB와 호 AB로 이루어진 도형을 [ㅎ][ㄲ]이라고 한다.

A
B
O

(3) 원의 두 반지름 OA, OB와 호 AB로 이루어진 부채꼴에서 각 AOB를 호 AB에 대한 [ㅈ][ㅅ][ㄱ]이라고 한다.

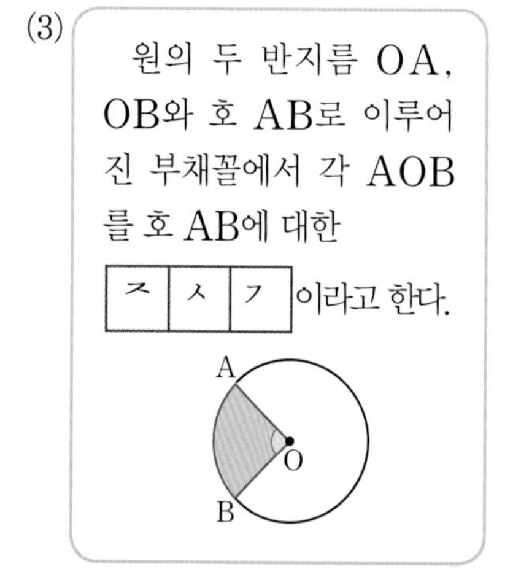

과학 교과서 어휘

수록 교과서 과학 1
Ⅵ. 빛과 파동

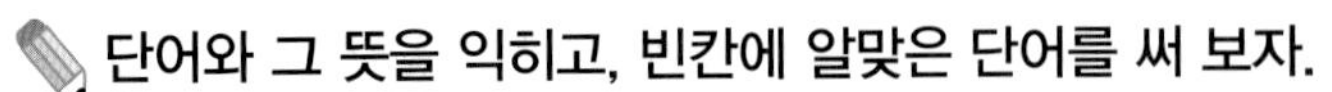

단어와 그 뜻을 익히고, 빈칸에 알맞은 단어를 써 보자.

광원
빛 光 + 근원 源

태양, 전구, 양초 등과 같이 빛을 내는 물체.

예 □□에서 나오는 빛은 모든 방향으로 퍼진다.

빛의 직진
빛의 + 곧을 直 + 나아갈 進

광원에서 나온 빛이 곧게 나아가는 현상.

예 레이저 포인트의 빛은 공기 중에서 일직선 형태로 곧게 나아가는데, 이러한 현상을 □□ □□이라고 한다.

발광 다이오드
필 發 + 빛 光 + 다이오드

전류가 흐르면 빛을 방출하는 다이오드의 한 종류.

예 전자시계, 광고 전광판, LED 전등처럼 빛을 발하는 데 사용하는 다이오드를 □□ □□□□라고 한다.

빛의 삼원색
빛의 + 석 三 + 근원 原 + 빛 色
'原'의 대표 뜻은 '언덕'임.

빛의 근원이 되는 세 가지 색으로, 여러 가지 빛을 만들 수 있는 빨간색, 초록색, 파란색을 가리킴.

예 우리 눈은 빛의 색을 느끼는 세 종류의 세포가 각각 빨간색, 초록색, 파란색 빛에 반응하는데, 이 세 가지 색의 빛을 □□ □□□이라고 한다.

빨강
파랑
초록

▲ 빛의 삼원색

빛의 합성
빛의 + 합할 合 + 성질 性
'性'의 대표 뜻은 '성품'임.

두 가지 색 이상의 빛이 합쳐져서 다른 색의 빛으로 보이는 현상.

예 빛의 삼원색인 빨간색, 초록색, 파란색의 빛을 적절한 비율로 합치면 여러 가지 색의 빛을 만들어 낼 수 있는데, 이를 □□ □□이라고 한다.

화소
그림 畫 + 바탕 素
'素'의 대표 뜻은 '본디'임.

영상 장치에서 색을 만드는 작은 점.

예 □□에서 나오는 삼원색의 빛의 세기를 조절하면 다양한 색의 빛이 만들어진다.

점묘화
점 點 + 그릴 描 + 그림 畫

점을 찍어 그린 그림.

예 □□□는 각각의 점에서 반사된 빛이 합성되어 보이므로 점을 촘촘히 찍어도 어둡게 보이지 않는다.

확인 문제

정답과 해설 ▶ 29쪽

1 단어의 뜻을 보기에서 찾아 사다리를 타고 내려간 곳에 기호를 써 보자.

보기
㉠ 빛을 내는 물체.
㉡ 점을 찍어 그린 그림.
㉢ 영상 장치에서 색을 만드는 작은 점.

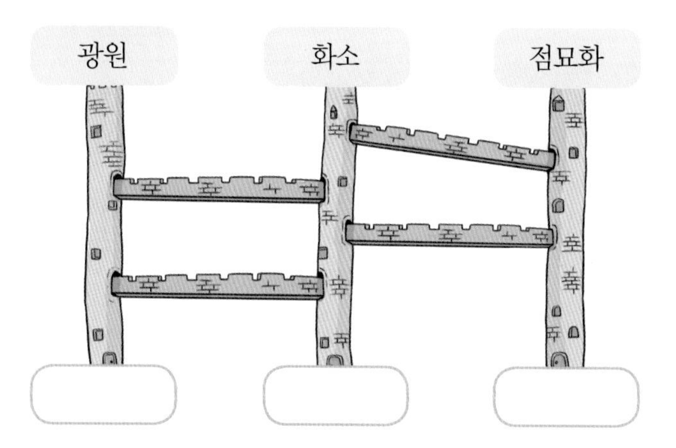

2 (　　) 안에 들어갈 알맞은 단어를 보기에서 찾아 써 보자.

보기
발광 다이오드　　직진　　합성　　삼원색

(1) 광원에서 나온 빛이 곧게 나아가는 현상을 빛의 (　　　　)(이)라고 한다.

(2) 전류가 흐르면 빛을 방출하는 다이오드의 한 종류를 (　　　　)(이)라고 한다.

(3) 여러 가지 빛을 만들 수 있는 빨간색, 초록색, 파란색의 빛을 빛의 (　　　　)(이)라고 한다.

(4) 두 가지 색 이상의 빛이 합쳐져서 다른 색의 빛으로 보이는 현상을 빛의 (　　　　)(이)라고 한다.

3 빈칸에 들어갈 알맞은 단어를 초성을 바탕으로 써 보자.

(1) 컴퓨터 모니터나 휴대 전화 화면의 영상 장치는 빛의 [ㅅ][ㅇ][ㅅ]인 빨간색, 파란색, 초록색 빛을 이용하여 다양한 색의 빛을 표현한다.

(2) 텔레비전이나 스마트 기기 등은 색을 만드는 작은 점인 [ㅎ][ㅅ]이/가 많을수록 화면이 정밀하고 선명하다.

(3) 전광판과 같은 영상 장치에는 빨간색, 초록색, 파란색 빛을 내는 전구 세 개가 짝을 이루어 배열되어 있으며, 각 전구의 빛이 [ㅎ][ㅅ]되어 다른 색이 나타난다.

국어 교과서 어휘

수록 교과서 국어 1-2
문법 – 품사의 종류와 특징 (2)

단어와 그 뜻을 익히고, 빈칸에 알맞은 단어를 써 보자.

품사
성질 品 + 말 詞
'品'의 대표 뜻은 '물건'임.

공통된 성질을 가진 것끼리 묶은 단어의 분류.

예 [ ][ ]는 문장에서 형태가 변하는지, 어떤 기능을 하는지, 어떤 의미를 나타내는지에 따라 아홉 가지로 나눌 수 있다.

플러스 개념어 품사의 분류
품사는 명사, 대명사, 수사, 동사, 형용사, 관형사, 부사, 조사, 감탄사로 나뉨.

체언
몸 體 + 말씀 言

문장에서 몸의 기능을 하는 단어로, 주어나 목적어 등으로 쓰임.

예 대상의 이름을 나타내는 명사, 대상의 이름을 대신하여 나타내는 대명사, 수량이나 순서를 나타내는 수사를 묶어 [ ][ ]이라고 한다.

용언
부릴 用 + 말씀 言
'用'의 대표 뜻은 '쓰다'임.

문장에서 주로 서술어의 기능을 하는 단어.

예 대상의 움직임을 나타내는 동사와 대상의 상태나 성질을 나타내는 형용사를 묶어 [ ][ ]이라고 한다.

수식언
꾸밀 修 + 꾸밀 飾 + 말씀 言
'修'의 대표 뜻은 '닦다'임.

문장에서 다른 말을 꾸며 주는 기능을 하는 단어.

예 체언을 꾸며 주는 관형사와 용언을 꾸며 주는 부사를 묶어 [ ][ ][ ]이라고 한다.

관계언
관계할 關 + 맬 係 + 말씀 言

문장에 쓰인 단어들의 관계를 나타내는 단어.

예 체언 뒤에 붙어서 단어들 사이의 관계를 나타내거나 특별한 뜻을 더해 주는 조사를 [ ][ ][ ]이라고 한다.

독립언
홀로 獨 + 설 立 + 말씀 言

문장에서 다른 단어와 관계를 맺지 않고 독립적으로 쓰이는 단어.

예 느낌, 부름, 대답을 나타내는 감탄사를 [ ][ ][ ]이라고 한다.

확인 문제

정답과 해설 ▶ 30쪽

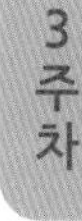

1 단어의 뜻을 찾아 선으로 이어 보자.

(1) 용언 •　　　　• 문장에서 몸의 기능을 하는 단어.

(2) 체언 •　　　　• 문장에서 주로 서술어로 쓰이는 단어.

(3) 관계언 •　　　　• 문장에 쓰인 단어들의 관계를 나타내는 단어.

(4) 독립언 •　　　　• 문장에서 다른 말을 꾸며 주는 기능을 하는 단어.

(5) 수식언 •　　　　• 문장에서 다른 단어와 관계를 맺지 않고 독립적으로 쓰이는 단어.

2 (　　) 안에 공통으로 들어갈 단어를 써 보자.

• 공통된 성질을 가진 것끼리 묶은 단어의 분류를 (　　　　　)(이)라고 한다.
• (　　　　　)은/는 명사, 대명사, 수사, 동사, 형용사, 관형사, 부사, 조사, 감탄사로 나눌 수 있다.

3 다음 대화에서 (　　) 안에 들어갈 단어로 알맞은 것은? (　　　　)

하준: “꽃밭에 꽃이가 피었습니다.”라는 문장에서 잘못된 부분을 찾아보자.
주원: ‘꽃이가’에서 ‘이가’가 적절하지 않아. 문장에 쓰인 단어들의 관계를 나타내는 단어를 수정해야 돼.
하준: (　　　　　)을/를 수정하라는 말이구나.

① 용언　　② 체언　　③ 독립언　　④ 관계언　　⑤ 수식언

사회 교과서 어휘

수록 교과서 사회 ①
Ⅺ. 일상생활과 법

단어와 그 뜻을 익히고, 빈칸에 알맞은 단어를 써 보자.

공공복리

함께할 公 + 한가지 共 + 복 福 + 이로울 利

'公'의 대표 뜻은 '공평하다'임.

사회 구성원 전체에 공통되는 복지나 이익.

예 법은 소수 집단의 이익이 아닌 ☐☐☐☐를 추구하는 것을 목적으로 한다.

공법

함께할 公 + 법 法

개인, 국가, 공공 단체 사이의 공적인 관계나 공적인 생활 관계를 규정하는 법.

예 ☐☐은 국가나 공공 단체 등이 국민에게 명령하고 강제할 수 있는 권력을 행사하는 것과 관련된 내용을 규정한다.

사법

사사로울 私 + 법 法

개인과 개인 사이에 생기는 사적인 생활 관계를 규율하는 법.

예 ☐☐은 개인과 개인 사이에 생기는 갈등과 분쟁을 해결하는 데 필요한 법으로, 민법과 상법이 있다.

사회법

모일 社 + 모일 會 + 법 法

사회적 약자를 보호하고 인간다운 생활을 보장하는 것을 목적으로 하는 법.

예 사회적 약자인 근로자를 보호할 목적으로 만든 노동법은 ☐☐☐에 속한다.

재판

결단할 裁 + 판결할 判

'裁'의 대표 뜻은 '마르다', '判'의 대표 뜻은 '판단하다'임.

구체적인 분쟁 사건을 해결하기 위해 법원이 일정한 절차를 거쳐 최종적으로 내리는 판단.

예 ☐☐은 분쟁 사건으로 인한 갈등을 해결하는 기능을 한다.

플러스 개념어 **분쟁**
말썽을 일으켜 시끄럽게 다툼.

심급 제도

살필 審 + 등급 級 + 법도 制 + 법도 度

'制'의 대표 뜻은 '절제하다'임.

하나의 소송 사건의 재판 결과에 다른 의견이 있을 경우, 서로 다른 계급의 법원에서 반복하여 심판하는 상소 제도. 우리나라에서는 원칙적으로 삼심 제도를 채택하고 있음.

예 ☐☐ ☐☐에 따라 우리나라에서는 하나의 사건에 대해 세 번까지 재판을 받을 수 있다.

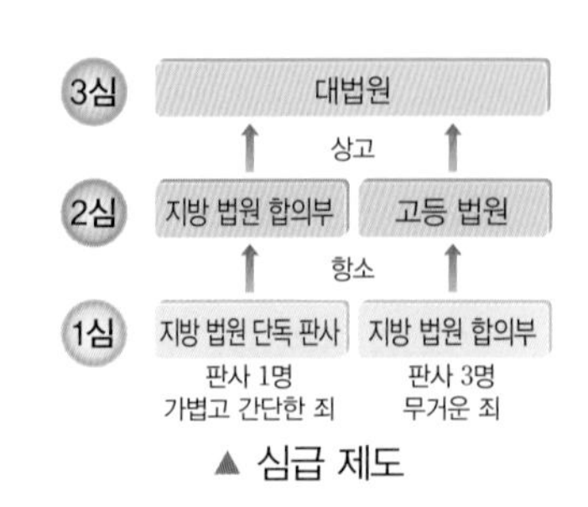

▲ 심급 제도

확인 문제

정답과 해설 ▸ 31쪽

1 뜻에 알맞은 단어를 빈칸에 써 보자.

	❶	
❷		

가로 열쇠

❶ 개인과 개인 사이의 사적인 생활 관계를 규율하는 법.

❷ 개인, 국가, 공공 단체 사이의 공적인 관계나 공적인 생활 관계를 규정하는 법.

세로 열쇠

❶ 사회적 약자를 보호하고 인간다운 생활을 보장하는 것을 목적으로 하는 법.

2 빈칸에 들어갈 알맞은 단어를 찾아 선으로 이어 보자.

(1) [ ]: 사회 구성원 전체에 공통되는 복지나 이익. • • 법원

(2) 재판: 구체적인 분쟁 사건을 해결하기 위해 [ ]이/가 최종적으로 내리는 판단. • • 공공복리

3 ( ) 안에 들어갈 알맞은 단어를 보기에서 찾아 써 보자.

보기

사회법 심급 제도 공공복리

(1) 장애인, 저소득층 등 사회적 약자의 삶의 질을 개선하는 데 국가가 나서야 한다는 요구가 커지면서 ( )이/가 등장하게 되었다.

(2) 우리나라에서는 재판을 받은 사람이 재판 결과에 반대 의사가 있을 때 다시 재판을 받을 수 있도록 하기 위해 ( )을/를 두고 있다.

(3) 법은 사회 질서를 유지하고, 객관적 기준을 제시하여 분쟁을 해결하고, 모든 구성원의 이익인 ( )을/를 추구하는 것을 목적으로 한다.

단어와 그 뜻을 익히고, 빈칸에 알맞은 단어를 써 보자.

다면체

많을 多 + 평면 面 + 몸 體

'面'의 대표 뜻은 '낯(얼굴)'임.

다각형인 면으로만 둘러싸인 입체도형.

예 □□□에는 다각형 면의 수에 따라 사면체, 오면체, 육면체, … 등이 있다.

사면체 오면체 육면체

각기둥

모 角 + 기둥

'角'의 대표 뜻은 '뿔'임.

각진 기둥으로, 두 밑면이 서로 평행하고 합동인 다각형이며, 옆면은 모두 직사각형인 다면체.

예 , , , 등은 옆면이 모두 직사각형인 입체도형으로, 이를 □□□이라고 한다.

각뿔

모 角 + 뿔

각진 뿔 모양의 도형으로, 밑면은 다각형이고, 옆면은 모두 삼각형인 다면체.

예 , , , 등은 옆면이 모두 삼각형인 입체도형으로, 이를 □□이라고 한다.

각뿔대

모 角 + 뿔 + 대 臺

각뿔을 밑면에 평행한 평면으로 잘랐을 때 생기는 입체도형 중 각뿔이 아닌 쪽의 다면체.

예 □□□에는 밑면의 모양에 따라 삼각뿔대, 사각뿔대, 오각뿔대, … 등이 있다.

삼각뿔대 사각뿔대

정다면체

같을 正 + 많을 多 + 평면 面 + 몸 體

'正'의 대표 뜻은 '바르다'임.

모든 면이 서로 합동인 정다각형이고, 각 꼭짓점에 모인 면의 개수가 모두 같은 다면체.

예 □□□□는 정사면체, 정육면체, 정팔면체, 정십이면체, 정이십면체의 5가지뿐이다.

정사면체 정육면체 정팔면체 정십이면체 정이십면체

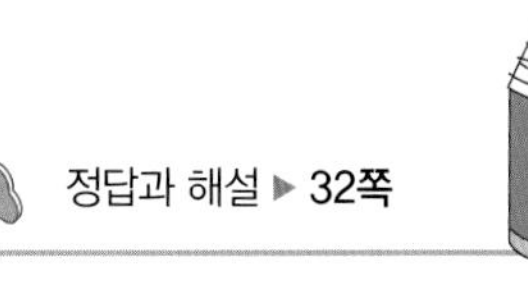

확인 문제

정답과 해설 ▶ 32쪽

1 단어의 뜻을 찾아 선으로 이어 보자.

(1) 각기둥 •   • 밑면이 다각형이고 옆면은 모두 삼각형인 다면체.

(2) 각뿔 •   • 두 밑면이 서로 평행하고 합동인 다각형으로, 옆면이 모두 직사각형인 다면체.

(3) 각뿔대 •   • 각뿔을 밑면에 평행한 평면으로 잘랐을 때 생기는 입체도형 중 각뿔이 아닌 쪽의 다면체.

2 뜻에 알맞은 단어가 되도록 보기의 글자를 조합해 써 보자. (같은 글자가 여러 번 쓰일 수 있음.)

보기

체 다 정 면

(1) 다각형인 면으로만 둘러싸인 입체도형. → ☐☐☐

(2) 모든 면이 서로 합동인 정다각형이고, 각 꼭짓점에 모인 면의 개수가 모두 같은 다면체.

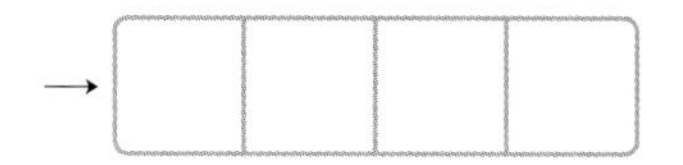

3 빈칸에 들어갈 알맞은 단어를 초성을 바탕으로 써 보자.

(1) 사각뿔을 밑면에 평행한 평면으로 잘랐을 때 생기는 두 다면체 중 각뿔이 아닌 쪽의 다면체는 [ㅅ][ㄱ][ㅃ][ㄷ]이다.

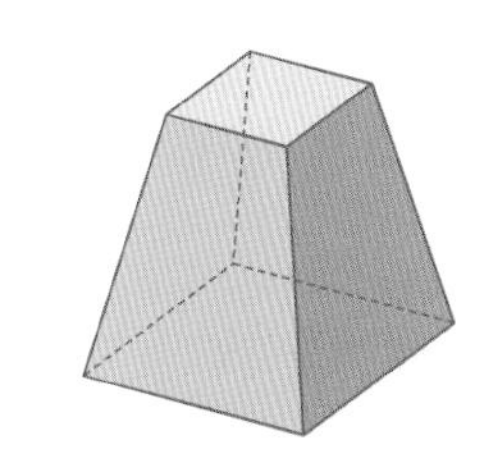

(2) 정팔면체는 8개의 면이 정삼각형으로 이루어져 있고, 각 꼭짓점에 모인 면의 개수가 4개인 [ㅈ][ㄷ][ㅁ][ㅊ]이다.

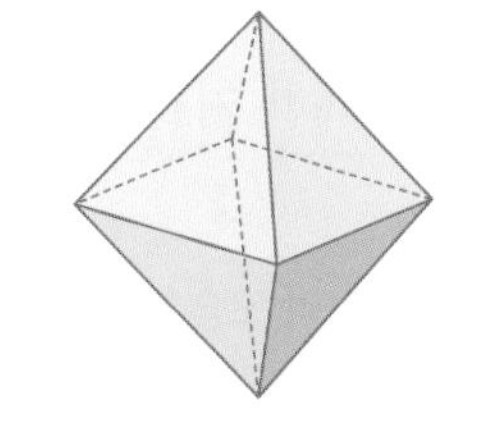

(3) 다음 도형은 다각형인 면으로만 둘러싸인 입체도형이 아니므로 [ㄷ][ㅁ][ㅊ]이/가 아니다.

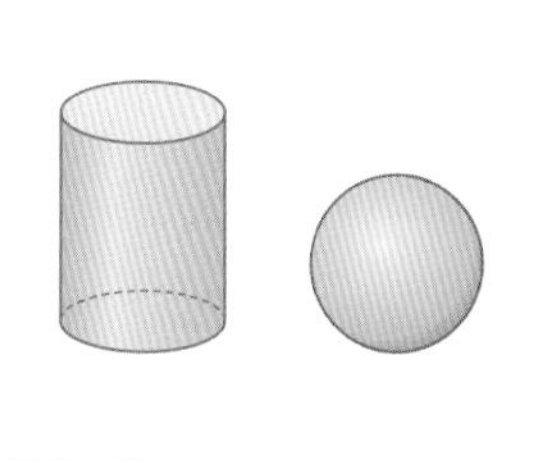

과학 교과서 어휘

단어와 그 뜻을 익히고, 빈칸에 알맞은 단어를 써 보자.

평면거울
평평할 平 + 평면 面 + 거울
'面'의 대표 뜻은 '낯(얼굴)'임.

거울면이 평평한 거울.

예 춤 연습실에서 자신의 모습을 비추어 보기 위해 사용하는 전신 거울은 거울면이 평평한 □□□□이다.

상
모양 像

거울에 보이는 물체와 닮은 모습.

예 평면거울에서는 물체와 거울면에 대칭인 위치에 □이 생긴다.

평면거울
상
물체
눈

빛의 반사
빛의 + 돌이킬 反 + 비출 射
'射'의 대표 뜻은 '쏘다'임.

직진하던 빛이 물체에 부딪칠 때 진행 방향이 바뀌어 나아가는 현상.

예 자동차의 백미러를 통해 뒤에 오는 자동차를 볼 수 있는 것은 □□ □□ 때문이다.

반사 법칙
돌이킬 反 + 비출 射 + 법 法 + 법칙 則

반사면에 닿은 빛은 반사면에 수직인 선과 이루는 각이 서로 같도록 반사한다는 법칙.

예 거울에 들어온 빛이 반사될 때 거울로 들어오는 입사각과 거울에서 반사되어 나가는 반사각의 크기가 항상 같은 것을 빛의 □□ □□이라고 한다.

플러스 개념어 입사 광선, 반사 광선, 법선

법선
입사 광선
반사 광선
입사각
반사각
평면거울

- 입사 광선: 반사면으로 들어가는 빛을 나타내는 선.
- 반사 광선: 반사면에 반사되어 나가는 빛을 나타내는 선.
- 법선: 반사면에 수직인 선.

볼록 거울

거울면의 가운데가 볼록한 거울로, 넓은 범위를 보여 줌.

예 □□ □□은 넓은 범위를 보여 주기 때문에 교통사고 방지용 안전 거울 등에 활용된다.

오목 거울

거울면의 가운데가 오목한 거울로, 가까이 있는 물체를 크게 확대하고, 빛을 모으는 성질이 있음.

예 □□ □□은 입안의 모습을 확대해 보여 주는 치과용 거울에 활용된다.

정답과 해설 ▶ 33쪽

1 단어의 뜻을 찾아 선으로 이어 보자.

(1) 상 • 　　　　• 거울면이 평평한 거울.

(2) 평면거울 • 　　　　• 거울면의 가운데가 볼록한 거울.

(3) 오목 거울 • 　　　　• 거울면의 가운데가 오목한 거울.

(4) 볼록 거울 • 　　　　• 거울에 보이는 물체와 닮은 모습.

2 문장에 어울리는 단어를 (　　) 안에서 골라 ○표 해 보자.

(1) 반사면으로 들어가는 빛을 나타내는 선을 (입사 광선 , 반사 광선)이라고 하고, 반사면에 반사되어 나가는 빛을 나타내는 선을 (입사 광선 , 반사 광선)이라고 한다.

(2) 입사 광선과 법선이 이루는 각을 (입사각 , 반사각)이라고 하고, 반사 광선과 법선이 이루는 각을 (입사각 , 반사각)이라고 하는데, 입사각과 반사각의 크기가 서로 같도록 반사하는 것을 빛의 반사 법칙이라고 한다.

3 (　　) 안에 들어갈 알맞은 단어를 보기에서 찾아 써 보자.

보기

평면거울　　볼록 거울　　오목 거울

(1) 올림픽 성화에 불을 붙일 때는 태양 빛을 한곳에 모으기 위해 (　　　　)을 이용한다.

(2) (　　　　)은 거울에서 보는 상의 크기와 물체의 크기가 같아 화장실 같은 곳에서 많이 사용한다.

(3) 사고가 날 위험이 있는 도로의 모퉁이에 (　　　　)을 설치하면 반대편 모퉁이를 볼 수 있어서 사고의 위험을 줄일 수 있다.

半(반), 氣(기)가 들어간 단어

半 반 반

반(半)은 주로 '반'이라는 뜻으로 쓰여. 둘로 똑같이 나눈 것 가운데 하나를 '반'이라고 하지. 반(半)은 '나누다'라는 뜻으로 쓰일 때도 있어.

氣 기운 기

기(氣)는 주로 '기운'이라는 뜻으로 쓰여. 어떤 일이 일어나려고 하는 움직임이나 분위기를 '기운'이라고 해. 기(氣)는 '기체', '힘'이라는 뜻으로도 쓰여.

단어와 그 뜻을 익히고, 빈칸에 알맞은 단어를 써 보자.

반신반의
반 半 + 믿을 信 + 반 半 + 의심할 疑

반신(半信) + 반의(半疑)
반은 믿음. 반은 의심함.
완전히 믿지 못할 때 '반신반의하다.'라고 해.

얼마쯤 믿으면서도 한편으로는 의심함.

예 사람들은 경찰의 수사 발표에 대해 ☐☐☐☐하였다.

남반구
남녘 南 + 나눌 半 + 둥글 球

'球'의 대표 뜻은 '공(둥근 물체)'임.

반(半)이 '나누다'라는 뜻으로 쓰였어.

적도를 경계로 지구를 둘로 나누었을 때의 남쪽 부분.

예 호주, 브라질, 인도네시아는 ☐☐☐에 위치한다.

기진맥진
기운 氣 + 다할 盡 + 맥 脈 + 다할 盡

'脈'의 대표 뜻은 '줄기'임.

기진(氣盡) + 맥진(脈盡)
기운이 다함. 맥이 다함.
기운이 다 빠져서 힘이 없는 상태를 말해.

기운이 다하고 맥이 다 빠져 스스로 몸을 가누지 못할 지경이 됨.

예 이리저리 뛰어다녔더니 ☐☐☐☐한 상태가 되었다.

연기
연기 煙 + 기체 氣

기(氣)가 '기체'라는 뜻으로 쓰였어.

무엇이 불에 탈 때에 생겨나는 흐릿한 기체나 기운.

예 짚을 태우자 ☐☐가 피어올랐다.

동음이의어 **연기**(늘일 延 + 기약할 期) 정해진 시간과 때를 뒤로 물려서 늘리는 것.
예 시험이 일주일 뒤로 연기되었다.

기세
힘 氣 + 형세 勢

기(氣)가 '힘'이라는 뜻으로 쓰였어.

힘차게 뻗치는 모양이나 상태.

예 낯선 사람이 다가가자 그 개는 사나운 ☐☐로 짖어 댔다.

확인 문제

정답과 해설 ▶ 34쪽

1 뜻에 알맞은 단어가 되도록 보기의 글자를 조합해 써 보자. (같은 글자가 여러 번 쓰일 수 있음.)

보기

기 신 반 진 의 인 맥

(1) 얼마쯤 믿으면서도 한편으로는 의심함. → □□□□

(2) 기운이 다하고 맥이 다 빠져 스스로 몸을 가누지 못할 지경이 됨. → □□□□

2 단어의 뜻을 찾아 선으로 이어 보자.

(1) 연기 •　　　• 힘차게 뻗치는 모양이나 상태.

(2) 기세 •　　　• 무엇이 불에 탈 때에 생겨나는 흐릿한 기체나 기운.

(3) 남반구 •　　　• 적도를 경계로 지구를 둘로 나누었을 때의 남쪽 부분.

3 (　　) 안에 들어갈 알맞은 단어를 보기에서 찾아 써 보자.

보기

기세　　연기　　기진맥진　　반신반의

(1) 산업 단지에 있는 공장의 굴뚝에서 매캐한 (　　　　　)이/가 피어올랐다.

(2) 새로 개발된 암 치료제의 효능에 대해 의사들은 (　　　　　)하는 반응을 보였다.

(3) 험난한 산행으로 (　　　　　)한 친구는 숙소에 도착하자마자 잠이 들었다.

(4) 후반전에 들어서자 우리나라의 선수들은 맹렬한 (　　　　　)(으)로 공격을 가해 역전승을 거두었다.

대명사의 종류

대명사에는 사람을 가리키는 인칭대명사(personal pronoun), 물건을 가리키는 지시대명사(demonstrative pronoun), 불특정한 대상을 가리키는 부정대명사(indefinite pronoun), 주어와 목적어가 같을 때 목적어 자리에 오는 재귀대명사(reflexive pronoun)가 있어. 이 4가지가 무엇인지 그 뜻과 예를 공부해 보자.

단어와 그 뜻을 익히고, 빈칸에 알맞은 단어를 써 보자.

personal pronoun
인칭대명사
사람 人+ 일컬을 稱 + 대신할 代 + 이름 名 + 말 詞

앞에 나온 사람을 언급할 때 사용하는 대명사. 인칭과 문장 속의 격에 따라 모양이 달라짐.

- Look at the guys. **They** are all my friends.
  They(그들)는 앞의 the guys(저 사람들)를 가리키는 인칭대명사
  (저 사람들을 봐. 그들은 내 친구들이야.)

예 "Jihi met some Americans. All of them are so kind. (지희는 몇몇 미국인들을 만났다. 그들은 모두 매우 친절하다.)"에서 앞에 있는 some Americans를 가리키는 them은 □□□□□이다.

플러스 개념어 **1인칭, 2인칭, 3인칭**
1인칭은 말하는 사람이 자기 자신을 일컫는 경우, 2인칭은 말하는 사람이 상대방을 일컫는 경우, 3인칭은 말하는 사람 자신과 듣는 상대방을 제외한 제3의 것 모두를 일컫는 경우임. 인칭대명사에 따라 be동사가 결정됨.
- 1인칭의 be동사: am
- 2인칭의 be동사: are
- 3인칭의 be동사: is

demonstrative pronoun
지시대명사
가리킬 指 + 보일 示 + 대신할 代 + 이름 名 + 말 詞

앞에 나온 사람이나 사물을 지적하거나 가리킬 때 사용하는 대명사. 문장 속의 격에 따라 모양이 달라지며, it(그것), this(이것), that(저것), these(이것들), those(저것들)가 있음.

- Look at **that**! It's a bulldog. (저것 봐. 불도그야.)
  that(저것)은 bulldog(불도그)를 가리키는 지시대명사

예 "Those are the beautiful flowers. (저것들은 아름다운 꽃들이야.)"에서 Those(저것들)는 the beautiful flowers(아름다운 꽃들)을 가리키는 □□□□□이다.

indefinite pronoun
부정대명사
아닐 不 + 정할 定 + 대신할 代 + 이름 名 + 말 詞

분명하게 정해서 말할 수 없는 불특정한 사람이나 사물을 가리킬 때 사용하는 대명사. one, ones와 every−, any−, some−, no−, 그리고 -one, -body, -thing 등이 있음.

- **Someone** is knocking at the door. (누군가가 문을 두드리고 있다.)
  누군지 명확하지 않으므로 Someone(누군가)은 부정대명사

예 "I have no pens. Can I borrow one? (내게는 펜이 없어. 하나 빌려 줄래?)"에서 a pen(펜 하나)을 가리키는 one은 □□□□□이다.

reflexive pronoun
재귀대명사
다시 再 + 돌아올 歸 + 대신할 代 + 이름 名 + 말 詞

주어와 목적어가 같을 때 뒤의 목적어는 대명사로 나타내야 하는데, 목적어가 주어와 동일한 인물일 때 사용하는 대명사. myself, yourself, himself, herself 등이 있음.

- I hit **myself**. (나는 내 자신을 때렸다.)
  주어 I(나)와 동일한 사람이 목적어이므로 myself(내 자신)는 재귀대명사

예 "You should believe yourself. (너는 너 자신을 믿어야 한다.)"에서 주어 you와 동일한 사람인 yourself는 □□□□□이다.

플러스 개념어 **재귀대명사 강조 용법**
주어인 명사나 대명사 뒤에 놓여서 '자체로, ~ 자신이 직접'이라는 의미로 주어를 강조하여 쓰임.
예 This movie itself is okay, but not fresh. (이 영화는 그 자체로 괜찮지만 신선하지는 않아.)

확인 문제

정답과 해설 ▶ 35쪽

1 빈칸에 알맞은 단어를 글자판에서 찾아 묶어 보자. (단어는 가로, 세로 방향에서 찾기)

합	부	정	귀	인
동	업	간	초	재
인	배	수	차	귀
칭	대	지	시	부

❶ 앞에 나온 사물을 지적할 때 사용하는 대명사: [ ]대명사
❷ 목적어가 주어와 동일할 때 사용하는 대명사: [ ]대명사
❸ 앞에 나온 사람을 언급할 때 사용하는 대명사: [ ]대명사
❹ 명확하게 말할 수 없는 대상을 가리킬 때 사용하는 대명사: [ ]대명사

2 대명사의 알맞은 이름을 찾아 선으로 이어 보자.

(1) this, that • • 재귀대명사
(2) she, he, our • • 인칭대명사
(3) myself, yourself • • 부정대명사
(4) someone, anyone • • 지시대명사

3 밑줄 친 단어에 알맞은 대명사를 찾아 ○표 해 보자.

(1) I don't have <u>anything</u> to say.
(나는 말할 것이 없다.)
(인칭 , 지시 , 부정 , 재귀)대명사

(2) She is looking at <u>herself</u> in the mirror.
(그녀는 거울로 그녀 자신을 보고 있다.)
(인칭 , 지시 , 부정 , 재귀)대명사

(3) Will you read <u>me</u> the letter?
(네가 그 편지를 나에게 읽어 줄래?)
(인칭 , 지시 , 부정 , 재귀)대명사

(4) How much is <u>this</u>?
(이거 얼마에요?)
(인칭 , 지시 , 부정 , 재귀)대명사

3주차

어휘력 테스트

3주차 1~5회에서 공부한 단어를 떠올리며 문제를 풀어 보자.

국어

1 밑줄 친 단어의 쓰임이 알맞으면 ◯표, 알맞지 않으면 ╳표 해 보자.

(1) '가다', '걷다'처럼 어떤 것의 움직임을 나타내는 말을 형용사라고 한다. ( )

(2) '하늘', '구름', '비'처럼 어떤 것의 이름을 나타내는 말을 대명사라고 한다. ( )

(3) '하나', '첫째'처럼 어떤 것의 개수나 순서를 나타내는 말을 수사라고 한다. ( )

국어

2 문장에 어울리는 단어를 ( ) 안에서 골라 ◯표 해 보자.

명사, 대명사, 수사처럼 문장에서 주어나 목적어 등으로 쓰이는 단어는 (체언 , 용언)이고, 관형사, 부사처럼 문장에서 다른 말을 꾸며 주는 기능을 하는 단어는 (관계언, 수식언)이다.

사회

3 빈칸에 공통으로 들어갈 단어를 써 보자.

사법권을 행사하는 국가 기관인 [ ][ ]에는 대[ ][ ], 고등[ ][ ], 지방[ ][ ]이/가 있다.

사회

4 밑줄 친 뜻을 가진 단어로 알맞은 것은? ( )

법을 제정할 때는 사회 구성원 전체에 공통되는 복지나 이익 보장에 중점을 두어야 한다.

① 공법　② 사법　③ 재판　④ 사회법　⑤ 공공복리

수학

5 그림을 보고 빈칸에 들어갈 단어를 초성을 바탕으로 써 보자.

A B ㉠ O C D ㉡

㉠은 두 반지름과 그 사이에 있는 호로 둘러싸인 도형으로 [ㅂ][ㅊ][ㄲ]이다.

㉡은 원주 위의 서로 다른 두 점이 만드는 호와 현으로 이루어진 도형으로 [ㅎ][ㄲ]이다.

정답과 해설 ▶ 36쪽

수학

6 문장에 어울리는 단어를 ( ) 안에서 골라 ○표 해 보자.

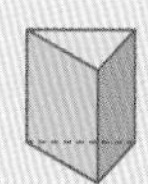은 두 밑면이 서로 평행하고 합동인 다각형이고, 옆면은 모두 직사각형인 다면체이다. 이를 (각기둥 , 각뿔대)(이)라고 한다.

과학

7 빈칸에 보기의 뜻을 가진 단어를 써 보자.

보기
두 가지 색 이상의 빛이 합쳐져서 다른 색의 빛으로 보이는 현상.

주영: 빨간색, 초록색, 파란색 빛을 합치면 무슨 색이 돼?
혜나: 그 세 가지 빛을 (　　　　　)하면 흰색 빛이 돼.

과학

8 밑줄 친 말을 참고하여 빈칸에 들어갈 알맞은 단어를 써 보자.

자동차의 측면 거울처럼 넓은 범위를 보아야 할 때에는 거울면의 가운데가 볼록한 (　　　　　)을/를, 현미경의 반사경처럼 물체를 확대해서 보아야 할 때나 등대의 탐조등처럼 빛을 모아야 할 때는 거울면의 가운데가 오목한 (　　　　　)을/를 사용한다.

한자

9 빈칸에 들어갈 알맞은 글자를 보기에서 찾아 써 보자.

보기

(1) 얼마쯤 믿으면서도 한편으로는 의심함. → | 반 | | 반 | |

(2) 기운이 다하고 맥이 다 빠져 스스로 몸을 가누지 못할 지경이 됨.
→ | | 진 | | 진 |

영문법

10 문장에 어울리는 단어를 ( ) 안에서 골라 ○표 해 보자.

Jane likes to talk. So sometimes she talk to herself.
(Jane은 말하는 것을 좋아한다. 그래서 가끔 그녀는 그녀 자신에게 말을 걸기도 한다.)

→ she는 앞의 Jane을 가리키므로 (인칭대명사 , 부정대명사)이고, herself는 she와 동일한 인물이므로 (재귀대명사 , 지시대명사)이다.

4주차 어휘 미리 보기

한 주 동안
공부할 어휘들이야.
쏙 한번 훑어볼까?

1회 학습 계획일 ◯월 ◯일

국어 교과서 어휘	사회 교과서 어휘
예상 독자	사회 변동
통일성	가치관
선정	계층
조직	권위주의
개요	저출산
고쳐쓰기	고령화

2회 학습 계획일 ◯월 ◯일

수학 교과서 어휘	과학 교과서 어휘
회전체	구면 거울
원기둥	볼록 렌즈
원뿔	오목 렌즈
원뿔대	원시
선대칭도형	근시
겉넓이	진동
부피	파동

3회 학습 계획일 ◯월 ◯일

국어 교과서 어휘	사회 교과서 어휘
매체	국민연금
영상	국적
블로그	노사 갈등
소식	다차원
언어폭력	지구 온난화
인신공격	쓰레기 종량제

4회 학습 계획일 ( )월 ( )일

수학 교과서 어휘	과학 교과서 어휘
변량	매질
계급	횡파
계급값	종파
도수	주기
도수분포표	음색
히스토그램	소리의 3요소
도수분포다각형	
상대도수	

5회 학습 계획일 ( )월 ( )일

한자 어휘	영문법 어휘
고진감래	현재시제
고민	현재진행시제
노고	과거시제
일거양득	미래시제
설득	

어휘력 테스트

2학기
어휘 학습 끝!
이젠 학교 공부
자신 있어!

국어 교과서 어휘

수록 교과서 국어 1-2
쓰기 – 통일성 있는 글 쓰기

단어와 그 뜻을 익히고, 빈칸에 알맞은 단어를 써 보자.

예상 독자
미리 豫 + 생각 想 + 읽을 讀 + 사람 者

글쓴이가 글을 쓰기 전에 미리 생각하여 둔, 글을 읽을 사람.

예 글쓰기를 하려면 먼저 글의 주제, 목적, □□ □□ 등을 생각해 보아야 한다.

통일성
거느릴 統 + 하나 一 + 성질 性
'性'의 대표 뜻은 '성품'임.

글의 주제와 세부 내용이 서로 잘 연결된 특성.

예 □□□을 갖춘 글을 읽으면 글쓴이가 무엇을 말하려고 하는지 쉽게 이해할 수 있다.

플러스 개념어 **통일성 있는 글쓰기**
통일성 있는 글을 쓰기 위해서는 '계획하기, 내용 선정하기, 내용 조직하기, 표현하기, 고쳐쓰기'로 이어지는 글쓰기 과정에서 세부 내용이 주제를 효과적으로 드러내는지를 점검해야 함.

선정
가릴 選 + 정할 定

여러 가지 중에서 어떤 것을 선택하여 정하는 것.

예 글을 쓰기 위해 내용을 □□할 때는 그것이 주제를 뒷받침하기에 적절한 내용인지 판단해야 한다.

조직
짤 組 + 짤 織

내용을 짜서 이루거나 얽어서 만든 것.

예 글을 쓰는 과정에서 '□□하기'란 어떤 구조로 내용을 연결할지 정하는 것을 가리킨다.

개요
대강 槪 + 중요할 要
'槪'의 기본 뜻은 '대개(대부분)'임.

기본적인 부분만을 골라 간결하게 간추린 내용.

예 글의 □□를 짤 때에는 글의 내용을 어떤 순서로 배치할지 생각해 보아야 한다.

고쳐쓰기

글을 쓸 때 잘못된 부분을 바로잡아서 다시 쓰는 일.

예 쓴 글을 점검하고 수정하는 활동은 □□□□ 단계에서 이루어진다.

쓴 글을 고쳐 쓸 때는 불필요한 내용을 빼거나 빠져 있는 내용을 보충하고, 효과적인 내용 전달을 위해 글의 순서를 재구성해야 해.

정답과 해설 ▶ 38쪽

확인 문제

1 뜻에 알맞은 단어가 되도록 보기의 글자를 조합해 써 보자.

보기

선 개 조 정 요 직

(1) 기본적인 부분만을 골라 간결하게 간추린 내용. → [ ][ ]

(2) 내용을 짜서 이루거나 얽어서 만든 것. → [ ][ ]

(3) 여러 가지 중에서 어떤 것을 선택하여 정하는 것. → [ ][ ]

2 밑줄 친 단어의 쓰임이 알맞으면 ◯표, 알맞지 않으면 ✕표 해 보자.

3 문장에 어울리는 단어를 ( ) 안에서 골라 ◯표 해 보자.

(1) 내가 쓴 글을 좀 더 매끄럽게 다듬기 위해 (고쳐쓰기 , 다시 쓰기)를 했다.

(2) 주제와 관계없는 내용이 들어 있는 경우에는 (개성 , 통일성) 있는 글이라고 보기 어렵다.

(3) 나를 소개하는 글을 쓰기 전에 (예상 독자 , 참가자)인 우리 반 친구들을 떠올려 보았다.

사회 교과서 어휘

단어와 그 뜻을 익히고, 빈칸에 알맞은 단어를 써 보자.

사회 변동

모일 社 + 모일 會 + 변할 變 + 움직일 動

사회 구조의 일부 또는 전체에 일정 규모 이상의 사회 변화가 나타나는 현상.

예 현대 사회에 들어서면서 ☐☐ ☐☐의 속도는 점점 빨라지고 있다.

가치관

값 價 + 값 値 + 생각 觀

'觀'의 대표 뜻은 '보다'임.

인간이 자기를 포함한 세계나 어떤 대상의 가치나 의의에 관한 견해나 입장.

예 사회 변동은 과학 기술의 발전, ☐☐☐의 변화, 인구의 변화 등 다양한 요소가 상호 작용하는 과정에서 일어난다.

계층

차례 階 + 층 層

'階'의 대표 뜻은 '섬돌(돌층계)'임.

경제적, 정치적, 사회적으로 다양한 원인에 의해 서열화된 집단.

예 산업화에 따라 일부 ☐☐에 산업화의 혜택이 집중되면서 빈부 격차가 커졌다.

권위주의

권세 權 + 위엄 威 + 주장할 主 + 뜻 義

'主'의 대표 뜻은 '임금', '義'의 대표 뜻은 '옳다'임.

일반적인 사실이나 상대의 의견을 무시한 채 권위를 내세우거나 권위에 따르는 태도.

예 ☐☐☐☐ 정치 문화는 개인의 권리, 민주적 절차, 비판적 참여보다 구성원의 의무, 사회적 가치 등을 우선시하여 권력 집중형 통치를 가능하게 한다.

플러스 개념어 **권위**
남을 지휘하거나 다스려 따르게 하는 힘.

저출산

낮을 低 + 낳을 出 + 낳을 産

일정 수준보다 아이를 적게 낳음.

예 ☐☐☐ 문제를 해결하기 위해서는 출산과 양육에 대한 부담을 줄여 주어야 한다.

고령화

높을 高 + 나이 齡 + 될 化

한 사회에서 노인의 인구 비율이 높은 상태로 되는 현상.

예 ☐☐☐ 현상으로 노후의 삶과 건강을 유지하는 데 들어가는 비용이 늘어나고 있다.

플러스 개념어 **고령화 사회**
의학의 발달과 식생활의 향상 등의 이유로 평균 수명이 늘어남에 따라 총 인구에서 65세 이상인 고령자의 인구 비율이 점차 높아져 가는 사회.

확인 문제

정답과 해설 ▶ 39쪽

1 빈칸에 알맞은 단어가 되도록 글자를 조합해 써 보자.

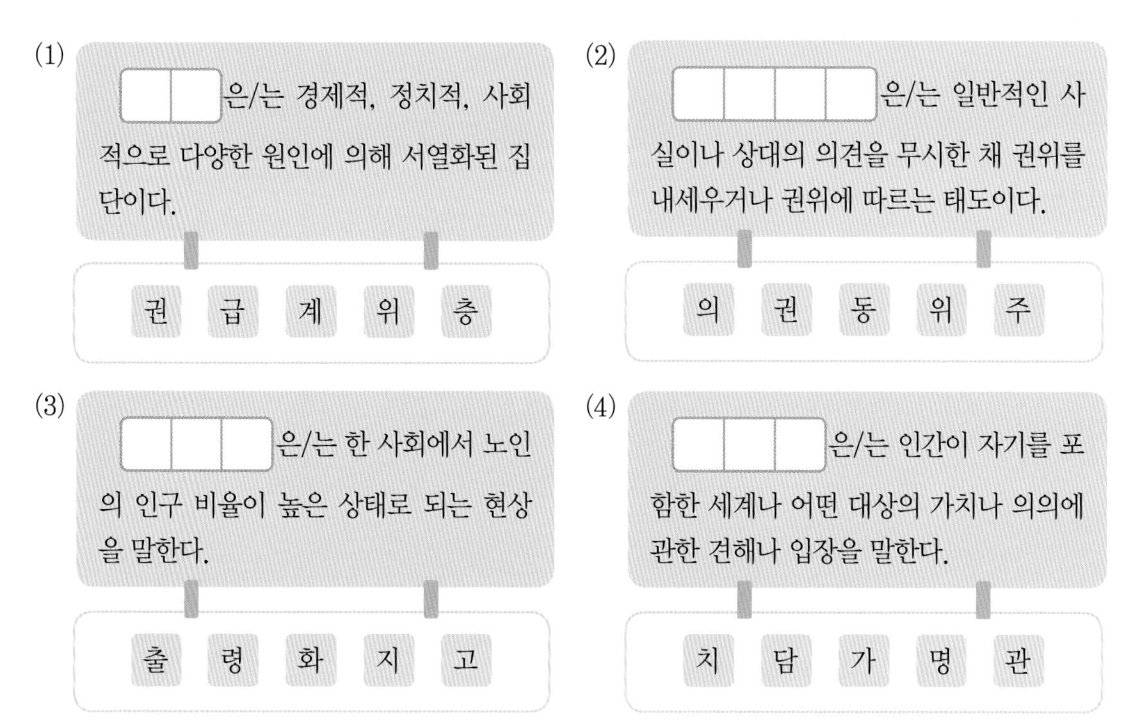

2 빈칸에 들어갈 알맞은 단어를 초성을 바탕으로 써 보자.

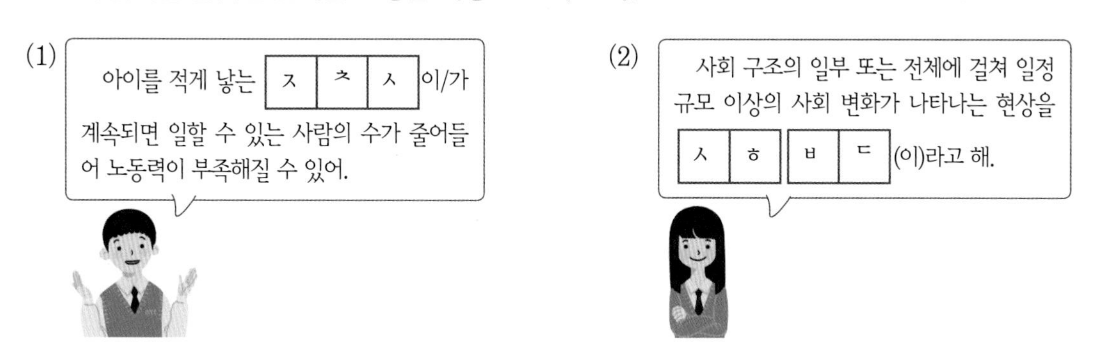

3 (　　) 안에 들어갈 알맞은 단어를 보기에서 찾아 써 보자.

보기

계층　　고령화　　사회 변동

(1) 총 인구에서 65세 이상의 인구가 7% 이상인 사회를 (　　　　) 사회라고 한다.

(2) (　　　　)은/는 경제적, 사회적 원인 등으로 서열화된 사람들의 집단을 말한다.

(3) 우리나라는 짧은 기간에 산업화와 정보화를 이루었기 때문에 그 과정에서 급격한 (　　　　)을/를 겪었다.

수학 교과서 어휘

단어와 그 뜻을 익히고, 빈칸에 알맞은 단어를 써 보자.

회전체
돌 回 + 구를 轉 + 물체 體
'回'의 대표 뜻은 '돌아오다', '體'의 대표 뜻은 '몸'임.

회전해서 얻어진 입체로, 한 직선을 축으로 하여 평면도형을 돌려서 생기는 입체도형.

예 한 직선을 축으로 하여 직사각형을 한 바퀴 돌릴 때 생기는 ☐☐☐는 원기둥이다.

플러스 개념어 **회전축**
평면도형을 회전할 때 중심이 되는 직선.

원기둥
둥글 圓 + 기둥

위와 아래에 있는 면이 서로 평행하고 합동인 원으로 이루어진 입체도형.

예 등과 같은 입체도형을 ☐☐☐이라고 한다.

원뿔
둥글 圓 + 뿔

밑면이 원이고, 옆면이 곡면인 뿔 모양의 입체도형.

예 등과 같은 입체도형을 ☐☐이라고 한다.

원뿔대
둥글 圓 + 뿔 + 대 臺

원뿔을 밑면에 평행한 평면으로 자를 때 생기는 두 입체도형 중에서 원뿔이 아닌 입체도형.

예 원뿔을 밑면에 평행인 평면으로 잘랐을 때, 원뿔의 꼭짓점을 포함하지 않는 입체도형을 ☐☐☐라고 한다.

선대칭도형
줄 線 + 마주할 對 + 걸맞을 稱 + 그림 圖 + 모양 形
'稱'의 대표 뜻은 '일컫다'임.

한 직선에 대해 대칭인 도형으로, 어떤 직선을 따라 접었을 때 완전히 겹쳐지는 도형.

예 회전체는 회전축을 대칭축으로 하는 ☐☐☐☐☐이다.

겉넓이

입체도형의 겉면의 넓이의 합.

예 기둥의 ☐☐☐를 구할 때 전개도를 이용하면 편리하다.

(기둥의 겉넓이)＝2×(밑넓이)＋(옆넓이)

부피

넓이와 높이를 가진 입체도형이 공간에서 차지하는 크기.

예 사각기둥의 ☐☐는 (가로)×(세로)×(높이)를 이용하여 구한다.

사각기둥의 밑넓이는 (가로)×(세로)이므로 사각기둥의 부피는 (가로)×(세로)×(높이)
→ 밑넓이

확인 문제

정답과 해설 ▶ 40쪽

1 뜻에 알맞은 단어를 빈칸에 써 보자.

	❶		
❷			

가로 열쇠
❶ 위와 아래에 있는 면이 서로 평행하고 합동인 원으로 이루어진 입체도형.
❷ 밑면이 원이고, 옆면이 곡면인 뿔 모양의 입체도형.

세로 열쇠
❶ 원뿔을 밑면에 평행한 평면으로 자를 때 생기는 두 입체도형 중에서 원뿔이 아닌 입체도형.

2 (　) 안에 들어갈 알맞은 단어를 보기에서 찾아 써 보자.

보기
회전체　　선대칭도형　　겉넓이　　부피

(1) 기둥의 (　　　　)은/는 $2\times$(밑넓이)+(옆넓이)이다.

(2) 어떤 직선을 따라 접었을 때 완전히 겹쳐지는 도형은 (　　　　)이다.

(3) 직육면체의 (　　　　)은/는 (가로)×(세로)×(높이)를 이용하여 구한다.

(4) 한 직선을 축으로 하여 평면도형을 돌릴 때 생기는 입체도형은 (　　　　)이다.

3 빈칸에 들어갈 알맞은 말을 초성을 바탕으로 써 보자.

(1)

원기둥의 [ㄱ][ㄴ][ㅇ]는 원기둥의 전개도에서 밑면인 원의 넓이와 옆면인 직사각형의 넓이를 이용하여 구한다.

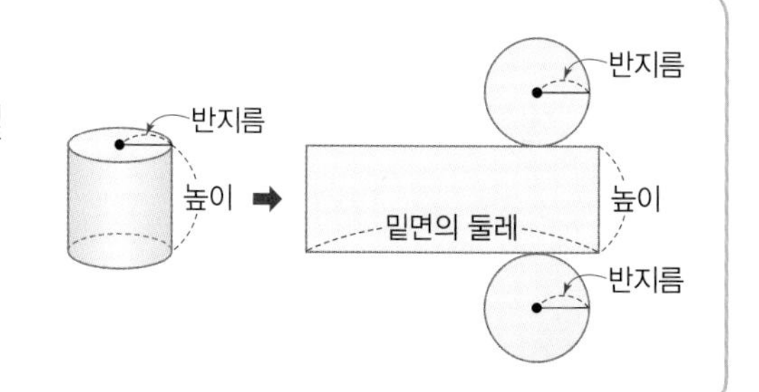

(2)

사각기둥의 [ㅂ][ㅍ]는 (밑넓이)×(높이)이다. 사각기둥의 밑넓이는 $3\times4=12(\text{cm}^2)$이고, 높이는 6 cm이므로 사각기둥의 부피는 $12\times6=72(\text{cm}^3)$이다.

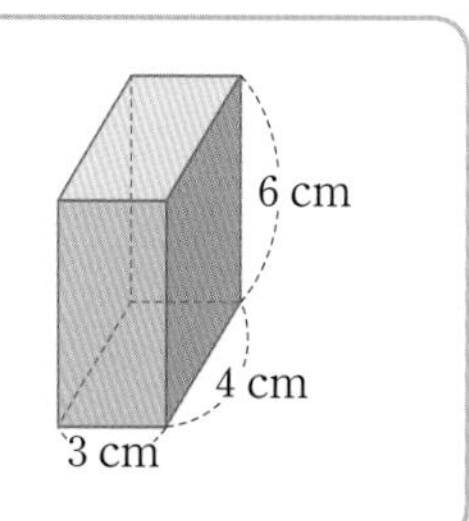

4주차 2회

과학 교과서 어휘

수록 교과서 과학 1
Ⅵ. 빛과 파동

단어와 그 뜻을 익히고, 빈칸에 알맞은 단어를 써 보자.

구면 거울

둥글 球 + 모양 面 + 거울

'球'의 대표 뜻은 '공(둥근 물체)', '面'의 대표 뜻은 '낯(얼굴)'임.

반사면이 둥근 모양인 거울.

예 볼록 거울이나 오목 거울과 같이 반사면이 둥근 모양인 거울을 ☐☐ ☐☐이라고 한다.

볼록 렌즈

가운데 부분이 볼록한 렌즈.

예 ☐☐ ☐☐를 통과한 빛은 렌즈에서 꺾여 한 점에 모인다.

플러스 개념어 **렌즈**
빛을 모으거나 퍼지게 하기 위하여 수정이나 유리 등을 갈아 만든 투명한 도구.

▲ 볼록 렌즈

오목 렌즈

가운데 부분이 오목한 렌즈.

예 ☐☐ ☐☐를 통과한 빛은 렌즈에서 꺾여 퍼져 나아간다.

▲ 오목 렌즈

원시

멀 遠 + 볼 視

먼 곳은 잘 보이나 가까운 곳은 잘 보이지 않는 눈의 상태.

예 ☐☐는 물체의 상이 망막 뒤에 맺혀 가까이 있는 물체가 선명하게 보이지 않는 시력 이상을 가리킨다.

근시

가까울 近 + 볼 視

가까운 곳은 잘 보이나 먼 곳은 잘 보이지 않는 눈의 상태.

예 ☐☐는 물체의 상이 망막 앞에 맺혀 멀리 있는 물체가 선명하게 보이지 않는 시력 이상을 가리킨다.

진동

떨 振 + 흔들릴 動

'振'의 대표 뜻은 '떨치다', '動'의 대표 뜻은 '움직이다'임.

물체가 일정 범위에서 반복해서 흔들리며 움직이는 것.

예 바이올린 줄을 튕겼다 놓았을 때 줄이 떨리는 것처럼, 어떤 기준을 중심으로 왔다 갔다 하는 움직임을 ☐☐이라고 한다.

파동

물결 波 + 흔들릴 動

한곳에서 생긴 진동이 주위로 퍼져 나가는 것.

예 호수에 돌을 던지면 수면이 출렁거리면서 물결이 만들어진다. 이때 물결의 진동이 수면을 따라 멀리 퍼져 나가는데, 이를 ☐☐이라고 한다.

플러스 개념어
파원(물결 波 + 근원 源)
파동이 만들어지는 곳.

확인 문제

1 뜻에 알맞은 단어가 되도록 보기의 글자를 조합해 써 보자. (같은 글자가 여러 번 쓰일 수 있음.)

보기

거 구 동 면 울 진 파 원

(1) 파동이 만들어지는 곳. → □□

(2) 반사면이 둥근 모양인 거울. → □□ □□

(3) 한곳에서 생긴 진동이 주위로 퍼져 나가는 것. → □□

(4) 물체가 일정 범위에서 반복해서 흔들리며 움직이는 것. → □□

2 문장에 어울리는 단어를 (   ) 안에서 골라 ○표 해 보자.

(1) 가운데 부분이 볼록한 렌즈를 (볼록 렌즈 , 오목 렌즈)라고 하고, 가운데 부분이 오목한 렌즈를 (볼록 렌즈 , 오목 렌즈)라고 한다.

(2) 가까운 곳은 잘 보이나 먼 곳은 잘 보이지 않는 눈의 상태를 (원시 , 근시)라고 하고, 먼 곳은 잘 보이나 가까운 곳은 잘 보이지 않는 눈의 상태를 (원시 , 근시)라고 한다.

3 밑줄 친 단어의 쓰임이 알맞으면 ○표, 알맞지 않으면 ×표 해 보자.

(1) 햇빛을 모아 종이를 태울 수 있는 돋보기는 오목 렌즈로 만든 것이다. (   )

(2) 빛의 발생지는 광원, 지진파의 발생지는 진원, 파동의 발생지는 파원이다. (   )

(3) 지진파로 전달된 에너지에 의해 건물이 무너지는 것은 진동 현상을 보여 주는 예이다. (   )

(4) 파동은 용수철에 매달린 물체와 같이 일정 범위에서 반복해서 흔들리며 움직이는 것을 말한다. (   )

(5) 가야금, 해금 등의 줄을 튕기면 음파가 발생하여 공기 중으로 퍼져 나가는데, 이는 파동의 예이다. (   )

국어 교과서 어휘

수록 교과서 국어 1-2
쓰기 – 매체의 특성을 고려하여 표현하기

단어와 그 뜻을 익히고, 빈칸에 알맞은 단어를 써 보자.

매체
매개할 媒 + 물체 體
'媒'의 대표 뜻은 '중매', '體'의 대표 뜻은 '몸'임.

사람들의 생각이나 느낌을 전달하고 공유하는 수단.

예 일상에서 쉽게 접할 수 있는 [|]에는 인터넷, 라디오 등이 있다.

플러스 개념어 **매체의 종류**
책, 신문, 전화, 라디오, 사진, 광고, 영화, 텔레비전, 컴퓨터, 인터넷 등이 있음.

영상
비칠 映 + 모양 像

영화 화면의 막이나 텔레비전 화면, 모니터 등에 비추어지는 모양.

예 만화 영화는 [|] 매체의 한 종류이다.

플러스 개념어 **영상 언어**
영상 매체로 어떤 내용을 표현하고 전달할 때 사용하는 의사소통 방법으로, 시각적 요소와 청각적 요소가 있음. 시각적 요소에는 카메라의 위치와 각도, 자막 등이 있고 청각적 요소에는 배경 음악이나 효과음 등이 있음.

블로그

사이버 공간에서 누리꾼이 자신의 관심사에 따라 자유롭게 게시물을 작성하여 올리는 웹 사이트.

예 우리 모임은 공식 [| |]를 통해 정보를 공유하고 있다.

소식
소식 消 + 살 息
'消'의 대표 뜻은 '사라지다', '息'의 대표 뜻은 '(숨을) 쉬다'임.

멀리 떨어져 있는 사람의 상황을 알리는 말이나 글.

예 휴대 전화를 사용하면 글을 쓰는 것보다 더 빨리, 더 많은 사람에게 [|]을 전할 수 있다.

언어폭력
말씀 言 + 말씀 語 + 사나울 暴 + 힘 力

말을 할 때 교양이 없는 이야기를 늘어놓거나 욕설, 협박하는 일.

예 때로는 [| | |]이 물리적인 폭력보다 더 큰 상처를 남길 수 있다.

인신공격
사람 人 + 몸 身 + 칠 攻 + 칠 擊

다른 사람의 신체나 행동 또는 그 사람과 관련된 일이나 상황에 관한 것을 들어 비난하는 일.

예 인터넷 매체를 활용하여 생각을 표현할 때는 상대방에게 [| | |]이나 욕설, 비방 등을 하지 않아야 한다.

확인 문제

정답과 해설 ▶ 42쪽

4주차 3회

1 단어의 뜻을 보기에서 찾아 사다리를 타고 내려간 곳에 기호를 써 보자.

보기
㉠ 사람들의 생각이나 느낌을 전달하고 공유하는 수단.
㉡ 영상 매체로 어떤 내용을 표현하고 전달할 때 사용하는 의사소통 방법.
㉢ 영화 화면의 막이나 텔레비전 화면, 모니터 등에 비추어지는 모양.
㉣ 다른 사람의 신체나 행동 또는 그 사람과 관련된 일이나 상황에 관한 것을 들어 비난하는 일.

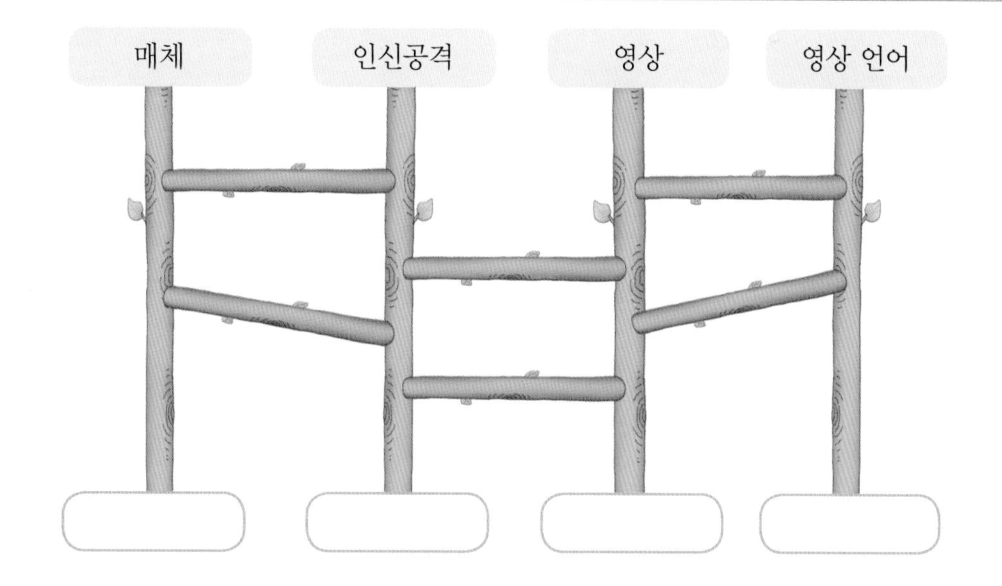

2 단어의 뜻이 알맞으면 ○표, 알맞지 않으면 ×표 해 보자.

(1) 인신공격: 멀리 떨어져 있는 사람의 상황을 알리는 말이나 글. (   )

(2) 언어폭력: 말을 할 때 교양이 없는 이야기를 늘어놓거나 욕설, 협박하는 일. (   )

(3) 소식: 누리꾼이 자신의 관심사에 따라 자유롭게 게시물을 작성하여 올리는 웹 사이트. (   )

3 (   ) 안에 들어갈 알맞은 단어를 보기에서 찾아 써 보자.

보기
매체　　블로그　　언어폭력

(1) 나는 요리에 관심이 많아서 요리 방법을 공유하는 (   )을/를 운영하고 있다.

(2) 독도의 가치를 많은 사람에게 알리기 위해 인쇄 (   ) 중 신문을 활용하기로 하였다.

(3) (   )을/를 방지하려면 자기가 한 말이 상대방에게 상처가 되지는 않았는지 되돌아보는 태도가 필요하다.

사회 교과서 어휘

수록 교과서 사회 ①
XII. 사회 변동과 사회 문제

단어와 그 뜻을 익히고, 빈칸에 알맞은 단어를 써 보자.

국민연금
나라 國 + 백성 民 + 해 年 + 돈 金
'金'의 대표 뜻은 '쇠'임.

노령, 장애, 사망 등으로 소득이 없을 때 국가가 생활 보장을 위하여 정기적으로 지급하는 금액.

예 고령화 사회에 대응하기 위해서는 ☐☐☐☐과 같은 사회적 안전망을 튼튼하게 만들어야 한다.

국적
나라 國 + 문서 籍

일정한 사람이 한 나라의 구성원이 되는 자격. 우리나라는 부모의 국적에 따라 자녀의 국적을 결정하고 있음.

예 우리나라의 인구 구성에서 외국인과 이주민의 인종과 ☐☐이 다양해졌다.

노사 갈등
일할 勞 + 부릴 使 + 칡 葛 + 등나무 藤

노동자와 사용자 사이에 임금이나 노동 조건 등에 대한 입장 차이로 인해 발생하는 갈등.

예 ☐☐ ☐☐이 심해지면 근로자가 생산 활동이나 업무를 일시적으로 중단하는 파업을 벌이기도 한다.

플러스 개념어 **파업**
노동자와 사용자 간에 갈등이 계속되어 노동자들이 생산 활동이나 업무를 일시적으로 중단하는 것.

다차원
많을 多 + 버금 次 + 근본 元
'버금'은 으뜸의 바로 아래를 뜻하는 말임. '元'의 대표 뜻은 '으뜸'임.

어떤 일이나 물건을 보거나 생각하는 갈래가 다양함.

예 현대 사회에서는 ☐☐☐적으로 변동이 일어나고 있어 사회 문제 역시 다양하게 나타난다.

지구 온난화
땅 地 + 둥글 球 + 따뜻할 溫 + 따뜻할 暖 + 될 化
'球'의 대표 뜻은 '공(둥근 물체)'임.

자연적인 원인이나 인간의 활동으로 지구의 기온이 높아지는 현상.

예 ☐☐ ☐☐☐는 지구 전체에 영향을 끼치는 중요한 환경 문제이다.

플러스 개념어 **온실 효과**
대기 중의 기체가 지표에서 나오는 적외선을 흡수하여 지표의 기온을 높이는 현상.

쓰레기 종량제
쓰레기 + 따를 從 + 양 量 + 법도 制
'量'의 대표 뜻은 '헤아리다', '制'의 대표 뜻은 '절제하다'임.

쓰레기 배출량을 줄이고 재활용품을 분리 배출하도록 유도하기 위해 쓰레기 배출량에 따라 수수료를 부과하는 제도.

예 ☐☐☐ ☐☐☐ 실시는 쓰레기로 인한 환경 오염 문제를 해결하기 위한 방법 중 하나이다.

확인 문제

1 뜻에 알맞은 단어를 글자판에서 찾아 묶어 보자. (단어는 가로, 세로, 대각선 방향에서 찾기)

다	차	원	난	종
금	파	노	기	국
업	연	사	적	관

❶ 일정한 사람이 한 나라의 구성원이 되는 자격.
❷ 어떤 일이나 물건을 보거나 생각하는 갈래가 다양함.
❸ 노동자와 사용자 간에 갈등이 계속되어 노동자들이 생산 활동이나 업무를 일시적으로 중단하는 것.

2 (　　) 안에 들어갈 알맞은 단어를 보기에서 찾아 써 보자.

보기

국적　　국민연금　　노사 갈등　　지구 온난화

(1) 우리 삼촌이 다니는 회사가 지금 (　　　　　)(으)로 파업 중이래.

(2) (　　　　　)을/를 들어 놓으면 노후 생활에 안정적으로 대비할 수 있어.

(3) (　　　　　)(으)로 빙하가 녹으면서 북극곰들이 먹이를 찾아 헤엄치다가 죽는 사고가 자주 일어나고 있대.

(4) 우리 오빠는 미국에서 태어났기 때문에 한국과 미국 두 개의 (　　　　　)을/를 갖고 있어.

3 (　　) 안에 들어갈 알맞은 단어를 보기에서 찾아 써 보자.

보기

노사 갈등　　온실 효과　　쓰레기 종량제

(1) (　　　　　)은/는 태양의 열이 지구로 들어와서 나가지 못하고 순환되는 현상이다.

(2) 1992년에 환경 단체들은 쓰레기 배출량을 줄이고 환경을 보호하기 위해 (　　　　　)을/를 정부에 제안하였다.

(3) (　　　　　)은/는 노동자와 회사 사이에서 임금, 근로 시간, 복지, 노동 조건에 관한 서로의 입장이 일치하지 않을 때 발생한다.

수학 교과서 어휘

수록 교과서 수학 1
Ⅶ. 입체도형의 성질
Ⅷ. 자료의 정리와 해석

단어와 그 뜻을 익히고, 빈칸에 알맞은 단어를 써 보자.

변량
변할 變 + 양 量
'量'의 대표 뜻은 '헤아리다'임.

변화하는 수량으로, 자료를 수량으로 나타낸 것.

예 성적, 키, 가격 등의 자료를 수로 나타낸 것을 ☐☐이라고 한다.

계급
차례 階 + 등급 級
'階'의 대표 뜻은 '섬돌(돌층계)'임.

변량을 일정한 간격으로 나눈 구간.

예 오른쪽 표는 국어 성적을 6개의 ☐☐으로 나누어 나타낸 것이다.

계급값
차례 階 + 등급 級 + 값

각 계급을 대표하는 값.

예 계급의 가운데 값인 ☐☐☐은 각 계급의 양 끝값의 평균이다.

도수
횟수 度 + 수량 數
'度'의 대표 뜻은 '법도', '數'의 대표 뜻은 '셈'임.

각 계급에 속하는 자료의 개수.

예 오른쪽 표에서 각 계급에 속하는 변량의 수를 ☐☐라고 한다.

국어 성적(점)	학생 수(명)
40 ~ 50	1
50 ~ 60	2
60 ~ 70	5
70 ~ 80	7
80 ~ 90	3
90 ~ 100	2
합계	20

▲ 도수분포표

도수분포표
횟수 度 + 수량 數 + 나눌 分 + 펼 布 + 도표 表
'表'의 대표 뜻은 '겉'임.

각 계급의 도수를 조사하여 나타낸 표.

예 주어진 자료를 여러 개의 계급으로 나누어 각 계급에 속하는 도수를 조사하여 나타낸 표를 ☐☐☐☐☐라고 한다.

히스토그램

각 계급의 크기를 가로로, 각 계급의 도수를 세로로 하는 직사각형을 차례로 그려 나타낸 그래프.

예 계급의 크기는 일정하므로 ☐☐☐☐☐에서 직사각형의 가로의 길이는 일정하다.

(명) 8 6 4 2 0 6 12 18 24 30 36 42(회)

▲ 히스토그램

도수분포다각형
횟수 度 + 수량 數 + 나눌 分 + 펼 布 + 많을 多 + 모 角 + 모양 形
'角'의 대표 뜻은 '뿔'임.

도수분포를 나타내는 다각형으로, 히스토그램에서 양 끝에 도수가 0인 계급을 하나씩 더 만들고, 각 직사각형 윗변의 중점을 선분으로 연결한 그래프.

예 ☐☐☐☐☐☐☐과 가로축으로 둘러싸인 부분의 넓이는 히스토그램에서 직사각형의 넓이의 합과 같다.

(명) 5 4 3 2 1 0 10 20 30 40 50 60(분)

▲ 도수분포다각형

상대도수
서로 相 + 대할 對 + 횟수 度 + 수량 數

상대적인 도수로, 도수의 총합에 대한 각 계급의 도수의 비율.

예 ☐☐☐☐는 전체 도수에 대한 각 계급의 도수의 비율로, (어떤 계급의 ☐☐☐☐) $= \frac{\text{(그 계급의 도수)}}{\text{(전체 도수)}}$ 이다.

→ 전체 도수는 도수의 총합임.

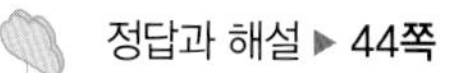

4회

1 뜻에 알맞은 단어를 글자판에서 찾아 묶어 보자. (단어는 가로, 세로, 대각선 방향에서 찾기)

도	다	변	량	상
사	수	각	리	대
반	계	분	형	도
계	급	값	포	수
히	스	토	그	표

❶ 각 계급을 대표하는 값.
❷ 자료를 수량으로 나타낸 것.
❸ 각 계급에 속하는 자료의 개수.
❹ 변량을 일정한 간격으로 나눈 구간.
❺ 각 계급의 도수를 조사하여 나타낸 표.

2 (　) 안에 들어갈 알맞은 단어를 보기에서 찾아 써 보자.

보기

계급　　도수

(1) 전체 (　　　　)에 대한 각 (　　　　)의 (　　　　)의 비율은 상대도수이다.

(2) 주어진 자료를 몇 개의 (　　　　)으로 나누어 각 (　　　　)에 속하는 (　　　　)을/를 조사하여 나타낸 표를 도수분포표라고 한다.

(3) 각 (　　　　)의 크기를 가로로, 각 계급의 (　　　　)을/를 세로로 하는 직사각형을 차례로 그려 나타낸 그래프를 히스토그램이라고 한다.

3 빈칸에 들어갈 알맞은 단어를 초성을 바탕으로 써 보자.

(1) 가로축에 각 계급의 양 끝값을, 세로축에 도수를 쓰고, 각 계급의 크기를 가로로, 도수를 세로로 하는 직사각형을 차례로 그린 그래프를 [ㅎ][ㅅ][ㅌ][ㄱ][ㄹ]이라고 한다.

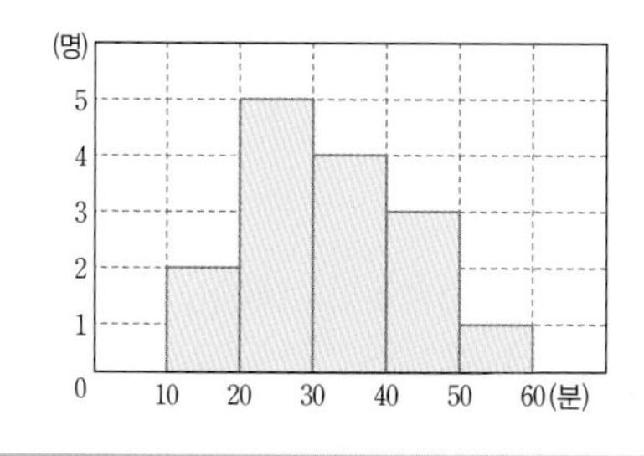

(2) 히스토그램에서 양 끝에는 도수가 0인 계급을 하나씩 더 만들고, 각 직사각형의 윗변의 중점을 잡고 그 중점을 선분으로 연결하여 그린 그래프를 [ㄷ][ㅅ][ㅂ][ㅍ][ㄷ][ㄱ][ㅎ]이라고 한다.

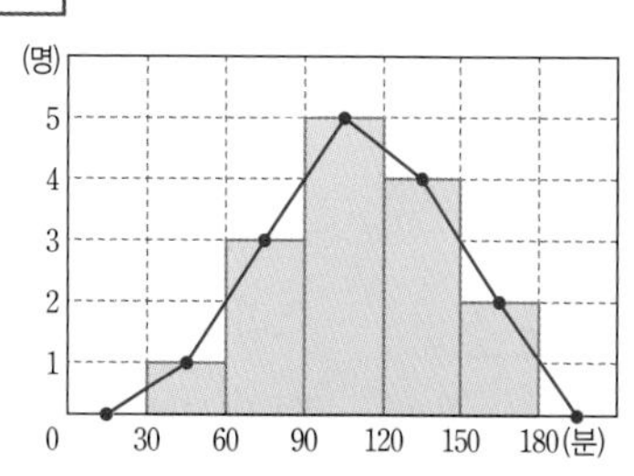

과학 교과서 어휘

단어와 그 뜻을 익히고, 빈칸에 알맞은 단어를 써 보자.

매질
매개할 媒 + 바탕 質
'媒'의 대표 뜻은 '중매'임.

파동을 전달하는 물질.

예 파동이 퍼질 때 [ ][ ]은 제자리에서 진동만 할 뿐 파동과 함께 이동하지는 않는다.

횡파
가로 橫 + 물결 波

파동이 진행하여 나아가는 방향과 매질의 진동 방향이 수직을 이룰 때의 파동.

예 매질은 제자리에서 파동의 진행 방향과 수직으로 진동하므로 높은 곳과 낮은 곳이 반복적으로 생기는데, 이 파동을 [ ][ ]라고 한다.

파동의 진행 방향
파장
마루
진폭
진동 중심
골
매질의 진동 방향

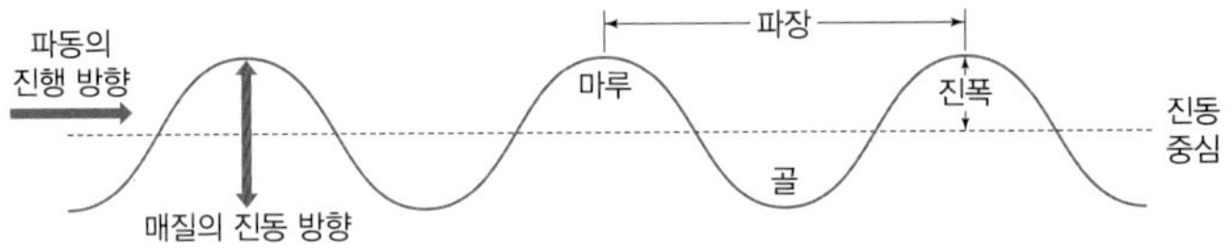

마루	매질의 위치가 가장 높은 곳.
골	매질의 위치가 가장 낮은 곳.
진폭	진동 중심에서 마루 또는 골까지의 거리.
파장	마루에서 마루, 골에서 골까지의 거리.

종파
세로 縱 + 물결 波

파동이 진행하여 나아가는 방향과 매질의 진동 방향이 같을 때의 파동.

예 매질은 제자리에서 파동의 진행 방향과 나란하게 진동하므로 빽빽한 부분과 듬성듬성한 부분이 반복적으로 생기는데, 이 파동을 [ ][ ]라고 한다.

파동의 진행 방향
빽빽한 부분
듬성듬성한 부분
매질의 진동 방향
파장

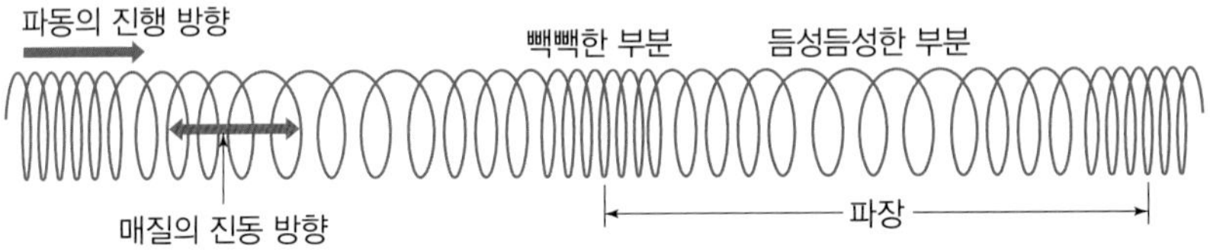

주기
돌 週 + 기간 期
'期'의 대표 뜻은 '기약하다'임.

반복이 일어나는 데 걸리는 시간.

예 지구가 태양의 주위를 한 번 도는 데 걸리는 시간이 1년인 것처럼, 반복 운동이 일어나는 데 걸리는 시간을 [ ][ ]라고 한다.

플러스 개념어 진동수
1초 동안에 되풀이되는 진동 횟수로, 진동수를 나타내는 단위는 Hz(헤르츠)임.

음색
소리 音 + 상태 色
'色'의 대표 뜻은 '빛깔'임.

음의 성질이나 특성. 악기나 사람의 소리에서 파동의 모양이 달라 서로 구분되는 특징.

예 전자 키보드로 여러 가지 악기 소리를 재현하는 것은 각각 다른 [ ][ ]을 가진 소리를 활용하는 것이다.

소리의 3요소
소리의 + 3 + 중요할 要 + 성질 素
'素'의 대표 뜻은 '본디'임.

소리의 특징을 나타내는 소리의 크기, 소리의 높낮이, 음색.

예 일상생활에서 여러 소리를 구별할 수 있는 것은 [ ][ ][ ] [ ][ ][ ]가 다르기 때문이다.

확인 문제

정답과 해설 ▶ 45쪽

1 단어의 뜻을 보기 에서 찾아 사다리를 타고 내려간 곳에 기호를 써 보자.

보기
㉠ 음의 성질이나 특성.
㉡ 파동을 전달하는 물질.
㉢ 반복이 일어나는 데 걸리는 시간.

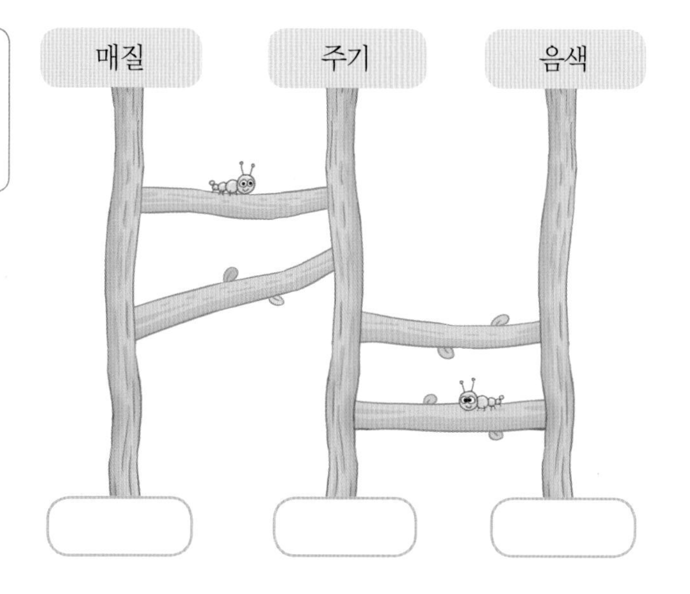

2 문장에 어울리는 단어를 (　　) 안에서 골라 ○표 해 보자.

(1) 용수철을 앞뒤로 흔들었다 놓으면 용수철 사이의 간격이 좁은 부분과 넓은 부분이 생기는데, 이 파동을 (종파 , 횡파)라고 한다.

(2) 긴 용수철을 용수철의 길이 방향과 수직인 방향으로 흔들면 아래위로 흔들리는 출렁거림이 용수철의 길이 방향을 따라 전달되는데, 이 파동을 (종파 , 횡파)라고 한다.

(3) 횡파에서 매질의 위치가 가장 높은 곳은 (마루 , 골), 매질의 위치가 가장 낮은 곳은 (마루 , 골), 진동 중심에서 마루 또는 골까지의 거리를 (진폭 , 파장)이라고 한다.

3 빈칸에 들어갈 알맞은 단어를 초성을 바탕으로 써 보자.

(1) 우리가 듣는 소리는 주로 [ㅁ][ㅈ]인 공기의 진동을 통해 전달된다.

(2) 사람마다 목소리에 고유한 파동의 모양이 있어 서로 다르게 들리는데, 이것이 바로 [ㅇ][ㅅ]의 차이이다.

(3) 리본 체조 경기에서 6m 길이의 리본이 달린 손잡이를 아래위로 계속해서 흔들면 파도 모양이 만들어지는데, 이는 [ㅎ][ㅍ]의 예이다.

苦(고), 得(득)이 들어간 단어

쓸 고

고(苦)는 주로 '쓰다'라는 뜻으로 쓰여. 싫거나 괴로운 상태를 '쓰다'라고 하지. 고(苦)는 '괴롭다', '애쓰다'라는 뜻으로 쓰일 때도 있어.

얻을 득

득(得)은 주로 '얻다'라는 뜻으로 쓰여. 구하거나 찾아서 가지는 것을 '얻다'라고 하지. 득(得)은 '깨우치다'라는 뜻으로도 쓰여.

단어와 그 뜻을 익히고, 빈칸에 알맞은 단어를 써 보자.

고진감래
쓸 苦 + 다할 盡 + 달 甘 + 올 來

고진(苦盡) + 감래(甘來)
쓴 것이 다함. 단 것이 옴.
쓴 것이 다하면 단 것이 온다는 말로, '고생 끝에 낙이 온다.' 라는 속담과 같은 뜻이야.

고생 끝에 즐거움이 옴.

예 ☐☐☐☐라는 말처럼, 그는 어려움을 참고 이겨 낸 덕분에 사업에서 큰 성공을 이루었다.

고민
괴로울 苦 + 답답할 悶

'고(苦)'가 '괴롭다'라는 뜻으로 쓰였어.

마음속으로 괴로워하고 애를 태움.

예 열심히 노력하는데도 성적이 오르지 않아서 ☐☐이 많다.

유의어 **고뇌**(괴로울 苦 + 괴로워할 惱)
몸과 마음이 괴로움.
예 진로 문제 때문에 고뇌에 빠졌다.

노고
힘들일 勞 + 애쓸 苦
'勞'의 대표 뜻은 '일하다'임.

고(苦)가 '애쓰다'라는 뜻으로 쓰였어.

힘들여 수고하고 애씀.

예 스승의 날을 맞아 선생님의 ☐☐에 보답하고자 작은 선물을 준비했다.

일거양득
하나 一 + 들 擧 + 두 兩 + 얻을 得

일거(一擧) + 양득(兩得)
한 번 듦. 둘을 얻음.
'꿩 먹고 알 먹는다.'라는 속담과 같은 뜻이야.

한 가지 일을 하여 두 가지 이익을 얻음.

예 쓰레기를 분리해서 버리면 쓰레기도 줄이고 환경도 보호할 수 있어서 ☐☐☐☐이다.

설득
말씀 說 + 깨우칠 得

득(得)이 '깨우치다'라는 뜻으로 쓰였어.

상대편이 이쪽 편의 이야기를 따르도록 여러 가지로 깨우쳐 말함.

예 나의 끈질긴 ☐☐ 끝에 친구는 축구를 계속하기로 했다.

확인 문제

정답과 해설 ▶ 46쪽

1 빈칸에 알맞은 단어가 되도록 글자를 조합해 써 보자.

(1)

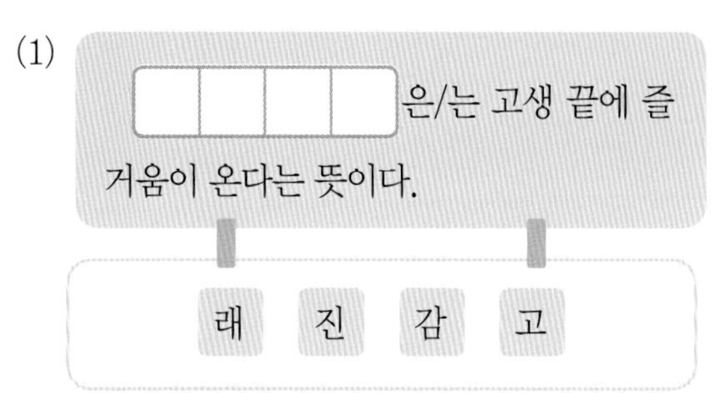

(2)

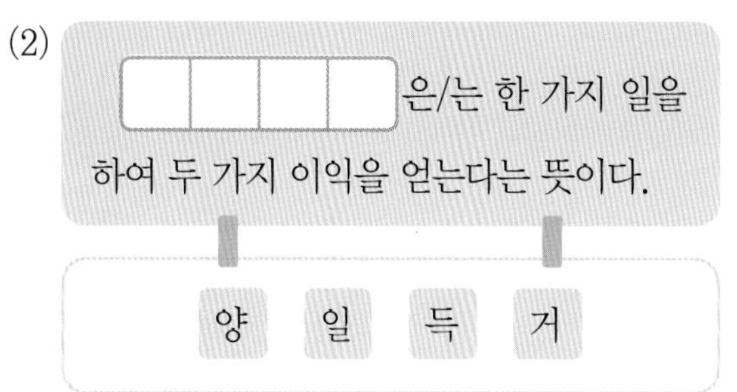

2 단어의 뜻을 찾아 선으로 이어 보자.

(1) 설득 •　　　　• 힘들여 수고하고 애씀.

(2) 고민 •　　　　• 마음속으로 괴로워하고 애를 태움.

(3) 노고 •　　　　• 상대편이 이쪽 편의 이야기를 따르도록 여러 가지로 깨우쳐 말함.

3 (　　) 안에 들어갈 알맞은 단어를 보기에서 찾아 써 보자.

보기

고민　　설득　　고진감래　　일거양득

(1) 친구는 나에게 미술부에 들어오라고 (　　　　)하였다.

(2) 나는 두 친구 중에 누구 편을 들어야 할지 (　　　　)에 빠졌다.

(3) 줄넘기를 하면 키도 크고 살도 빠질 수 있으니 이것이야말로 (　　　　)이다.

(4) 막노동부터 시작한 그는 커다란 기업체의 사장이 된 뒤 (　　　　)의 기쁨을 누렸다.

시제

시제는 말하는 시간을 기준으로 어떤 사건이나 사실이 일어난 시간상의 위치를 나타내는 말이야. 현재의 시점을 나타내는 현재시제(present tense), 현재 동작이 진행 중임을 나타내는 현재진행시제(present progressive), 과거 시점을 나타내는 과거시제(past tense), 미래 시점을 나타내는 미래시제(future tense)가 무엇인지 그 뜻과 예를 공부해 보자.

단어와 그 뜻을 익히고, 빈칸에 알맞은 단어를 써 보자.

present tense
현재시제
지금 現 + 있을 在 + 때 時 + 규정 制

'現'의 대표 뜻은 '나타나다', '制'의 대표 뜻은 '절제하다'임.

말하는 시점이 현재이거나 일상적이고 습관적으로 일어나는 일을 나타내는 말.

• I **play** the violin every day.
play는 날마다 하는 습관적인 행동을 나타내는 현재시제
(나는 바이올린을 매일 **연주한다**.)

예 "I am home, mom. (저 집에 왔어요, 엄마.)"에서 동사 am은 현재 시점을 나타내는 □□□□이다.

플러스 개념어 **주어가 3인칭, 단수일 때, 현재형 동사 만들기**
• 대부분의 동사: 동사원형에 s를 붙임.
예 finds, walks, reads
• -o, -s, -x, -ch, -sh로 끝나는 동사: 동사원형에 es를 붙임.
예 buses, boxes, churches
• '자음+y'로 끝나는 동사: y를 i로 고치고 es를 붙임.
예 study → studies

present progressive
현재진행시제
지금 現 + 있을 在 + 나아갈 進 + 갈 行 + 때 時 + 규정 制

현재 말하고 있는 시점에서 동작이나 상황이 진행 중임을 나타내는 말. 보통 동사 앞에 be동사를 두고 동사 자신은 -ing으로 바꾸어 나타냄.

• He **is walking** down the street. (그는 거리로 걸어가고 있다.)
be동사 is와 walking은 진행 중인 동작을 나타내는 현재진행시제

예 "They are making lots of noise. (그들이 아주 시끄럽게 떠들고 있어.)"에서 are making은 진행 중인 동작을 나타내는 □□□□□□이다.

past tense
과거시제
지날 過 + 갈 去 + 때 時 + 규정 制

과거나 지난 일을 언급할 때를 나타내는 말. 과거시제의 동사는 불규칙한 형태도 있지만 대체로 동사 뒤에 -d나 -ed를 붙여 만듦.

• The dancer **changed** her partner.
changed는 과거의 일을 나타내는 과거시제
(그 무용수는 자신의 파트너를 **바꾸었다**.)

예 "I watched a soccer game yesterday. (나는 어제 축구 경기를 봤어.)"에서 동사 watched(봤다)는 어제 있었던 일을 나타내는 □□□□이다.

플러스 개념어 **규칙 변화와 불규칙 변화**
불규칙 동사는 동사의 과거시제에서 동사 어미에 -d나 -ed가 붙지 않음.
• 규칙 변화: liked, walked
• 불규칙 변화: make-made, write-wrote, give-gave

future tense
미래시제
아닐 未 + 올 來 + 때 時 + 규정 制

앞으로 일어날 일에 대해 언급할 때 사용하는 말. 조동사 will 다음에 동사를 두어 나타냄.

• He **will go** to the dentist tomorrow. (그는 내일 치과에 갈 거야.)
will go는 내일 일어날 일에 대해 언급하는 미래시제

예 "They will be there tonight! (그들은 오늘밤 거기에 있을 것이다!)"에서 will be는 미래의 시점을 나타내는 □□□□이다.

확인 문제

정답과 해설 ▶ 47쪽

1 빈칸에 들어갈 알맞은 단어를 글자판에서 찾아 묶어 보자. (단어는 가로, 세로 방향에서 찾기)

❶ 지난 일에 대해 언급할 때 사용하는 (   )시제
❷ 동작이나 상황이 진행 중일 때 사용하는 (   )시제
❸ 앞으로 일어날 일을 언급할 때 사용하는 (   )시제
❹ 일상적이고 습관적인 행동에 대해 사용하는 (   )시제

2 각 학생들의 말이 현재시제, 현재진행시제, 과거시제, 미래시제 중 무엇인지 빈칸에 알맞게 써 보자.

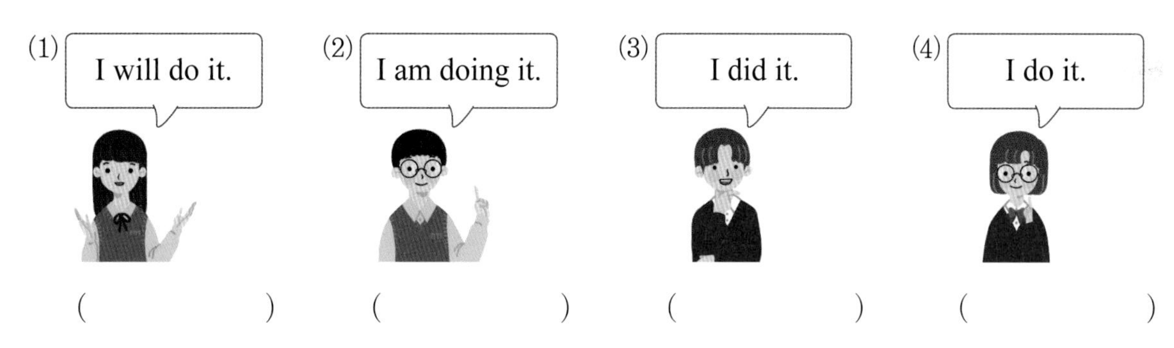

(   ) (   ) (   ) (   )

3 밑줄 친 부분의 시제로 알맞은 것에 ◯표 해 보자.

(1) This idea **will be** successful. (이 아이디어는 성공적일 것이다.)

(현재 , 현재진행 , 과거 , 미래)시제

(2) Jake **is changing** a tire. (Jake가 타이어를 갈고 있다.)

(현재 , 현재진행 , 과거 , 미래)시제

(3) This skirt **looks** good. I will buy it. (이 치마는 좋아 **보여**. 나 그거 살 거야.)

(현재 , 현재진행 , 과거 ,미래)시제

(4) She **gave** me a short answer. (그녀는 내게 짧은 답변을 주었다.)

(현재 , 현재진행 , 과거 , 미래)시제

4주차

어휘력 테스트

4주차 1~5회에서 공부한 단어를 떠올리며 문제를 풀어 보자.

국어

1 밑줄 친 뜻을 가진 단어를 ( ) 안에 써 보자.

재현: 글쓰기 과제는 어떻게 되어 가고 있니?
민호: 선생님께서 글을 쓰기 전에 기본적인 부분만을 골라 간결하게 간추린 내용을 미리 써 보는 게 좋다고 하셔서 지금 ( )을/를 짜는 중이야.

국어

2 빈칸에 들어갈 단어로 알맞은 것은? ( )

다른 사람의 신체나 행동 또는 그 사람과 관련된 일이나 상황에 관한 것을 들어 [ ] 일을 '인신공격'이라고 한다.

① 설득하는 ② 구슬리는 ③ 비난하는 ④ 비평하는 ⑤ 타이르는

사회

3 빈칸에 들어갈 알맞은 단어를 초성을 바탕으로 써 보자.

일정 수준보다 아이를 적게 낳는 [ㅈ][ㅊ][ㅅ]과 노인의 인구 비율이 높은 상태인 [ㄱ][ㄹ][ㅎ]는 노동력 부족으로 이어져 경제 성장을 늦추고 사회적 비용을 증가시키는 문제로 이어질 수 있다.

사회

4 밑줄 친 뜻을 가진 단어가 되도록 글자를 모두 찾아 ○표 해 보자.

자연적인 원인이나 인간의 활동으로 지구의 기온이 높아지는 현상인 이것은 '온실 효과'로도 불리는데, 이를 막기 위해 화석 연료의 사용을 줄이고, 바람이나 태양열 같은 대체 에너지 사용을 늘려야 한다.

→ 지 소 구 도 온 실 난 효 화

수학

5 밑줄 친 뜻을 가진 도형으로 알맞은 것은? ( )

이것은 밑면이 원이고, 옆면이 곡면인 뿔 모양의 입체도형이다.

① 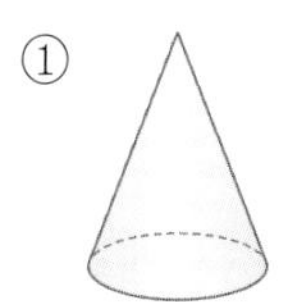
② 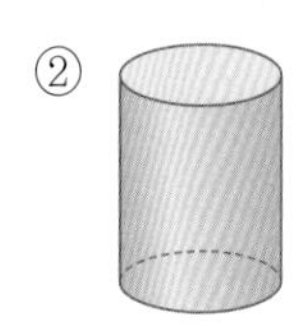
③ 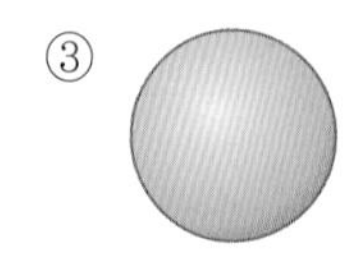
④ 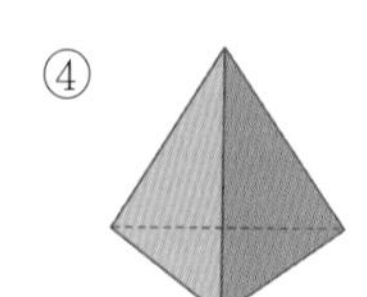
⑤ 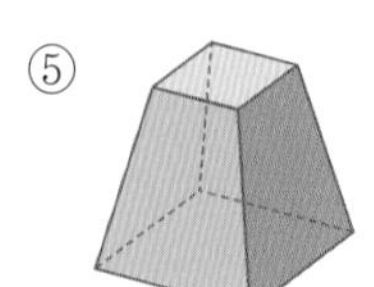

수학

6 문장에 어울리는 단어를 (　) 안에서 골라 ○표 해 보자.

자료를 수량으로 나타낸 것을 (변량 , 도수)(이)라고 하고, 이를 일정한 간격으로 나눈 구간을 (계급 , 상대도수)(이)라고 한다.

과학

7 빈칸에 공통으로 들어갈 단어를 써 보자.

(　　　　)은/는 빛을 모으거나 퍼지게 하기 위하여 수정이나 유리 등을 갈아 만든 투명한 도구이다. 가운데 부분이 볼록한 볼록 (　　　　)은/는 가까운 거리에 있는 것을 크게 보여 주고, 가운데 부분이 오목한 오목 (　　　　)은/는 물체를 작고 똑바르게 보여 준다.

과학

8 빈칸에 들어갈 단어로 알맞은 것은? (　　　)

파동이 진행하여 나아가는 방향과 파동을 전달하는 [　　　]의 진동 방향을 비교하여 그 방향이 같을 때의 파동을 종파, 수직을 이룰 때의 파동을 횡파라고 한다.

① 골　② 진폭　③ 마루　④ 매질　⑤ 주기

한자

9 다음 대화에서 경호의 상황을 나타내는 단어로 알맞은 것은? (　　　)

연아: 이번 시험에 합격했다며? 정말 축하해.
경호: 고마워. 몇 년 동안 공부하느라 너무 힘들었는데, 이제야 그 보상을 받은 것 같아.

① 일거양득　② 거두절미　③ 소탐대실　④ 반신반의　⑤ 고진감래

영문법

10 밑줄 친 단어의 시제를 보기에서 찾아 써 보자.

보기

과거시제　현재시제　현재진행시제　미래시제

He ㉠ is reading the book he ㉡ bought yesterday. And he ㉢ will finish reading tomorrow.
(그는 어제 샀던 책을 읽고 있다. 그리고 그는 내일 책 읽기를 끝낼 것이다.)

(1) ㉠ → (　　　　)　(2) ㉡ → (　　　　)　(3) ㉢ → (　　　　)

찾아보기

『어휘가 문해력이다』 중학교 1학년 2학기에 수록된 모든 어휘를
과목별로 나누어 ㄱ, ㄴ, ㄷ … 순서로 정리했습니다.

과목별로 뜻이 궁금한 어휘를 바로바로 찾아보세요!

차례

국어 교과서 어휘

사회 교과서 어휘

수학 교과서 어휘

과학 교과서 어휘

한자 어휘

영문법 어휘

사진 자료 출처

셔터스톡

“어휘가
문해력이다

어휘 학습으로
문해력 키우기”

1주차 어휘 학습 점검

중학 1학년 2학기

1주차에서 학습한 어휘를 잘 알고 있는지 ✔ 해 보고,
잘 모르는 어휘는 해당 쪽으로 가서 다시 한번 확인해 보세요.

국어

사회

수학

과학

한자

영문법

2주차 어휘 학습 점검

중학 1학년 2학기

2주차에서 학습한 어휘를 잘 알고 있는지 ✔ 해 보고,
잘 모르는 어휘는 해당 쪽으로 가서 다시 한번 확인해 보세요.

국어

- ☐ 요약 36
- ☐ 줄거리 36
- ☐ 구조 36
- ☐ 목적 36
- ☐ 전개 방식 36
- ☐ 도입 36
- ☐ 토의 44
- ☐ 의견 44
- ☐ 사회자 44
- ☐ 합리적 44
- ☐ 공감 44
- ☐ 통계 자료 44

사회

- ☐ 정치권력 38
- ☐ 시민 혁명 38
- ☐ 인종 차별 38
- ☐ 민주 정치 38
- ☐ 존엄성 38
- ☐ 평등 38
- ☐ 윤번제 46
- ☐ 입헌주의 46
- ☐ 권력 분립 46
- ☐ 의원 내각제 46
- ☐ 대통령제 46
- ☐ 탄핵 46

수학

- ☐ 평행 40
- ☐ 평행선 40
- ☐ 꼬인 위치 40
- ☐ 작도 40
- ☐ 동위각 40
- ☐ 엇각 40
- ☐ 삼각형 48
- ☐ 대변 48
- ☐ 대각 48
- ☐ 합동 48
- ☐ 다각형 48
- ☐ 정다각형 48
- ☐ 대각선 48

과학

- ☐ 물질 42
- ☐ 고체 42
- ☐ 액체 42
- ☐ 상태 변화 42
- ☐ 융해 42
- ☐ 응고 42
- ☐ 기화 50
- ☐ 액화 50
- ☐ 드라이아이스 50
- ☐ 승화 50
- ☐ 끓임쪽 50
- ☐ 끓는점 50
- ☐ 녹는점 50
- ☐ 어는점 50

영문법

- ☐ be동사 54
- ☐ do동사 54
- ☐ 조동사 54
- ☐ 동사원형 54

한자

- ☐ 소탐대실 52
- ☐ 실수 52
- ☐ 실례 52
- ☐ 주경야독 52
- ☐ 독해 52

EBS 당신의 문해력

어휘가 문해력이다

중학 1학년 2학기

교과서 어휘

정답과 해설

어휘가 문해력이다

중학 1학년 2학기

1주차 정답과 해설

국어 교과서 어휘

수록 교과서 국어 1-2
문학 – 희곡

✎ 단어와 그 뜻을 익히고, 빈칸에 알맞은 단어를 써 보자.

희곡
놀이 戲 + 가락 曲
'曲'의 대표 뜻은 '굽다'임.

무대에서 공연하는 것을 목적으로 쓴 연극의 대본.
예 [희곡]은 무대에서 공연하는 것을 고려해야 하기 때문에 등장 인물 수에 제약이 있다.

플러스 개념어 시나리오
영화 촬영을 목적으로 쓴 영화의 대본.

각색
토대가 되는 것 脚 + 꾸밀 色
'脚'의 대표 뜻은 '다리', '色'의 대표 뜻은 '빛'임.

소설과 같은 문학 작품을 희곡이나 시나리오 등으로 고쳐 쓰는 일.
예 소설을 희곡으로 [각색]할 때는 먼저 주요 인물 사이에 벌어지는 사건을 중심으로 내용을 정리해 본다.

해설
풀 解 + 말씀 說

희곡에서 연극의 제목, 시간적·공간적 배경, 무대 장치, 등장인물 등을 소개하고 설명하는 부분.
예 희곡의 첫 부분에 제시되는 [해설]은 연극 무대를 이해하는 데 도움을 준다.

대사
무대 臺 + 말 詞
'臺'의 대표 뜻은 '대(높고 평평한 건축물)'임.

연극에서 등장인물이 하는 말.
예 희곡에서는 등장인물의 [대사]를 통해 사건이 전개되며 등장인물이 지닌 성격과 특징이 드러난다.

지시문
가리킬 指 + 보일 示 + 글월 文

희곡에서 배경이나 효과, 등장인물의 행동·표정·심리 등을 지시하고 설명하는 부분.
예 희곡에서는 [지시문]을 괄호 안에 넣어 표현함으로써 인물의 대사와 구분 짓는다.

장
장면 場
'場'의 대표 뜻은 '장소'임.

연극에서 등장인물의 등장과 퇴장으로 구분되는 하나의 단위.
예 희곡에서 [장]의 구분은 극 중 상황에서 시간의 경과를 나타내기도 한다.

플러스 개념어 막
연극에서 무대의 막이 오르고 내리는 것으로 구분되는 하나의 단위. 막을 기준으로 무대 장면의 변화가 나타남.

확인 문제

1 단어의 뜻을 보기 에서 찾아 사다리를 타고 내려간 곳에 기호를 써 보자.

보기
㉠ 연극에서 등장인물이 하는 말. 대사
㉡ 연극에서 등장인물의 등장과 퇴장으로 구분되는 하나의 단위. 장
㉢ 희곡에서 배경이나 효과, 등장인물의 행동·표정·심리 등을 지시하고 설명하는 부분. 지시문
㉣ 희곡에서 연극의 제목, 시간적·공간적 배경, 무대 장치, 등장인물 등을 소개하고 설명하는 부분. 해설

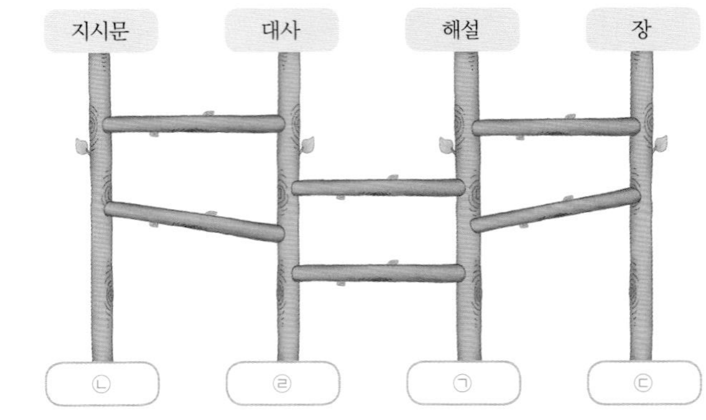

해설 | (1) 무대에서 공연하는 것을 목적으로 쓴 연극의 대본을 '희곡'이라고 한다. (2) 연극에서 무대의 막이 오르고 내리는 것으로 구분되는 하나의 단위를 '막'이라고 한다. (3) 소설과 같은 문학 작품을 희곡이나 시나리오 등으로 고쳐 쓰는 일을 '각색'이라고 한다.

2 밑줄 친 단어의 쓰임이 알맞으면 ○표, 알맞지 않으면 ×표 해 보자.

(1) 무대에서 공연하는 것을 목적으로 쓴 연극의 대본을 희곡이라고 한다. (○)

(2) 연극에서 무대의 막이 오르고 내리는 것으로 구분되는 하나의 단위를 장이라고 한다. (×)

(3) 소설과 같은 문학 작품을 희곡이나 시나리오 등으로 고쳐 쓰는 일을 각색이라고 한다. (○)

해설 | (1) 소설과 같은 문학 작품을 희곡으로 고쳐 쓰는 일을 '각색'이라고 한다. (2) 희곡에서 등장인물, 무대 장치 등을 살펴볼 수 있는 부분은 '해설'이다. (3) 희곡에서 등장인물의 행동이나 표정 등을 지시하는 부분은 '지시문'이다.

3 ( ) 안에 들어갈 알맞은 단어를 보기 에서 찾아 써 보자.

보기
각색 지시문 해설

(1) 이 연극은 유명한 소설을 희곡으로 (각색)해 만든 것이다.

(2) 희곡의 (해설)을 통해 연극의 등장인물, 무대 장치 등을 살펴볼 수 있다.

(3) 무대에서 연극을 할 때 등장인물은 희곡의 (지시문)에 따라 행동하고 표정, 말투 등을 표현해야 한다.

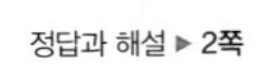

사회 교과서 어휘

수록 교과서 사회 ①
Ⅶ. 개인과 사회생활

단어와 그 뜻을 익히고, 빈칸에 알맞은 단어를 써 보자.

사회화
모일 社 + 모일 會 + 될 化

한 개인이 자신이 속한 사회 구성원과의 상호 작용을 통해 언어, 규범, 가치관 등을 배워 나가는 과정.

예 가정은 인간이 처음으로 만나게 되는 [사|회|화] 기관이다.

플러스 개념어 **재사회화**
급속한 사회 변화에 적응하기 위해 성인이 된 후에도 새로운 지식과 생활 양식 등을 습득하는 것.

지위
자리 地 + 자리 位
'地'의 대표 뜻은 '땅'임.

어떤 조직이나 사회에서 차지하는 개인의 위치나 자리.

예 한 개인이 자신이 속한 사회나 집단 내에서 차지하는 위치를 사회적 [지|위]라고 한다.

플러스 개념어 **귀속 지위, 성취 지위**
- 귀속 지위: 딸, 아들처럼 태어나면서부터 갖는 지위.
- 성취 지위: 교사, 작가, 의사처럼 개인의 노력으로 얻게 되는 지위.

자아 정체성
스스로 自 + 나 我 +
바를 正 + 몸 體 + 성질 性
'性'의 대표 뜻은 '성품'임.

다른 사람들과 구별되는 자신만의 고유성을 깨닫고 자신이 누구인지 명확히 이해하는 것. 주로 청소년기에 형성됨.

예 사이버 공간에서도 [자|아] [정|체|성]을 지켜 나가도록 노력해야 한다.

사회 집단
모일 社 + 모일 會 +
모을 集 + 모일 團
'團'의 대표 뜻은 '둥글다'임.

둘 이상의 사람이 소속감을 가지고 지속적인 상호 작용을 하는 집단.

예 [사|회] [집|단]은 구성원 간의 접촉 방식에 따라 1차 집단과 2차 집단으로 나뉜다.

플러스 개념어 **내집단, 외집단**
구성원에게 소속감이 있는지 없는지에 따른 구분임.
- 내집단(우리 집단): 개인이 그 집단에 소속감이 있으며, '우리'라는 공동체 의식이 강하게 나타나는 집단.
- 외집단(그들 집단): 개인이 그 집단에 소속되어 있지 않고 낯선 감정을 느끼는 집단.

준거 집단
준할 準 + 근거 據 +
모을 集 + 모일 團

개인이 어떤 행위나 판단을 할 때 기준으로 삼는 집단. 준거 집단은 개인이 소속된 집단과 반드시 일치하는 것은 아님.

예 [준|거] [집|단]이 자신이 속한 집단일 경우에 개인은 만족감과 안정감을 가진다.

질풍노도
빠를 疾 + 바람 風 +
세찰 怒 + 물결 濤
'疾'의 대표 뜻은 '질병', '怒'의 대표 뜻은 '성내다'임.

매서운 바람과 거센 물결이라는 뜻으로, 심리적으로 큰 혼란을 겪는 청소년기를 이르는 말.

예 [질|풍|노|도]의 시기인 청소년기에는 감정 조절이 어렵고 충동적으로 행동하려는 경향이 있다.

확인 문제

정답과 해설 ▶ 3쪽

1 뜻에 알맞은 단어를 찾아 선으로 이어 보자.

(1) 성인이 된 후에도 새로운 지식과 생활 양식 등을 습득하는 것. • — • 재사회화
(2) 개인이 어떤 행위나 판단을 할 때 기준으로 삼는 집단. • — • 준거 집단
(3) 둘 이상의 사람이 소속감을 가지고 지속적인 상호 작용을 하는 집단. • — • 사회 집단

해설 | (1) 심리적으로 큰 혼란을 겪는 청소년기를 '질풍노도'의 시기라고 한다. (2) 구성원이 소속감을 갖지 못하는 집단을 '외집단'이라고 한다.

2 빈칸에 알맞은 단어가 되도록 글자를 조합해 써 보자.

(1) 아동기와 성인기의 과도기에 해당하는 청소년기를 [질|풍|노|도]의 시기라고도 한다.
도 풍 속 노 질

(2) [외|집|단]은/는 소속감이 없으며 낯선 감정을 느끼는 집단으로, '그들 집단'이라고도 한다.
집 외 거 준 단

해설 | (1) '사회화'는 한 개인이 자신만의 개성과 자아를 형성하고, 사회생활에 필요한 행동 양식 등을 익혀 사회 구성원으로 성장해 나가는 과정이다. (2) '자아 정체성'은 주로 청소년기에 다양한 사회 구성원과의 상호 작용을 통해 형성된다. (3) '성취 지위'는 태어나면서부터 갖는 지위가 아니라 개인의 노력으로 얻게 되는 지위이다.

3 ( ) 안에 알맞은 단어를 보기에서 골라 써 보자.

보기
사회화 정체성 성취 지위

(1) 인간은 (사회화)을/를 통해 자신만의 독특한 개성과 자아를 형성한다.
(2) 자아 (정체성)은/는 자신의 노력뿐만 아니라 가정, 학교, 또래 집단 등 다양한 사회 구성원과의 상호 작용을 통해 형성된다.
(3) 전통 사회에서는 귀속 지위를 중요하게 생각했지만, 현대 사회에서는 개인의 노력으로 얻게 되는 (성취 지위)의 중요성이 커지고 있다.

수학 교과서 어휘

수록 교과서 수학 1
Ⅴ. 기본 도형과 작도

단어와 그 뜻을 익히고, 빈칸에 알맞은 단어를 써 보자.

교점 교차할 交 + 점 點 '交'의 대표 뜻은 '사귀다'임.	선과 선 또는 선과 면이 만나서 생기는 점. 예 직선과 직선이 만나면 1개의 [교 점]이 생기지만, 곡선과 직선이 만나면 여러 개의 [교 점]이 생길 수 있다. ▲ 선과 선이 만날 때 ▲ 선과 면이 만날 때
교선 교차할 交 + 줄 線	면과 면이 만나서 생기는 선. 예 [교 선]은 두 평면이 만나는 경우에는 직선으로, 평면과 곡면이 만나는 경우에는 곡선으로 나타난다. 교선 교선
선분 줄 線 + 나눌 分	두 점을 곧게 이은 선. 예 A B 와 같이 두 점 A와 B를 곧게 이은 선을 [선 분] AB 또는 [선 분] BA라고 하고, $\overline{AB}$로 나타낸다.
반직선 반 半 + 곧을 直 + 줄 線	직선의 절반이라는 의미로, 한 점에서 시작해 한쪽으로 끝없이 늘인 곧은 선. 예 A B 와 같이 점 A에서 시작해 점 B를 지나는 선을 [반 직 선] AB라고 하고, $\overrightarrow{AB}$로 나타낸다.
직선 곧을 直 + 줄 線	곧은 선으로, 선분을 양쪽으로 끝없이 늘인 곧은 선. 예 A B 와 같이 점 A와 점 B를 지나는 곧은 선을 [직 선] AB 또는 [직 선] BA라고 하고, $\overleftrightarrow{AB}$로 나타낸다.
선분의 중점 줄 線 + 나눌 分 + 의 + 가운데 中 + 점 點	선분의 양 끝점에서 같은 거리에 있는 점. 예 선분 AB 위의 양 끝점에서 같은 거리에 있는 점 M이 선분 AB의 [중 점]이다. A M B $\overline{AM}=\overline{BM}=\frac{1}{2}\overline{AB}$
두 점 사이의 거리 두 점 사이의 + 상거할 距 + 떨어질 離 '상거하다'는 서로 떨어지는 것을 뜻함. '離'의 대표 뜻은 '이별하다'임.	떨어져 있는 두 점 사이의 거리로, 두 점을 잇는 가장 짧은 길이. 예 두 점 A, B를 잇는 무수한 선 중에서 길이가 가장 짧은 선분 AB의 길이를 두 점 A, B 사이의 [거 리]라고 한다. A B

확인 문제

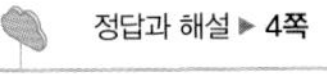

정답과 해설 ▶ 4쪽

1 빈칸에 알맞은 단어를 글자판에서 찾아 묶어 보자. (단어는 가로, 세로, 대각선 방향에서 찾기)

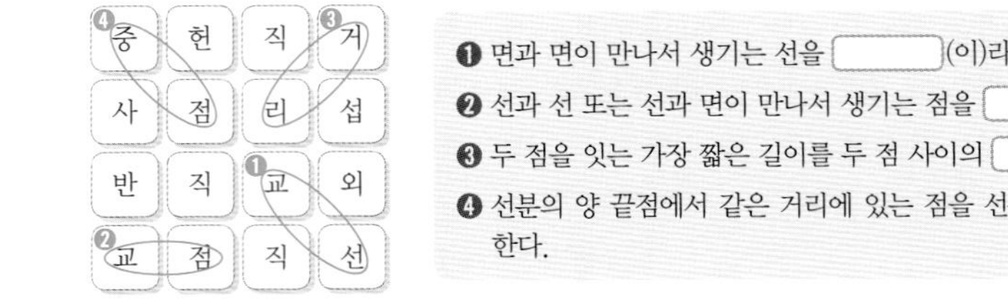

④중	헌	직	③거
사	점	리	섭
반	직	①교	외
②교	점	직	선

❶ 면과 면이 만나서 생기는 선을 [ ](이)라고 한다.
❷ 선과 선 또는 선과 면이 만나서 생기는 점을 [ ](이)라고 한다.
❸ 두 점을 잇는 가장 짧은 길이를 두 점 사이의 [ ](이)라고 한다.
❹ 선분의 양 끝점에서 같은 거리에 있는 점을 선분의 [ ](이)라고 한다.

2 ( ) 안에 들어갈 알맞은 단어를 보기에서 찾아 써 보자.

보기: 선분 반직선 직선 중점

(1) 점 A에서 시작해 점 B를 지나는 선 $\overrightarrow{AB}$는 (반직선) AB이다.
(2) 선분 AB 위의 양 끝점에서 같은 거리에 있는 점 M은 $\overline{AB}$의 (중점)이다.
(3) 두 점 A, B를 곧게 이은 선 $\overline{AB}$는 (선분) AB 또는 (선분) BA이다.
(4) 점 A와 점 B를 지나는 곧은 선 $\overleftrightarrow{AB}$는 (직선) AB 또는 (직선) BA이다.

해설 | (1) 반직선 AB는 점 A에서 시작하여 점 B를 지나는 선이고, 반직선 BA는 점 B에서 시작하여 점 A를 지나는 선이므로 반직선 AB($\overrightarrow{AB}$)와 반직선 BA($\overrightarrow{BA}$)는 서로 다르다. (2) 선분 AB와 선분 BA는 두 점 A와 B를 곧게 이은 선이므로 서로 같다. (3) 직선 AB와 직선 BA는 두 점 A와 B를 지나는 곧은 선이므로 서로 같다.

3 친구들의 설명이 알맞으면 ○표, 알맞지 않으면 ×표 해 보자.

(1)

(×)

(2)

(○)

(3)

(○)

1주차 2회

과학 교과서 어휘

수록 교과서 과학 1
Ⅳ. 기체의 성질

단어와 그 뜻을 익히고, 빈칸에 알맞은 단어를 써 보자.

입자 낟알 粒 + 열매 子 '子'의 대표 뜻은 '아들'임.	거의 눈에 보이지 않을 정도로 아주 작은 크기의 물체. 예 물, 에탄올, 공기 등 모든 물질은 입자로 구성되어 있다.
기체 기체 氣 + 물체 體 '氣'의 대표 뜻은 '기운', '體'의 대표 뜻은 '몸'임.	공기와 같이 물질을 이루는 입자 사이의 거리가 멀고 각 입자가 자유롭게 운동하는 상태. 예 공기는 질소, 산소, 이산화 탄소 등으로 구성된 기체이다.
증발 김 오를 蒸 + 필 發 '蒸'의 대표 뜻은 '찌다'임.	운동이 활발한 입자가 액체 표면에서 떨어져 나와 기체로 변하는 현상. 예 바람이 강하게 불수록, 온도가 높을수록, 습도가 낮을수록 증발이 잘 일어난다.
확산 넓힐 擴 + 흩을 散	입자가 스스로 운동하여 모든 방향으로 고르게 퍼져 나가는 현상. 예 부엌이나 식당에서 음식 냄새가 퍼져 나가는 것은 기체의 확산 때문이다.
압력 누를 壓 + 힘 力	일정한 넓이에 수직으로 작용하는 힘의 크기. $(압력)=\frac{힘의\ 크기(N)}{힘을\ 받는\ 면의\ 넓이(m^2)}$ 예 기체 분자가 운동하면서 용기 벽면에 충돌할 때 용기를 밖으로 미는 힘을 기체의 압력이라고 한다. 플러스 개념어 Pa(파스칼): 압력의 단위는 Pa(파스칼)을 사용하는데, 1Pa은 1N(뉴턴)의 힘이 $1m^2$에 가해질 때의 압력임.
대기압 큰 大 + 기체 氣 + 누를 壓	지구를 둘러싸고 있는 공기의 압력. 예 우리가 평상시에 생활하면서 받는 대기압의 크기는 1기압이다.

확인 문제

정답과 해설 ▶ 5쪽

1 뜻에 알맞은 단어가 되도록 보기 의 글자를 조합해 써 보자.

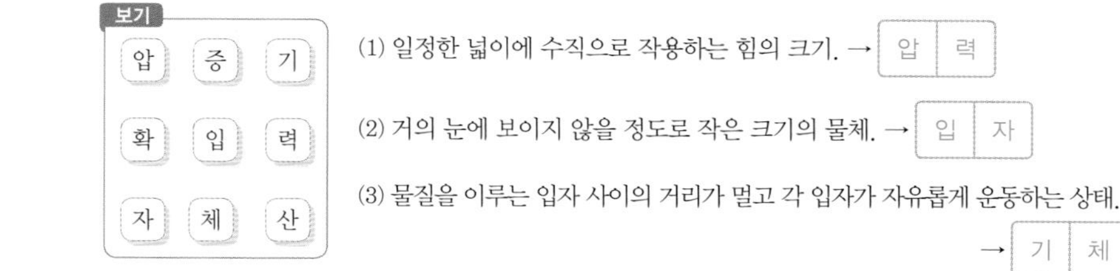

보기: 압 증 기 / 확 입 력 / 자 체 산

(1) 일정한 넓이에 수직으로 작용하는 힘의 크기. → 압력

(2) 거의 눈에 보이지 않을 정도로 작은 크기의 물체. → 입자

(3) 물질을 이루는 입자 사이의 거리가 멀고 각 입자가 자유롭게 운동하는 상태. → 기체

2 단어의 뜻을 찾아 선으로 이어 보자.

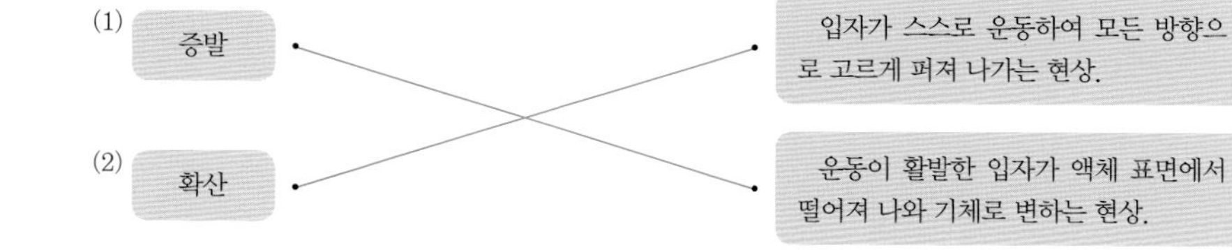

(1) 증발 · · 입자가 스스로 운동하여 모든 방향으로 고르게 퍼져 나가는 현상.

(2) 확산 · · 운동이 활발한 입자가 액체 표면에서 떨어져 나와 기체로 변하는 현상.

해설 | (1) 공기의 압력을 '대기압'이라 하는데, 높은 곳으로 올라갈수록 공기의 양이 줄어들어 '대기압'이 낮아진다. (2) 기체 입자가 스스로 운동하여 모든 방향으로 멀리 퍼져 나가는 현상을 기체의 '확산'이라 하는데, 페인트 냄새 입자가 퍼져 나가 냄새가 나는 현상은 '확산'의 예이다. (3) 운동이 활발한 입자가 액체 표면에서 떨어져 나와 기체로 변화는 현상을 '증발'이라 하는데, 젖은 빨래가 마르거나 물에 젖은 머리카락이 마르는 것은 '증발'의 예이다. (4) 풍선에 공기를 불어넣을수록 풍선의 크기가 커지는 것은 공기 입자가 풍선의 안쪽 벽면에 충돌할 때 작용하는 기체의 '압력' 때문이다.

3 빈칸에 들어갈 알맞은 말을 초성을 바탕으로 써 보자.

(1) 높은 곳으로 올라갈수록 공기의 양이 줄어들기 때문에 대기압이 낮아진다.

(2) 벽에 페인트를 칠하면 냄새 입자가 퍼져 나가면서 페인트 냄새가 나는데, 이는 확산의 예이다.

(3) 젖은 빨래가 마르거나 물에 젖은 머리카락이 마르는 것은 액체가 기체로 변하는 증발의 예이다.

(4) 풍선을 불어 풍선 안으로 공기가 들어가면 공기 입자가 풍선의 안쪽 벽면에 충돌할 때 작용하는 기체의 압력 때문에 풍선이 부풀어 오른다.

국어 교과서 어휘

수록 교과서 국어 1-2
문학 – 수필

단어와 그 뜻을 익히고, 빈칸에 알맞은 단어를 써 보자.

수필 따를 隨 + 붓 筆
글쓴이가 일상생활을 하면서 느낀 점이나 겪은 일을 자유롭게 쓴 글.
예 이 글은 글쓴이가 초등학교 시절에 선생님과의 추억을 떠올려 쓴 수필이다.

경수필 가벼울 輕 + 따를 隨 + 붓 筆
생활 주변에서 일어난 일이나 개인적 경험을 비교적 가볍게 쓴 수필.
예 경수필은 정해진 형식이 없이 자유롭게 쓰는 글이다.

경험 지날 經 + 시험 驗
자신이 실제로 해 보거나 겪어 보는 일.
예 자신의 경험을 바탕으로 글을 쓰기 위해서는 먼저 자신이 겪은 일 중에서 의미 있는 것을 떠올려 본다.

글감
글의 내용이 되는 재료.
예 설명문에서는 설명하려는 대상이 곧 글의 글감이 된다.

성찰 살필 省 + 살필 察
자신의 마음을 들여다보고 살피는 태도.
예 일기를 쓰는 것은 자신의 생각이나 태도를 성찰하는 데 도움이 된다.

주관적 주인 主 + 볼 觀 + ~한 상태로 되는 的
'的'의 대표 뜻은 '과녁'임.
자신의 의견이나 생각을 기초로 하는 것.
예 수필은 글쓴이가 자신의 경험이나 생각을 주관적으로 쓴 글이다.

플러스 개념어 **객관적**
자신의 의견이나 생각에서 벗어나 직접 관계가 없는 사람 입장에서 생각하는 것.

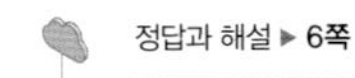

확인 문제

정답과 해설 ▶ 6쪽

1 단어의 뜻을 찾아 선으로 이어 보자.

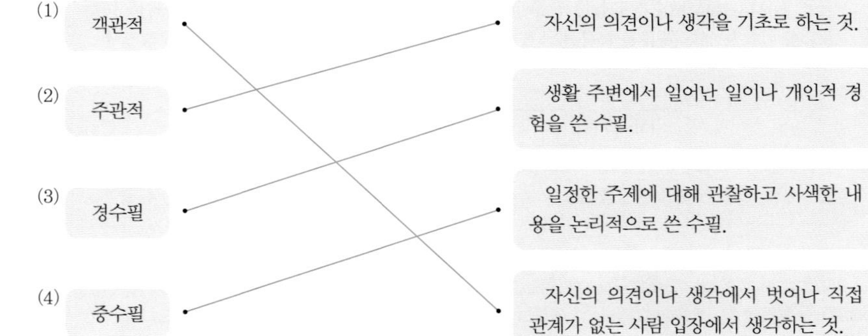

(1) 객관적 • • 자신의 의견이나 생각을 기초로 하는 것.
(2) 주관적 • • 생활 주변에서 일어난 일이나 개인적 경험을 쓴 수필.
(3) 경수필 • • 일정한 주제에 대해 관찰하고 사색한 내용을 논리적으로 쓴 수필.
(4) 중수필 • • 자신의 의견이나 생각에서 벗어나 직접 관계가 없는 사람 입장에서 생각하는 것.

2 밑줄 친 단어가 알맞으면 ○표, 알맞지 않으면 ×표 해 보자.

(1) 글의 내용이 되는 재료를 글감이라고 한다. (○)
(2) 자신의 마음을 들여다보고 살피는 태도를 경험이라고 한다. (×)
(3) 글쓴이가 일상생활을 하면서 느낀 점이나 겪은 일을 자유롭게 쓴 글을 수필이라고 한다. (○)

해설 | (1) 글의 내용이 되는 재료를 '글감'이라고 한다. (2) 자신의 마음을 들여다보고 살피는 태도를 '성찰'이라고 한다. '경험'은 자신이 실제로 해 보거나 겪어 보는 일을 말한다. (3) 글쓴이가 일상생활을 하면서 느낀 점이나 겪은 일을 자유롭게 쓴 글을 '수필'이라고 한다.

3 빈칸에 공통으로 들어갈 단어로 알맞은 것은? (④)

① 경험 ② 글감 ③ 수필 ④ 성찰 ⑤ 해설

해설 | 경험을 담은 글을 쓸 때나 깨달음을 얻기 위해서는 자신의 마음을 들여다보고 살피는 '성찰'의 태도가 필요하다.

사회 교과서 어휘

수록 교과서 사회 ①
Ⅷ. 문화의 이해

단어와 그 뜻을 익히고, 빈칸에 알맞은 단어를 써 보자.

문화
글월 文 + 될 化

한 사회의 구성원들이 주위 환경에 적응하고, 이를 극복해 가는 과정에서 공통적으로 나타나는 생활 양식.

예 한 사회의 구성원들은 [문][화]를 서로 공유하기 때문에 공통된 행동과 사고방식을 가진다.

문화 사대주의
글월 文 + 될 化 + 섬길 事 + 큰 大 + 주장할 主 + 뜻 義
'事'의 대표 뜻은 '일', '主'의 대표 뜻은 '임금', '義'의 대표 뜻은 '옳다'임.

자기가 속한 사회의 문화는 낮게 평가하고, 다른 사회의 문화는 우수하다고 여겨 동경하거나 따르는 태도.

예 [문][화] [사][대][주][의]에 빠져 다른 사회의 문화만 좇다 보면 자기 문화의 주체성을 잃을 수 있다.

플러스 개념어 **자문화 중심주의**
자신이 속한 사회의 문화는 우수하다고 평가하고, 다른 사회의 문화는 부정적으로 평가하는 태도.

문화 상대주의
글월 文 + 될 化 + 서로 相 + 대할 對 + 주장할 主 + 뜻 義

상대방의 문화를 인정하면서 한 사회의 문화를 그 사회가 처한 특수한 환경과 사회적 맥락 속에서 이해하려는 태도.

예 [문][화] [상][대][주][의]는 다른 사회의 문화를 상대방의 관점에서 객관적으로 이해할 수 있게 한다.

대중 매체
큰 大 + 무리 衆 + 매개 媒 + 몸 體
'媒'의 대표 뜻은 '중매'임.

많은 사람에게 많은 양의 정보를 동시에 전달하는 수단. 신문, 라디오, 텔레비전, 인터넷 등이 있음.

예 뉴 미디어와 같은 새로운 [대][중] [매][체]의 등장으로 쌍방향 의사소통이 가능해졌다.

▲ 다양한 대중 매체

대중문화
큰 大 + 무리 衆 + 글월 文 + 될 化

가요, 영화, 드라마 등과 같이 대다수의 사람이 즐기고 누리는 문화.

예 [대][중][문][화]는 사람들에게 오락과 휴식을 제공하고, 새로운 소식과 정보를 전달한다.

플러스 개념어 **1인 미디어**
새로운 대중문화로 등장한 1인 미디어는 개인이 혼자서 콘텐츠 기획부터 생산까지 담당하여 유행을 만들고 수익을 얻음.

취향
뜻 趣 + 향할 向

무엇을 얻고자 하거나 무슨 일을 하고자 하는 마음이 생기는 방향.

예 많은 사람들의 [취][향]을 반영한 대중문화는 사람들의 삶에 즐거움을 준다.

확인 문제

정답과 해설 ▶ 7쪽

1 뜻에 알맞은 단어를 찾아 선으로 이어 보자.

(1) 자신이 속한 사회의 문화는 우수하다고 평가하고, 다른 사회의 문화는 부정적으로 평가하는 태도. — 자문화 중심주의

(2) 자기가 속한 사회의 문화는 낮게 평가하고, 다른 사회의 문화는 우수하다고 여겨 동경하거나 따르는 태도. — 문화 사대주의

(3) 상대방의 문화를 인정하면서 한 사회의 문화를 그 사회가 처한 특수한 환경과 사회적 맥락 속에서 이해하려는 태도. — 문화 상대주의

해설 | (1) '자문화 중심주의'는 자신의 문화보다 다른 사회의 문화를 부정적으로 평가하는 태도이다. (2) '문화 상대주의'는 다른 사회의 문화를 그 사회가 처한 특수한 환경과 사회적 맥락 속에서 이해하려는 태도이다.

2 문화를 바라보는 태도로 알맞은 단어를 골라 ○표 해 보자.

(1) 나체로 살던 자파테크 족을 미개하다고 생각한 유럽 사람들은 그들에게 강제로 옷을 입혔어.

((자문화 중심주의), 문화 상대주의)

(2) 인도를 여행해 보면, 소고기를 먹지 않는 인도 사람들의 입장을 이해할 수 있어.

(자문화 중심주의 , (문화 상대주의))

해설 | (1) 대중문화 콘텐츠는 사람들의 '취향'을 반영하여 만들어진다. (2) '대중 매체'의 종류에는 인쇄 매체와 영상 매체 등이 있다.

3 빈칸에 들어갈 알맞은 단어를 초성을 바탕으로 써 보자.

(1) 오늘날 사람들의 [취][향]을/를 반영한 다양한 대중문화 콘텐츠가 만들어지고 있다.

(2) [대][중] [매][체]의 종류에는 신문, 잡지와 같은 인쇄 매체, 영화, 텔레비전과 같은 영상 매체가 있다.

수학 교과서 어휘

단어와 그 뜻을 익히고, 빈칸에 알맞은 단어를 써 보자.

각
각도 角
'角'의 대표 뜻은 '뿔'임.

한 점에서 그은 두 반직선으로 이루어진 도형.

예 한 점 B에서 시작하는 반직선 BA와 반직선 BC로 이루어진 도형을 각 ABC 또는 각 CBA라고 한다.

각의 꼭짓점 / 각의 변 / A / B / C

평각
평평할 平 + 각도 角

평평한 각으로, 한 점에서 나간 두 반직선이 일직선을 이루는 각으로 180°.

예 각 BAC의 두 변 AB, AC가 점 A를 중심으로 반대쪽에 있으면서 한 직선을 이룰 때 각 BAC는 평각이다.

B A C

플러스 개념어 직각, 예각, 둔각
- 직각: 두 직선이 만나서 이루는 90°의 각.
- 예각: 0°보다 크고 90°보다 작은 각.
- 둔각: 90°보다 크고 180°보다 작은 각.

교각
교차할 交 + 각도 角
'交'의 대표 뜻은 '사귀다'임.

두 직선이 만나서 생기는 각.

예 두 직선이 한 점에서 만나서 생기는 네 각 $\angle a$, $\angle b$, $\angle c$, $\angle d$는 두 직선의 교각이다.

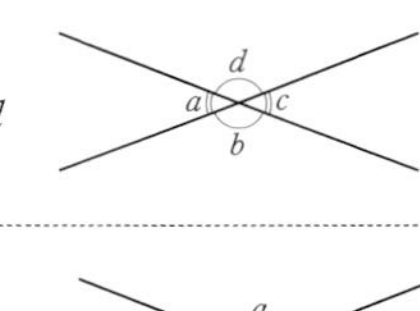

맞꼭지각
맞꼭지 + 각도 角

두 직선의 교각 중에서 서로 마주 보는 두 각.

예 서로 마주 보는 두 각 $\angle a$와 $\angle c$, $\angle b$와 $\angle d$를 맞꼭지각이라고 한다.

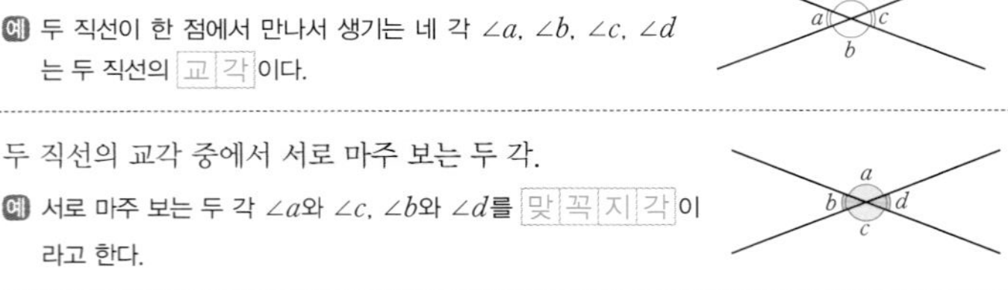
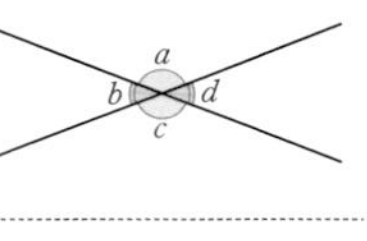

직교
곧을 直 + 교차할 交

두 직선이 서로 직각으로 만나는 것.

예 두 직선이 직교일 때, 두 직선 AB, CD의 교각은 직각이다.
이때 $\overleftrightarrow{AB}$와 $\overleftrightarrow{CD}$는 수직이고, $\overleftrightarrow{AB}$는 $\overleftrightarrow{CD}$의 수선이다.

두 직선이 만나서 이루는 각이 직각일 때 두 직선은 서로 수직이라고 하고, 두 직선이 서로 수직으로 만날 때 한 직선을 다른 직선의 수선이라고 함.

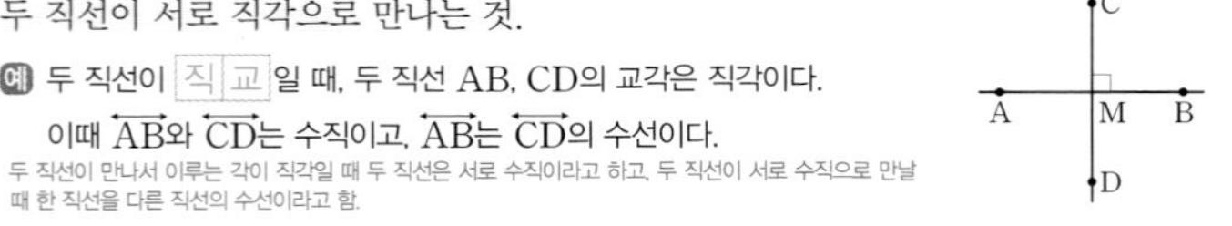
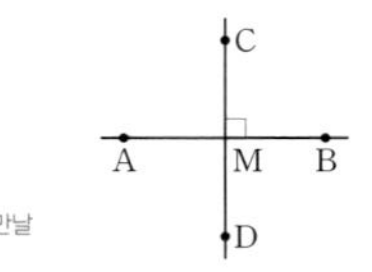

수직이등분선
드리울 垂 + 곧을 直 + 두 二 + 같을 等 + 나눌 分 + 줄 線

선분을 수직으로 이등분하는 직선으로, 선분의 중점을 지나고 그 선분에 수직인 직선.

예 선분 AB의 중점 M을 지나면서 선분 AB에 수직인 직선 l은 선분 AB의 수직이등분선이다.

l / A / M / B

수선의 발
드리울 垂 + 줄 線 + 의 발

직선 위에 있지 않은 한 점에서 직선에 그은 수선과 직선과의 교점.

예 직선 l 위에 있지 않은 점 P에서 직선 l에 그은 수선과 직선 l이 만나서 생기는 교점을 H일 때, 점 H를 점 P에서 직선 l에 내린 수선의 발이라고 한다.

직선 위에 있지 않은 한 점에서 직선에 내린 수선의 발까지의 거리를 '점과 직선 사이의 거리'라고 함.

P / 점 P와 직선 l 사이의 거리 / H / 수선의 발 / l

확인 문제

정답과 해설 ▶ 8쪽

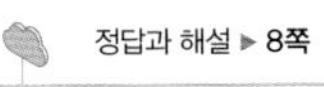

1 뜻에 알맞은 단어를 보기에서 찾아 사다리를 타고 내려간 곳에 써 보자.

보기: 예각 직각 평각 둔각

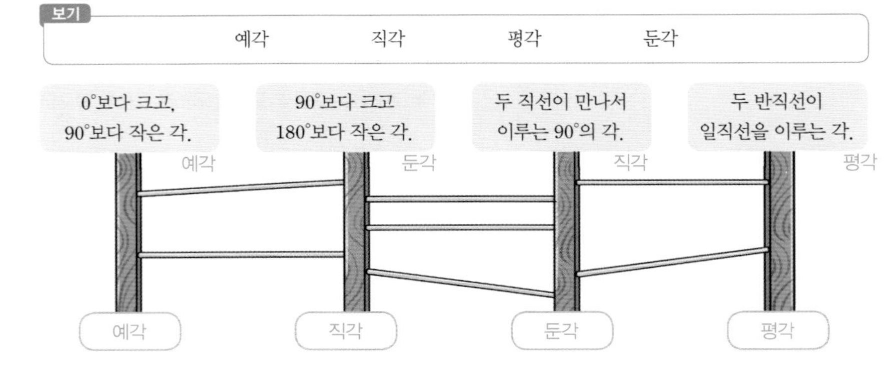

2 뜻에 알맞은 단어가 되도록 보기의 글자를 조합해 써 보자. (같은 글자가 여러 번 쓰일 수 있음.)

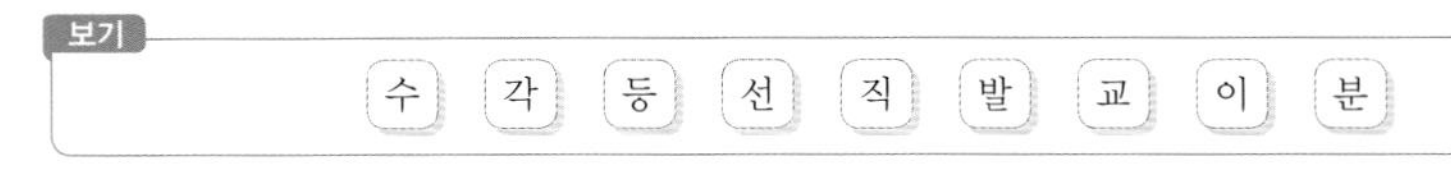

(1) 두 직선이 만나서 생기는 각. → 교각

(2) 두 직선이 서로 직각으로 만나는 것. → 직교

(3) 선분의 중점을 지나면서 그 선분에 수직인 직선. → 수직이등분선

(4) 직선 위에 있지 않은 한 점에서 직선에 그은 수선과 직선과의 교점. → 수선의 발

3 그림에 대한 설명이 알맞으면 ○표, 알맞지 않으면 ×표 해 보자.

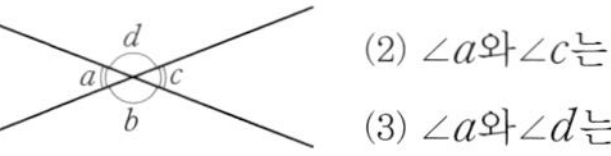

(1) 두 직선이 만나는 교각은 4개이다. (○)

(2) $\angle a$와 $\angle c$는 서로 맞꼭지각이다. (○)

(3) $\angle a$와 $\angle d$는 서로 맞꼭지각이다. (×)

(4) $\angle b$와 $\angle d$는 서로 맞꼭지각이다. (○)

해설 | (1) 두 직선이 만나는 교각은 $\angle a$, $\angle b$, $\angle c$, $\angle d$로 4개이다. (2)~(4) 마주 보는 두 각 $\angle a$와 $\angle c$, $\angle b$와 $\angle d$는 서로 맞꼭지각이다.

과학 교과서 어휘

단어와 그 뜻을 익히고, 빈칸에 알맞은 단어를 써 보자.

온도 따뜻할 溫 + 정도 度 '度'의 대표 뜻은 '법도'임.	물체의 차고 뜨거운 정도를 숫자로 나타낸 것. 예 오늘 기온이 28℃라는 것은 덥거나 추운 정도를 숫자로 나타낸 온도가 28℃라는 것이다.
정비례 같을 正 + 견줄 比 + 법식 例 '正'의 대표 뜻은 '바르다'임.	한쪽 양이 커질 때 다른 쪽 양도 같은 비로 커지는 관계. 예 두 변수 x와 … 사이에 x의 값이 2배, 3배, 4배, …로 변할 때, …의 값도 2배, 3배, 4배, …가 되면 …는 x에 정비례한다.
반비례 돌이킬 反 + 견줄 比 + 법식 例	한쪽 양이 커질 때 다른 쪽 양은 같은 비로 작아지는 관계. 예 변화하는 두 양 x, …에서 x의 값이 2배, 3배, 4배, …로 변할 때, …의 값이 $\frac{1}{2}$배, $\frac{1}{3}$배, $\frac{1}{4}$배, …가 되면 …는 x에 반비례한다.
보일 법칙 보일 + 법 法 + 법칙 則	온도가 일정할 때, 일정한 양의 기체의 부피는 압력에 반비례한다는 법칙. 예 주사기의 피스톤을 밀면 기체 입자가 운동할 수 있는 공간이 좁아지면서 주사기 속의 부피가 줄어드는데, 기체 입자의 충돌 횟수가 많아져 주사기 속 기체의 압력은 커진다. 이와 같은 기체의 부피와 압력의 관계를 나타낸 법칙을 보일 법칙이라고 한다.
샤를 법칙 샤를 + 법 法 + 법칙 則	압력이 일정할 때, 기체의 부피는 기체의 온도에 비례한다는 법칙. 예 일정한 압력에서 기체가 들어 있는 비닐 주머니를 냉장고 속에 넣어 두면 기체 입자들의 운동이 느려지기 때문에 비닐 주머니 속 기체의 부피가 줄어들어 비닐 주머니의 크기가 작아진다. 작아진 비닐 주머니를 뜨거운 물에 넣으면 기체 입자들의 운동이 빨라지면서 비닐 주머니 속 기체의 부피가 늘어나 비닐 주머니의 크기가 커진다. 이와 같은 기체의 부피와 온도의 관계를 나타낸 법칙을 샤를 법칙이라고 한다.

확인 문제

정답과 해설 ▶ 9쪽

1 뜻에 알맞은 단어가 되도록 보기의 글자를 조합해 써 보자. (같은 글자가 여러 번 쓰일 수 있음.)

보기: 비 정 온 반 례 도

(1) 물체의 차고 뜨거운 정도를 숫자로 나타낸 것. → 온 도

(2) 한쪽 양이 커질 때 다른 쪽 양도 같은 비로 커지는 관계. → 정 비 례

(3) 한쪽 양이 커질 때 다른 쪽 양은 같은 비로 작아지는 관계. → 반 비 례

해설 | (1) 온도가 일정할 때, 일정한 양의 기체의 부피는 압력에 반비례한다는 법칙은 '보일 법칙'이다. (2) 압력이 일정할 때, 기체의 부피는 기체의 온도에 비례한다는 법칙은 '샤를 법칙'이다.

2 문장에 어울리는 단어를 ( ) 안에서 골라 ○표 해 보자.

(1) 온도가 일정할 때, 용기에 들어 있는 기체에 가하는 압력이 2배, 3배가 되면 기체의 부피는 $\frac{1}{2}$, $\frac{1}{3}$로 줄어든다. 이는 기체의 부피와 압력의 관계를 나타낸 (보일 법칙, 샤를 법칙)과 관련 있다. [보일 법칙에 ○표]

(2) 압력이 일정할 때, 용기에 들어 있는 기체의 온도가 높아지면 기체의 부피는 커진다. 이는 기체의 부피와 온도의 관계를 나타낸 (보일 법칙, 샤를 법칙)과 관련 있다. [샤를 법칙에 ○표]

해설 | (1) 찌그러진 탁구공이 뜨거운 물에서 펴지는 것은 '샤를 법칙' 때문이다. (2) 밀폐 용기의 아랫 부분을 뜨거운 물에 넣으면 뚜껑이 쉽게 열리는 것은 '샤를 법칙' 때문이다. (3) 하늘 높이 올라간 헬륨 풍선이 점점 커지다가 터지는 것은 '보일 법칙' 때문이다.

3 ( ) 안에 들어갈 알맞은 단어를 보기에서 찾아 써 보자.

보기: 보일 법칙 샤를 법칙

(1) 찌그러진 탁구공을 뜨거운 물에 넣으면 탁구공 속 기체의 온도가 높아져서 부피가 늘어나므로 탁구공이 펴지게 되는데, 이것은 (샤를 법칙)의 예이다.

(2) 밀폐 용기의 뚜껑이 잘 열리지 않을 경우, 아랫 부분을 뜨거운 물에 넣으면 쉽게 열 수 있는데, 이것은 기체의 온도가 높아지면 부피가 커지는 (샤를 법칙)의 예이다.

(3) 하늘 높이 올라간 헬륨 풍선이 점점 커지다가 터지는 것은 하늘 높이 올라갈수록 대기압이 감소하여 풍선에 작용하는 압력이 작아져 부피가 커지는 것으로 (보일 법칙)의 예이다.

見(견), 去(거)가 들어간 단어

見
볼 견

견(見)은 주로 '보다'라는 뜻으로 쓰여. 눈으로 대상의 존재나 형태적 특징을 아는 것을 '보다'라고 하지. 견(見)은 '견해'라는 뜻으로 쓰일 때도 있어.

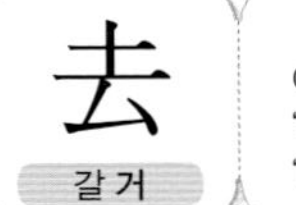

去
갈 거

거(去)는 주로 '가다'라는 뜻으로 쓰여. 한곳에서 다른 곳으로 옮기는 것을 '가다'라고 하지. 거(去)는 '지나간 때', '버리다'라는 뜻으로도 쓰여.

단어와 그 뜻을 익히고, 빈칸에 알맞은 단어를 써 보자.

견물생심
볼 見 + 물건 物 + 날 生 + 마음 心

견물(見物) + 생심(生心)
물건을 봄. 욕심이 생김.
다른 사람의 물건을 욕심내서 함부로 가져가면 안 돼!

어떠한 실물을 보게 되면 그것을 가지고 싶은 욕심이 생김.
예 내가 갖고 싶었던 게임기를 보자 나도 모르게 견물생심이 되었다.

편견
치우칠 偏 + 견해 見

견(見)이 '견해'라는 뜻으로 쓰였어.
자신의 생각을 '견해'라고 해.

공정하지 못하고 한쪽으로 치우친 생각.
예 뚱뚱한 사람은 게으를 것이라고 생각하는 것은 편견이다.

플러스 개념어
색안경(빛 色 + 눈 眼 + 거울 鏡) 주관이나 선입견에 얽매여 좋지 않게 보는 태도.
예 색안경을 끼고 사람을 판단하는 것은 옳지 않다.

수거
거둘 收 + 갈 去

거두어 감.
예 우리 동네 재활용 쓰레기는 매주 금요일에 수거를 한다.

과거
지날 過 + 지나간 때 去

거(去)가 '지나간 때'라는 뜻으로 쓰였어.

이미 지나간 때.
예 타임머신을 타고 과거나 미래로 시간 여행을 떠나고 싶다.

거두절미
버릴 去 + 머리 頭 + 끊을 截 + 꼬리 尾

거두(去頭) + 절미(截尾)
머리를 버림. 꼬리를 끊음.
머리와 꼬리를 끊어 버린다는 뜻으로, 거(去)가 '버리다'라는 뜻으로 쓰였어.

앞과 뒤의 군더더기를 빼고 어떤 일의 중심만 간단히 말함.
예 나는 거두절미하고 용건만 짧게 말했다.

확인 문제

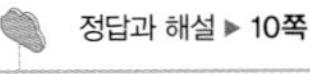

정답과 해설 ▶ 10쪽

1 뜻에 알맞은 단어가 되도록 보기의 글자를 조합해 써 보자.

보기: 견 두 심 절 생 미 물 거

(1) 어떠한 실물을 보게 되면 그것을 가지고 싶은 욕심이 생김. → 견 물 생 심

(2) 앞과 뒤의 군더더기를 빼고 어떤 일의 중심만 간단히 말함. → 거 두 절 미

2 단어의 뜻을 찾아 선으로 이어 보자.

(1) 편견 • • 거두어 감.

(2) 수거 • • 이미 지나간 때.

(3) 과거 • • 공정하지 못하고 한쪽으로 치우친 생각.

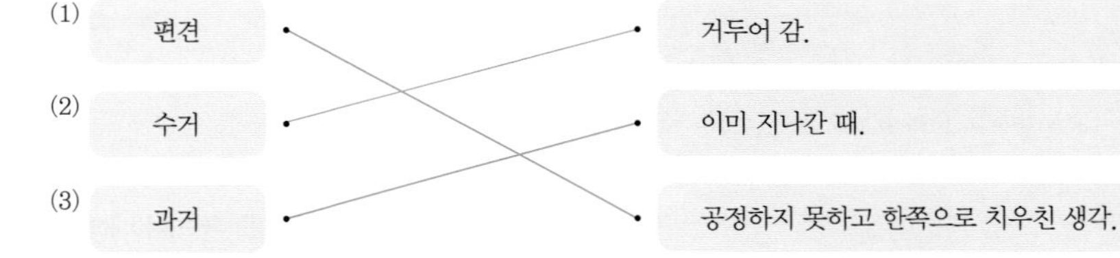

해설 | (1) '편견'은 공정하지 못하고 한쪽으로 치우친 생각을 뜻한다. (2) '수거'는 거두어 가는 것을 뜻한다. (3) '과거'는 이미 지나간 때를 뜻한다.

해설 | (1) 이미 지나간 때를 떠올리는 것이므로 '과거'가 알맞다. (2) 어떠한 실물을 보게 되면 그것을 가지고 싶은 욕심이 생긴다는 뜻의 '견물생심'이 알맞다. (3) 공정하지 못하고 한쪽으로 치우친 생각을 뜻하는 '편견'이 알맞다. (4) 앞과 뒤의 군더더기를 빼고 어떤 일의 중심만 간단히 말하는 것을 뜻하는 '거두절미'가 알맞다.

3 ( ) 안에 들어갈 알맞은 단어를 보기에서 찾아 써 보자.

보기: 과거 편견 거두절미 견물생심

(1) 할아버지께서는 한국 전쟁을 겪었던 (과거)을/를 떠올리며 눈물을 흘리셨다.

(2) 나는 대형 마트에 가면 (견물생심)에 필요하지 않은 물건도 충동적으로 구매하는 일이 많다.

(3) 외국에서 온 노동자들은 능력이 떨어질 것이라고 단정 짓는 것은 (편견)에 불과하다.

(4) 마감 시간이 다가오자 사회자는 발표자들에게 발표 내용을 (거두절미)하고 짧게 요약하여 말해 줄 것을 요구하였다.

영문법 어휘

대명사의 격

대명사는 문장에서의 쓰임에 따라 그 모양새와 부르는 이름이 달라. 주어로 쓰일 때는 주격, 목적어로 쓰일 때는 목적격, 소유를 나타낼 때는 소유격, 소유한 것을 나타낼 때는 소유대명사라고 해. 주격(subjective case), 목적격(objective case), 소유격(possessive case), 소유대명사(possessive pronoun)가 무엇인지 그 뜻과 예를 공부해 보자.

단어와 그 뜻을 익히고, 빈칸에 알맞은 단어를 써 보자.

subjective case
주격
주인 主 + 격식 格
'主'의 대표 뜻은 '임금'임.

문장에서 대명사가 주어로 쓰일 때 사용하는 대명사의 형태를 가리키는 말. 주격의 대명사는 I, You, He, She, We, They, It이 있음.
- **They** like fish much. (그들은 생선을 많이 좋아한다.)
  They(그들은)는 주어 역할을 하는 대명사의 주격

예 "She is running to school. (그녀는 학교로 뛰어가고 있다.)"에서 She(그녀)는 주어로서 [주격] 대명사이다.

objective case
목적격
지칭할 目 + 목표 的 + 격식 格
'目'의 대표 뜻은 '눈', '的'의 대표 뜻은 '과녁'임.

문장에서 대명사가 목적어로 쓰일 때 사용하는 대명사의 형태를 가리키는 말. 목적격의 대명사는 me, you, him, her, us, them, it이 있음.
- She like **him** much.
  him(그를)은 목적어 역할을 하는 대명사의 목적격
  (그녀는 그를 많이 좋아한다.)

예 "He made it for me. (그는 나를 위해 그것을 만들었다.)" 에서 it(그것을)은 목적어로서 [목적격] 대명사이다.

플러스 개념어 **전치사의 목적격**
전치사 다음에 인칭대명사가 올 경우에는 목적격으로 전환해야 함.
예 • He made it for me. (○)
• He made it for I. (×)
(그는 나를 위해 그것을 만들었다.)

possessive case
소유격
있을 所 + 있을 有 + 격식 格
'所'의 대표 뜻은 '바(방법)'임.

문장에서 명사의 소유를 나타낼 때 사용하는 대명사의 형태를 가리키는 말. 소유격의 대명사는 my, your, his, her, our, their, its가 있음.
- Is this **your** book? (이거 네 책이니?)
  your(너의)는 소유를 의미하는 대명사의 소유격

예 "Our bags are on the desk. (우리의 가방들이 책상 위에 있다.)"에서 Our(우리의)는 명사의 소유를 나타내는 대명사의 [소유격]이다.

플러스 개념어 **명사의 소유격**
보통 명사의 소유격은 명사 뒤에 's나 소유의 뜻을 갖는 전치사 of를 써서 만듦.
예 • Kate's hat is so pretty.
(Kate의 모자는 매우 예쁘다.)
• I finally found his bag.
(나는 드디어 그의 가방을 찾았다.)
• We didn't get today's newspaper.
(우리는 오늘의 신문을 받지 못했다.)

possessive pronoun
소유대명사
있을 所 + 있을 有 + 대신할 代 + 이름 名 + 말 詞

문장에서 '소유격+명사'를 하나의 대명사로 나타낸 말. '~의 것'이라는 의미를 가지며 mine, yours, his, hers, ours, theirs, its가 있음.
- Your bag is as good as **mine**. (네 가방은 내 것만큼 좋다.)
  my bag(내 가방) 대신 사용한 소유대명사

예 "Is this cell phone yours? (이 휴대폰 네 것이니?)"에서 your cell phone(네 휴대폰)을 대신하는 yours(네 것)는 [소유대명사]이다.

확인 문제

정답과 해설 ▶ 11쪽

1 단어의 뜻을 찾아 선으로 이어 보자.

(1) 주격 — 주어로 쓰인 대명사.
(2) 소유격 — 명사의 소유를 나타내는 대명사.
(3) 목적격 — 목적어로 쓰인 대명사.
(4) 소유대명사 — '소유격+명사'를 의미하는 대명사.

2 밑줄 친 단어의 격으로 알맞은 것을 골라 ○표 해 보자.

(1) We got some advice from **our** teacher.
(우리는 우리의 선생님에게서 충고를 얻었다.) (주격 , 목적격 , (소유격))

(2) **You** should follow the teacher's advice.
(너는 선생님의 충고를 따라야 해.) ((주격) , 목적격 , 소유격)

(3) Please wait for **me** here.
(여기서 저를 기다려 주세요.) (주격 , (목적격) , 소유격)

해설 | (1) '우리의'라는 의미의 our는 소유격의 대명사이다. (2) '너는'이라는 의미의 You는 주격의 대명사이다. (3) '나를'이라는 의미의 me는 전치사 for의 목적어 역할을 하는 목적격의 대명사이다.

3 밑줄 친 단어가 소유대명사인 것을 찾아 ○표 해 보자.

(1) It's cold. Put on **your** muffler. (날이 추워. 네 목도리를 해라.) (   )

(2) This is my pen. I'll give you **mine**.
(이것은 내 펜이야. 내가 너에게 내 것을 줄게.) (○)

(3) She went to the park with **him**. (그녀는 그와 함께 공원에 갔다.) (   )

(4) This car is not **yours**. It's John's.
(이 차는 네 것이 아니야. 그것은 John의 것이야.) (○)

해설 | (1) your는 '네'라는 의미의 소유격의 대명사이다. (2) mine은 '내 것'이라는 의미의 소유격의 대명사이다. (3) him은 전치사 with의 목적어로 목적격의 대명사이다. (4) yours는 '너의 것'이라는 의미의 소유격의 대명사이다.

1주차 어휘력 테스트

정답과 해설 ▶ 12쪽

1주차 1~5회에서 공부한 단어를 떠올리며 문제를 풀어 보자.

국어

1 빈칸에 들어갈 알맞은 단어를 보기의 글자를 조합해 써 보자.

보기

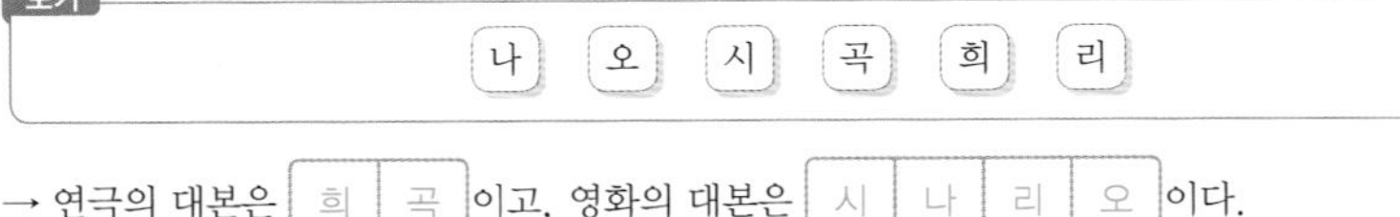

→ 연극의 대본은 [희][곡]이고, 영화의 대본은 [시][나][리][오]이다.

해설 | 연극의 대본은 '희곡'이고, 영화의 대본은 '시나리오'이다.

국어

2 밑줄 친 뜻을 가진 단어를 골라 ○표 해 보자.

선생님: 이번 시간에는 일상생활에서 느낀 것이나 겪은 일을 자유롭게 쓴 글에 대해 배울 거예요.

(시 , 소설 , (수필))

해설 | 일상생활을 하면서 느낀 점이나 겪은 일을 자유롭게 쓴 글을 '수필'이라고 한다.

사회

3 빈칸에 들어갈 단어로 알맞은 것은? (②)

둘 이상의 사람이 [ ]을 가지고 지속적인 상호 작용을 하는 집단을 '사회 집단'이라고 한다.

① 공감 ② 소속감 ③ 책임감 ④ 자신감 ⑤ 존재감

해설 | '사회 집단'은 둘 이상의 사람이 '소속감'을 가지고 지속적인 상호 작용을 하는 집단을 뜻한다.

사회

4 빈칸에 보기의 뜻을 가진 단어를 초성을 바탕으로 써 보자.

보기

대다수의 사람이 즐기고 누리는 문화.

• 우리 가요와 영화 등이 전 세계에서 인기를 끌면서 우리 [대][중][문][화]에 관심을 갖는 외국인이 점점 늘고 있다.

해설 | 대다수의 사람이 즐기고 누리는 문화를 '대중문화'라고 한다.

수학

5 문장에 어울리는 단어를 ( ) 안에서 골라 ○표 해 보자.

(1) 선분을 양쪽으로 끝없이 늘인 곧은 선을 (교선 , (직선))이라고 한다.

(2) 선과 선 또는 선과 면이 만나서 생기는 점을 ((교점), 중점)이라고 한다.

해설 | (1) 선분을 양쪽으로 끝없이 늘인 곧은 선을 '직선'이라고 한다. (2) 선과 선 또는 선과 면이 만나서 생기는 점을 '교점'이라고 한다.

수학

6 그림을 보고 문장에 어울리는 단어를 ( ) 안에서 골라 ○표 해 보자.

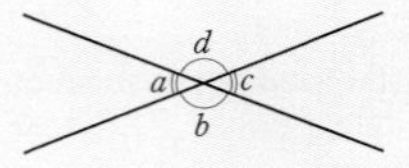

$\angle a$, $\angle b$, $\angle c$, $\angle d$는 두 직선이 만나서 생긴 ((교각), 평각)이다.

해설 | 그림의 각 $\angle a$, $\angle b$, $\angle c$, $\angle d$와 같이 두 직선이 만나서 생기는 각을 '교각'이라고 한다.

과학

7 문장에 어울리는 단어를 ( ) 안에서 골라 ○표 해 보자.

소금물이 든 물컵을 뜨거운 햇볕에 며칠 두었더니 물이 (확산 , (증발))하고 소금만 남았다.

해설 | 소금물에서 액체인 물이 기체로 변한 현상이므로 '증발'이 알맞다.

과학

8 빈칸에 들어갈 단어로 알맞은 것은? (③)

소미: 어제 동생이 집에 있던 풍선을 밖으로 가져가더니 풍선이 쭈그러들었다고 울상을 짓더라.
창민: 아, 겨울이라 집과 밖의 온도 차이 때문에 풍선의 [ ]이/가 줄어든 거구나.

① 무게 ② 질량 ③ 부피 ④ 입자 ⑤ 압력

해설 | 겨울철에 실내와 실외의 온도 차이 때문에 풍선의 크기가 줄어든 것이므로 '부피'가 알맞다.

한자

9 빈칸에 알맞은 단어가 되도록 글자를 조합해 써 보자.

(1) [견][물][생][심]은/는 어떠한 실물을 보게 되면 그것을 가지고 싶은 욕심이 생긴다는 뜻이다.

심 견 생 물

(2) [거][두][절][미]은/는 앞과 뒤의 군더더기를 빼고 어떤 일의 중심만 간단히 말한다는 뜻이다.

두 미 거 절

해설 | (1) 어떠한 실물을 보게 되면 그것을 가지고 싶은 욕심이 생긴다는 뜻을 가진 단어는 '견물생심'이다. (2) 앞과 뒤의 군더더기를 빼고 어떤 일의 중심만 간단히 말한다는 뜻을 가진 단어는 '거두절미'이다.

영문법

10 밑줄 친 대명사가 주격, 목적격, 소유격 중 무엇인지 각각 써 보자.

It is my ball. (그것은 나의 공이다.)

(1) It → (주격)　(2) my → (소유격)

해설 | '그것은'이라는 의미의 It은 문장에서 주어 역할을 하는 대명사이므로 '주격'이 알맞고, '나의'라는 의미의 my는 ball(공)의 소유자가 '나'임을 밝히는 대명사이므로 '소유격'이 알맞다.

어휘가 문해력이다

중학 1학년 2학기

2주차 정답과 해설

2주차 1회

국어 교과서 어휘

수록 교과서 국어 1-2
읽기 – 요약하며 읽기

단어와 그 뜻을 익히고, 빈칸에 알맞은 단어를 써 보자.

요약
중요할 要 + 묶을 約
'約'의 대표 뜻은 '맺다'임.

글에서 중요한 점만을 골라 간략하게 정리하는 일.
예 설명하는 글을 요약할 때는 먼저 문단에서 중심 문장을 찾아야 한다.

플러스 개념어 **중심 문장**
문단에서 중심이 되는 문장으로, 말하려고 하는 핵심 내용을 나타낸 문장.

줄거리

어떤 내용에 덧붙은 군더더기를 다 떼어 버리고 중심이 되는 것만 연결한 것.
예 소설의 줄거리는 소설의 전체 내용을 요약한 것이다.

구조
얽을 構 + 지을 造

부분이나 요소가 어떤 전체를 이루는 모양.
예 문단별로 중심 내용을 정리하면 글의 구조를 파악하기 쉽다.

플러스 개념어 **글의 구조**
글의 구조에는 여러 가지 내용을 죽 늘어놓은 열거, 원인과 결과를 아울러 이르는 인과, 공통점과 차이점을 찾아 설명하는 비교와 대조 등이 있음.

목적
견해 目 + 목표 的
'目'의 대표 뜻은 '눈', '的'의 대표 뜻은 '과녁'임.

실현하려고 하는 일이나 나아가고자 하는 방향.
예 교과서를 읽는 목적은 공부할 내용을 배워서 익히기 위한 것이다.

글을 읽는 목적에 따라 글을 요약하는 방법도 달라져야 해.

전개 방식
펼 展 + 열 開 + 방법 方 + 법 式
'方'의 대표 뜻은 '모(모퉁이)'임.

글의 내용을 펼쳐 나가는 일정한 방법이나 형식.
예 그는 이번 작품에서도 결말에서 반전이 일어나는 전개 방식을 보여 주었다.

도입
이끌 導 + 들 入
'導'의 대표 뜻은 '인도하다'임.

문학 작품이나 책 등에서 전체를 살펴보고, 방향이나 방법 등을 미리 알리는 일.
예 저자는 이 글의 도입 부분에서 두 바이러스의 서로 다른 특징에 관해 설명할 것임을 밝혔다.

확인 문제

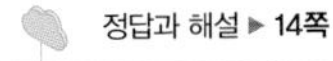

정답과 해설 ▶ 14쪽

1 뜻에 알맞은 단어가 되도록 보기의 글자를 조합해 써 보자.

보기
약 축 조
요 목 분
구 상 적

(1) 실현하려고 하는 일이나 나아가고자 하는 방향. → 목 적

(2) 부분이나 요소가 어떤 전체를 이루는 모양. → 구 조

(3) 글에서 중요한 점만을 골라 간략하게 정리하는 일. → 요 약

2 밑줄 친 단어의 뜻으로 알맞은 것은? (④)

읽었던 내용을 한 번 더 되새겨 보면 자연스럽게 <u>줄거리</u>가 정리될 수 있다.

① 부분이나 요소가 어떤 전체를 이루는 모양.
② 글의 내용을 펼쳐 나가는 일정한 방법이나 형식.
③ 글에서 중요한 점만을 골라 간략하게 정리하는 일.
④ 어떤 내용에 덧붙은 군더더기를 다 떼어 버리고 중심이 되는 것만 연결한 것.
⑤ 문학 작품이나 책 등에서 전체를 살펴보고, 방향이나 방법 등을 미리 알리는 일.

해설 | '줄거리'는 어떤 내용에 덧붙은 군더더기를 다 떼어 버리고 중심이 되는 것만 연결한 것이다. ①은 '구조', ②는 '전개 방식', ③은 '요약', ⑤는 '도입'의 뜻이다.

해설 | (1) 논설문을 요약하는 방법을 설명하므로 '요약'이 알맞다. (2) 책의 도입 부분이 하는 역할을 설명하므로 '도입'이 알맞다. (3) 글을 읽는 목적에 따라 중심 내용이 다를 수 있음을 설명하므로 '목적'이 알맞다. (4) 내용의 전개 방식 중의 하나인 '선경후정'을 설명하므로 '전개 방식'이 알맞다.

3 ( ) 안에 들어갈 알맞은 단어를 보기에서 찾아 써 보자.

보기
도입 목적 요약 전개 방식

(1) 논설문은 주장과 근거를 중심으로 글을 (요약)해야 한다.

(2) 이 책은 (도입) 부분에서 남극 연구에 대한 흥미를 유발하고 있다.

(3) 글을 읽는 (목적)에 따라 글에서 중요하게 생각하는 내용이 다를 수 있다.

(4) 문학에서 '선경후정'은 앞부분에서 경치를 묘사하고 뒷부분에서 그에 대한 감상을 표현하는 (전개 방식)을 가리킨다.

2주차 1회 사회 교과서 어휘

수록 교과서 사회 ①
Ⅸ. 정치 생활과 민주주의

단어와 그 뜻을 익히고, 빈칸에 알맞은 단어를 써 보자.

정치권력
정사 政 + 다스릴 治 + 권세 權 + 힘 力
'정사'는 나라를 다스리는 일을 뜻함.

국가가 정치적 기능을 다하기 위해 행사하는 힘.
예 좁은 의미의 정치는 정치인들이 [정치권력]을 획득하고 행사하는 활동을 말한다.

시민 혁명
저자 市 + 백성 民 + 고칠 革 + 규정 命
'革'의 대표 뜻은 '가죽', '命'의 대표 뜻은 '목숨'임.

상공업을 통해 재산을 쌓은 시민 계급이 봉건주의를 무너뜨리고 자유롭고 평등한 시민이 중심인 사회를 확립하기 위해 일으킨 사회 혁명.
예 영국의 명예혁명이나 프랑스 혁명은 절대 왕정에 맞선 대표적인 [시민 혁명]의 예이다.

플러스 개념어 **절대 왕정**
군주가 어떠한 법률이나 기관에도 구속받지 않는 절대적인 권한을 가지는 정치 체제.

인종 차별
사람 人 + 씨 種 + 다를 差 + 나눌 別

인종적인 차이를 이유로 특정 인간 집단을 차이를 두어 구별하는 일. 피부색에 따른 것이 대표적임.
예 마틴 루터 킹은 [인종 차별]에 대항하여 미국 내 흑인 인권 운동을 펼쳤다.

플러스 개념어 **차별, 차이**
- 차별: 나와 다르다거나 내가 속한 집단에 어울리지 않는다는 이유로 어떤 사람이나 집단을 부당하게 대우하는 것.
- 차이: 서로 같지 않고 다른 것으로, 다양한 사람들이 모여 사는 사회에서 차이가 발생하는 것은 자연스러운 현상임.

민주 정치
백성 民 + 주인 主 + 정사 政 + 다스릴 治
'主'의 대표 뜻은 '임금'임.

국가의 주권이 국민에게 있고, 국민의 뜻에 따라 이루어지는 정치를 의미함.
예 고대 아테네에서는 모든 시민들이 국가의 일을 직접 결정하는 직접 [민주 정치]가 이루어졌다.

존엄성
높을 尊 + 엄할 嚴 + 성질 性
'性'의 대표 뜻은 '성품'임.

감히 범할 수 없는 높고 엄숙한 성질.
예 민주주의는 인간의 [존엄성]을 실현하여 모든 사람이 그 자체로 존중받는 것을 목표로 한다.

플러스 개념어 **인간의 존엄성**
인간이 다른 모든 조건을 떠나서 인간이라는 이유만으로도 존중받아야 한다는 의미. 아무리 흉악한 인간이라도 그 죄를 뉘우치고 선한 사람이 될 수 있는 가능성을 지니고 있기에 그의 존엄성을 부정하거나 거부해서는 안 된다고 봄.

평등
평평할 平 + 무리 等

모든 사람이 성별, 인종, 재산, 신분 등에 의해 부당하게 차별당하지 않고 동등하게 대우받는 것.
예 인간의 존엄성을 실현하기 위해서는 자유와 [평등]을 보장해야 한다.

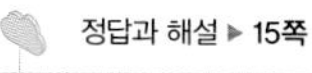

확인 문제

정답과 해설 ▸ 15쪽

1 뜻에 알맞은 단어를 찾아 선으로 이어 보자.

(1) 국민의 뜻에 따라 이루어지는 정치. •
(2) 국가가 정치적 기능을 다하기 위해 행사하는 힘. •
(3) 시민 계급이 봉건주의를 무너뜨리고 자본주의적인 정치, 경제 체제를 확립한 사회 혁명. •

• 시민 혁명
• 민주 정치
• 정치권력

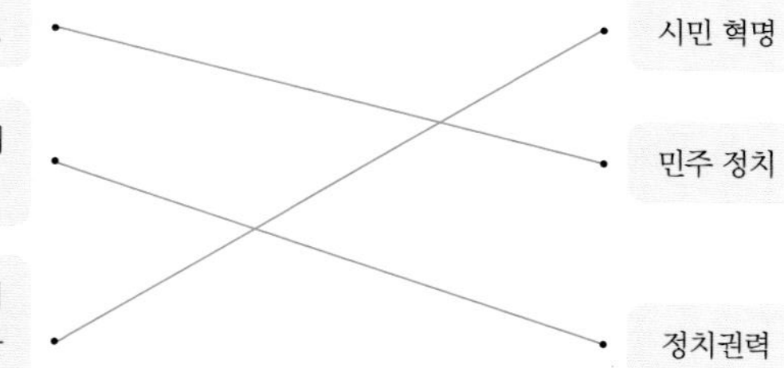

해설 | (1) 군주가 어떠한 법률이나 기관에도 구속받지 않는 절대적인 권한을 가지는 정치 체제를 '절대 왕정'이라고 한다. (2) 모든 사람이 성별, 인종, 재산, 신분 등에 의해 부당하게 차별당하지 않고 동등하게 대우받는 것을 '평등'이라고 한다.

2 뜻에 알맞은 단어가 되도록 보기의 글자를 조합해 써 보자.

보기: 절 평 왕 대 정 등

(1) 어떠한 법률이나 기관에도 구속받지 않는 절대적인 권한을 가지는 정치 체제.
→ 절대 왕정

(2) 모든 사람이 성별, 인종, 재산, 신분 등에 의해 부당하게 차별당하지 않고 동등하게 대우받는 것.
→ 평등

해설 | (1) 인간의 '존엄성'은 자유와 평등이 보장될 때 실현될 수 있다. (2) 민주 정치와 독재 정치는 정치 운영 방식에서 서로 '차이'가 있다. (3) 피부색이 다르다는 이유로 차별하는 것이므로 '인종 차별'이 알맞다.

3 (　) 안에 들어갈 알맞은 단어를 보기에서 찾아 써 보자.

보기: 차이　존엄성　인종 차별

(1) 인간의 (존엄성)을/를 실현하기 위해서는 자유와 평등을 보장해야 한다.
(2) 국민의 뜻에 따라 이루어지는 민주 정치는 독재 정치와 (차이)이/가 있다.
(3) 링컨의 노예 해방 선언 이후에도 피부색이 다르다는 이유로 (인종 차별)이/가 이루어지고 있다.

수학 교과서 어휘

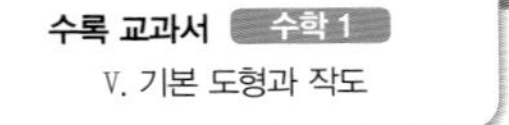

단어와 그 뜻을 익히고, 빈칸에 알맞은 단어를 써 보자.

평행 평평할 平 + 다닐 行	두 직선이 서로 만나지 않을 때, 그 두 직선은 평행이라고 함. 예 두 직선이 서로 만나지 않고 일정한 거리를 유지한다면 이 두 직선은 서로 평행하다. 두 직선 l, m은 서로 평행 ⇨ $l /\!/ m$
평행선 평평할 平 + 다닐 行 + 줄 線	평행한 두 직선으로, 서로 만나지 않는 두 직선. 예 l, m처럼 평행한 두 직선을 평행선이라고 한다.
꼬인 위치 꼬인 + 자리 位 + 둘 置	공간에서 두 직선이 서로 만나지도 평행하지도 않은 위치. 예 공간에서 만나지도 않고 평행하지도 않는 두 직선을 꼬인 위치에 있다고 한다.
작도 지을 作 + 그림 圖	일정한 조건에 적합한 도형을 그리는 일로, 수학에서는 눈금이 없는 자와 컴퍼스만을 사용하여 도형을 그리는 것. 예 눈금이 없는 자와 컴퍼스만을 사용하여 선분이나 원을 그리는 것을 작도라고 한다. $\overline{AB}$와 길이가 같은 선분의 작도 → ❶ 직선 l과 l 위의 점 P 그리기 (자를 이용함.) ❷ $\overline{AB}$의 길이 재기 (컴퍼스를 이용함.) ❸ $\overline{AB}=\overline{PQ}$인 점 Q를 그려 $\overline{PQ}$ 완성하기 ▲ 길이가 같은 선분의 작도
동위각 같을 同 + 자리 位 + 각도 角 '角'의 대표 뜻은 '뿔'임.	같은 위치에 있는 각으로, 두 직선이 다른 한 직선과 만나서 생기는 각 중 같은 쪽에 있는 각. 예 두 직선 l, m이 다른 한 직선 n과 만나서 생기는 8개의 각 중 같은 위치에 있는 두 각 $\angle a$와 $\angle e$, $\angle b$와 $\angle f$, $\angle c$와 $\angle g$, $\angle d$와 $\angle h$를 동위각이라고 한다.
엇각 엇 + 각도 角	엇갈린 위치에 있는 각으로, 두 직선이 다른 한 직선과 만나서 생기는 각 중 서로 반대쪽에 어긋나 있는 각. 예 두 직선 l, m이 다른 한 직선 n과 만나서 생기는 8개의 각 중 엇갈린 위치에 있는 각 $\angle b$와 $\angle h$, $\angle c$와 $\angle e$를 엇각이라고 한다. Tip 엇각은 한 직선과 만나는 두 직선의 안쪽에서만 나타남. 두 직선이 한 직선과 만날 때 두 직선이 평행하면 동위각, 엇각의 크기는 같음.

확인 문제

정답과 해설 ▶ 16쪽

1 단어의 뜻을 보기에서 찾아 사다리를 타고 내려간 곳에 기호를 써 보자.

보기
- ㉠ 서로 만나지 않는 두 직선. 평행선
- ㉡ 공간에서 두 직선이 서로 만나지도 평행하지도 않은 위치. 꼬인 위치
- ㉢ 두 직선이 다른 한 직선과 만나서 생기는 각 중 같은 쪽에 있는 각. 동위각
- ㉣ 두 직선이 다른 한 직선과 만나서 생기는 각 중 서로 반대쪽에 어긋나 있는 각. 엇각

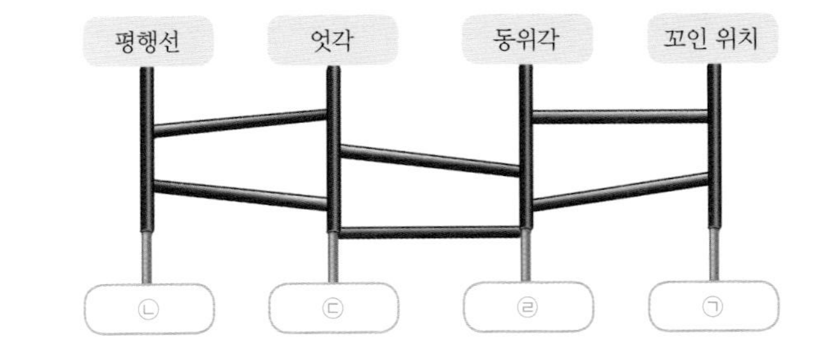

2 빈칸에 들어갈 알맞은 말을 초성을 바탕으로 써 보자.

세 변의 길이가 a, b, c인 삼각형 ABC를 눈금이 없는 자와 컴퍼스만을 사용하여 다음 순서로 그리는 것을 작도라고 한다.

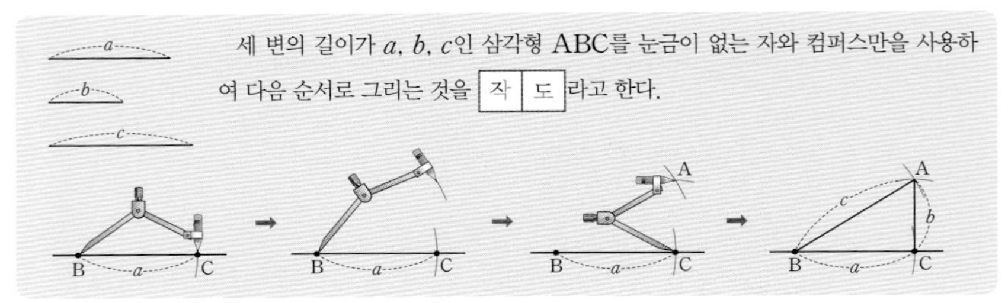

해설 | 눈금이 없는 자와 컴퍼스만을 사용하여 삼각형 ABC를 그리는 과정을 보여 주고 있으므로 '작도'가 알맞다.

3 ( ) 안에 들어갈 알맞은 단어를 보기에서 찾아 써 보자.

보기: 동위각 엇각

(1) $\angle a$와 $\angle e$는 (동위각)이다.

(2) $\angle b$와 $\angle h$는 (엇각)이다.

(3) $\angle c$와 $\angle e$는 (엇각)이다.

(4) $\angle d$와 $\angle h$는 (동위각)이다.

해설 | (1), (4) $\angle a$와 $\angle e$, $\angle b$와 $\angle f$, $\angle c$와 $\angle g$, $\angle d$와 $\angle h$는 '동위각'이다. (2), (3) $\angle b$와 $\angle h$, $\angle c$와 $\angle e$는 '엇각'이다.

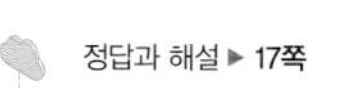

과학 교과서 어휘

수록 교과서 과학 1
V. 물질의 상태 변화

단어와 그 뜻을 익히고, 빈칸에 알맞은 단어를 써 보자.

물질
물건 物 + 바탕 質

물체를 이루고 있는 재료.

예 농구공을 만드는 가죽이나 헬멧을 만드는 플라스틱 등 물체를 이루는 재료를 [물질]이라고 한다.

고체
굳을 固 + 몸체 體
'體'의 대표 뜻은 '몸'임.

일정한 모양과 부피를 가지고 있는, 입자 배열이 규칙적인 상태.

예 나무, 철, 플라스틱처럼 일정한 모양과 크기를 가지고 있는 물질은 [고체]이다.

액체
즙 液 + 몸체 體
'液'의 대표 뜻은 '진(끈끈한 물질)'임.

일정한 부피를 가지고 있으나 담는 그릇의 모양에 따라 형태가 변하고, 입자 배열이 불규칙적인 상태.

예 물, 우유, 수돗물, 식용유처럼 흐르는 성질이 있어서 담는 그릇에 따라 모양이 달라지는 물질은 [액체]이다.

상태 변화
형상 狀 + 모양 態 + 변할 變 + 될 化

물질이 온도와 압력에 따라 다른 상태로 변하는 현상.

예 페트병에 물을 넣고 얼리면 부피가 커지면서 병이 볼록하게 튀어나오는데, 이는 액체에서 고체로 [상태 변화]가 일어나기 때문이다.

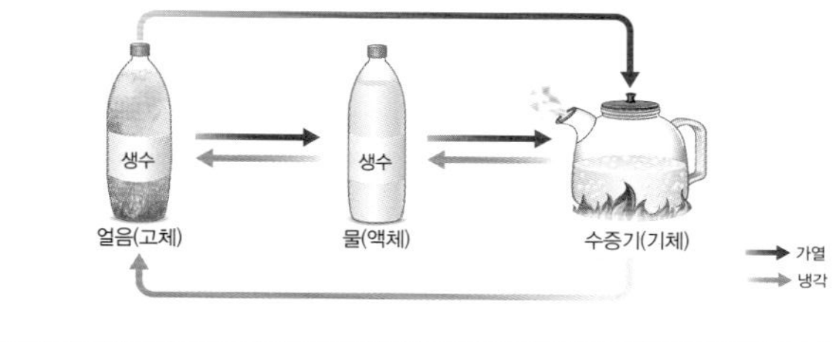

융해
녹을 融 + 녹일 解
'解'의 대표 뜻은 '풀다'임.

고체에서 액체로 상태가 변하는 현상.

예 아이스크림이나 얼음이 녹는 것은 [융해]의 예이다.

플러스 개념어 **용해**
소금이 물에 녹아 소금물이 되는 것과 같이 어떤 물질이 다른 물질에 녹는 현상.

응고
엉길 凝 + 굳을 固

액체에서 고체로 상태가 변하는 현상.

예 지붕의 눈이 녹았다가 처마 밑에서 다시 얼면서 고드름이 되는 것은 [응고]의 예이다.

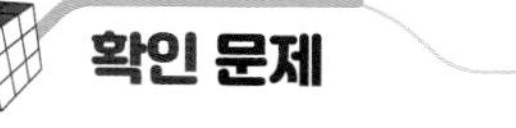

확인 문제

정답과 해설 ▶ 17쪽

1 단어의 뜻을 보기에서 찾아 사다리를 타고 내려간 곳에 기호를 써 보자.

보기
㉠ 물체를 이루고 있는 재료. 물질
㉡ 일정한 모양과 부피를 가지고 있는, 입자 배열이 규칙적인 상태. 고체
㉢ 일정한 부피를 가지고 있으나 담는 그릇의 모양에 따라 형태가 변하고, 입자 배열이 불규칙적인 상태. 액체

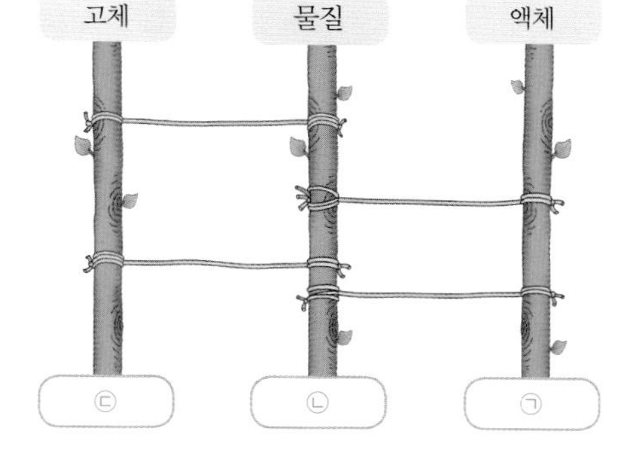

해설 | 고체에서 액체로 상태가 변하는 현상을 뜻하는 단어는 '융해'이고, 액체에서 고체로 상태가 변하는 현상을 뜻하는 단어는 '응고'이다.

2 문장에 어울리는 단어를 ( ) 안에서 골라 ○표 해 보자.

고체에서 액체로 상태가 변하는 현상을 (응고 , (융해))라고 하고, 액체에서 고체로 상태가 변하는 현상을 ((응고), 융해)라고 한다.

해설 | (1) 액체에서 고체로 상태가 변하는 '응고'의 예이다. (2) 고체에서 액체로 상태가 변하는 '융해'의 예이다. (3) 연필과 지우개를 이루고 있는 흑연과 고무 등의 재료는 '물질'의 예이다. (4) 고체에서 액체로, 다시 고체로 변하는 '상태 변화'의 예이다.

3 ( ) 안에 들어갈 알맞은 단어를 보기에서 찾아 써 보자.

보기
물질 융해 응고 상태 변화

(1) 촛농이 녹아 흘러내리면서 굳는 것은 (응고)의 예이다.
(2) 초콜릿이 열에 녹아 액체 상태로 되는 것은 (융해)의 예이다.
(3) 연필, 지우개를 이루고 있는 흑연, 고무 등의 재료를 (물질)(이)라고 한다.
(4) 고체 비누 베이스를 가열하면 액체 상태로 변하고, 녹은 비누 베이스를 틀에 부어 굳히면 고체 비누로 변하는데, 이 현상을 (상태 변화)(이)라고 한다.

2주차 3회

국어 교과서 어휘

수록 교과서 국어 1-2
듣기·말하기 – 토의하기

단어와 그 뜻을 익히고, 빈칸에 알맞은 단어를 써 보자.

토의
찾을 討 + 의논할 議
'討'의 대표 뜻은 '치다'임.

공통의 문제를 해결하려고 여러 사람이 서로 협력하여 의논하는 말하기.

예 [토][의]를 할 때는 개인의 문제가 아닌, 여러 사람들에게 공통된 문제를 주제로 다루어야 한다.

토의와 달리 '토론'은 찬성과 반대의 입장으로 나뉘는 주제에 대하여, 근거를 들어 자신의 주장을 논리적으로 펼치는 말하기야.

의견
뜻 意 + 견해 見
'見'의 대표 뜻은 '보다'임.

어떤 대상에 대하여 가지는 생각.

예 토의를 할 때는 토의 주제를 분석한 뒤 문제의 해결 방안을 [의][견]으로 제시한다.

사회자
맡을 司 + 모일 會 + 사람 者

모임에서 진행을 맡아보는 사람.

예 토의에서 [사][회][자]의 역할은 토의 주제와 토의 순서 및 규칙을 안내하고, 토의를 진행하는 것이다.

플러스 개념어 **토의 참여자**
토의에 참여하는 사람은 토의를 진행하는 사회자, 문제 해결에 필요한 의견과 근거를 제시하는 참가자, 토의를 관람하는 청중이 있음.

합리적
맞을 合 + 이치 理 + ~한 상태로 되는 的
'合'의 대표 뜻은 '합하다', '理'의 대표 뜻은 '다스리다', '的'의 대표 뜻은 '과녁'임.

어떤 일을 해 나갈 방법으로 꼭 알맞은 것.

예 토의를 통해 [합][리][적]인 해결 방안을 찾을 수 있다.

공감
한가지 共 + 느낄 感

다른 사람의 의견, 주장, 감정에 대하여 자기도 그렇다고 느끼는 것.

예 상대방이 말할 때 고개를 끄덕이는 것은 상대방의 말에 [공][감]하고 있음을 나타내는 행동이다.

통계 자료
합칠 統 + 셀 計 + 재물 資 + 헤아릴 料
'統'의 대표 뜻은 '거느리다'임.

어떤 현상을 한눈에 알아보기 쉽게 정리하여 일정한 기준에 따라 숫자로 나타낸 자료.

예 [통][계] [자][료]를 제시할 때는 그 자료를 얻은 출처를 함께 밝혀야 한다.

정답과 해설 ▶ 18쪽

확인 문제

1 뜻에 알맞은 단어를 빈칸에 써 보자.

		❷사		
		회		
❶참	가	자		
			❸토	❹의
				견

가로 열쇠
❶ 토의에 참여하여 의견과 근거를 제시하는 사람.
❸ 공통의 문제를 해결하려고 여러 사람이 서로 협력하여 의논하는 말하기.

세로 열쇠
❷ 모임에서 진행을 맡아보는 사람.
❹ 어떤 대상에 대하여 가지는 생각.

2 보기의 뜻을 가진 단어로 알맞은 것은? (⑤)

보기
- 어떤 현상을 한눈에 알아보기 쉽게 정리하여 일정한 기준에 따라 숫자로 나타낸 자료.
- 어떤 주제에 대하여 여러 사람들에게 물어보거나 조사를 통해 얻은 자료.

① 공감　② 의견　③ 토의　④ 사회자　⑤ 통계 자료

해설 | 어떤 현상을 한눈에 알아보기 쉽게 정리하여 일정한 기준에 따라 숫자로 나타낸 자료로, 어떤 주제에 대하여 여러 사람들에게 물어보거나 조사를 통해 얻은 자료를 '통계 자료'라고 한다.

해설 | (1) 다른 사람의 의견, 주장, 감정에 대하여 자기도 그렇다고 느끼는 것을 뜻하는 '공감'이 알맞다. (2) 어떤 일을 해 나갈 방법으로 꼭 알맞은 것을 뜻하는 '합리적'이 알맞다. (3) 어떤 대상에 대하여 가지는 생각을 뜻하는 '의견'이 알맞다. (4) 공통의 문제를 해결하려고 여러 사람이 서로 협력하여 의논하는 말하기를 뜻하는 '토의'가 알맞다.

3 ( ) 안에 들어갈 알맞은 단어를 보기에서 찾아 써 보자.

보기
공감　의견　토의　합리적

(1) 우리는 음식물 쓰레기의 양을 줄여야 한다는 것에 (공감)하였다.
(2) 학교에서 발생한 이번 문제의 해결을 위해 (합리적)인 방법을 함께 찾기로 하였다.
(3) 선생님께서는 문제를 해결하려면 식습관부터 바로잡는 것이 좋겠다는 (의견)을/를 주셨다.
(4) 우리는 (토의)을/를 통해서 우리 반에서 발생하는 문제에 관해 최선의 해결 방안을 얻고자 하였다.

2주차 3회

사회 교과서 어휘

수록 교과서 사회 ①
Ⅸ. 정치 생활과 민주주의

단어와 그 뜻을 익히고, 빈칸에 알맞은 단어를 써 보자.

윤번제
바퀴 輪 + 차례 番 + 법도 制
'制'의 대표 뜻은 '절제하다'임.

어떤 임무를 차례로 돌아가면서 맡는 제도.
예 아테네 시민들은 추첨이나 윤번제를 통해 공직을 맡을 수 있었다.

입헌주의
설 立 + 법 憲 + 주장할 主 + 뜻 義
'主'의 대표 뜻은 '임금', '義'의 대표 뜻은 '옳다'임.

국민의 자유와 권리가 국가 권력에 의해서 부당하게 침해당하지 않도록 국가의 운영과 행정을 헌법에 따르도록 하는 통치 원리.
예 헌법에 따라 국가 기관을 구성하고 국가를 운영해야 한다는 것이 입헌주의 원리이다.

권력 분립
권세 權 + 힘 力 + 나눌 分 + 설 立

국가 권력을 각각 독립된 기관이 나누어 맡도록 함으로써, 각 기관이 서로 견제하여 권력의 균형을 이루고자 하는 정치 원리.
예 우리나라에서는 국민의 자유와 권리를 보장하기 위해 국가의 권력을 입법, 사법, 행정으로 나누는 권력 분립 제도를 채택하고 있다.

입법부(국회) 법률 제정
국민
행정부(정부) 법률 집행
사법부(법원) 법률 적용
견제 / 견제 / 견제

▲ 삼권 분립

의원 내각제
의논할 議 + 관서 院 + 안 內 + 관서 閣 + 법도 制
'院'과 '閣'의 대표 뜻은 '집'임.

입법부와 행정부가 긴밀한 관계를 맺고 국가를 운영하는 정부 형태. 영국에서 처음 시작됨.
예 의원 내각제에서는 의회에서 선출된 총리가 내각을 구성한다.

대통령제
큰 大 + 거느릴 統 + 거느릴 領 + 법도 制

입법부와 행정부가 엄격히 분리되어 서로 견제와 균형을 이루는 정부 형태. 대통령을 중심으로 국정이 운영됨.
예 대통령제에서는 대통령의 임기가 정해져 있어 행정부가 안정적으로 정책을 수행할 수 있다.

탄핵
탄핵할 彈 + 꾸짖을 劾
'彈'의 대표 뜻은 '탄알'임.

대통령, 국무총리, 법관 등 신분이 강력하게 보장되어 있어 소추가 곤란한 고급 공무원을 헌법에 따라 처벌하거나 파면하는 특별한 제도.
예 탄핵은 법을 어긴 고위 공무원을 민주적으로 파면하기 위한 제도이다.

플러스 개념어 소추
검사가 특정한 형사 사건에 관하여 법원에 재판을 청구하는 것.

확인 문제

정답과 해설 ▶ 19쪽

1 단어의 뜻을 보기에서 찾아 사다리를 타고 내려간 곳에 기호를 써 보자.

보기
㉠ 헌법에 의한 통치를 의미함. 입헌주의
㉡ 입법부와 행정부가 긴밀한 관계를 맺고 국가를 운영하는 정부 형태. 의원 내각제
㉢ 입법부와 행정부가 엄격히 분리되어 견제와 균형이 이루어지는 정부 형태. 대통령제

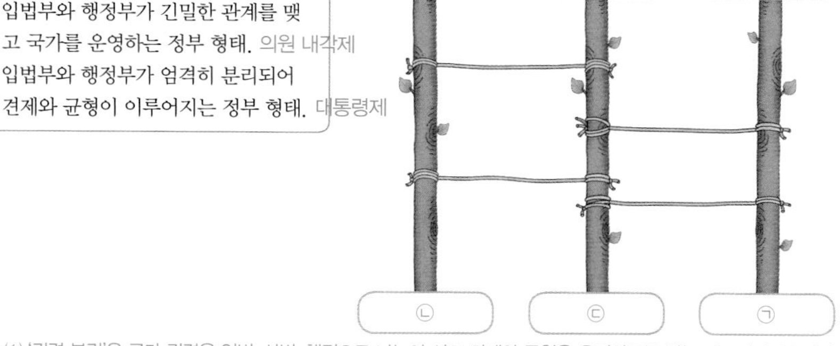

해설 | (1) '권력 분립'은 국가 권력을 입법, 사법, 행정으로 나누어 서로 견제와 균형을 유지하도록 하는 제도이다. (2) 아테네 시민들은 '윤번제'를 통해 공직에 참여하였다. (3) '탄핵'은 신분이 강력하게 보장되어 있는 고급 공무원을 헌법에 따라 처벌하거나 파면할 수 있는 제도이다.

2 빈칸에 들어갈 알맞은 단어를 찾아 선으로 이어 보자.

(1) 권력 분립: 국가의 권력을 입법, ☐, 행정으로 나누는 것. — 사법
(2) 고대의 민주 정치: 직접 민주주의를 실시한 아테네에서는 ☐을/를 통해 공직을 맡고 임무를 처리하도록 함. — 윤번제
(3) ☐: 신분이 강력하게 보장되어 있어 소추가 곤란한 고급 공무원을 헌법에 따라 처벌하거나 파면하는 특별한 제도. — 탄핵

윤번제 · 사법 · 탄핵

해설 | (1) 권력 분립의 원리에 따라 법을 제정하는 권한은 입법부, 법을 집행하는 권한은 행정부, 법을 적용하고 판단하는 권한은 사법부가 갖는다. (2) 영국, 일본, 인도, 독일 등은 의원 내각제를 실시하는 국가이다. (3) 민주 정치에서 각 기관이 국가 권력을 나누어 맡는 것은 독재 권력을 막고 권력의 균형을 이루기 위한 것이다.

3 문장에 어울리는 단어를 ( ) 안에서 골라 ○표 해 보자.

(1) 법을 제정하는 권리는 (행정부 , (입법부))에 있다.
(2) 영국, 일본, 인도, 독일 등은 입법부와 행정부의 관계가 밀접한 ((의원 내각제), 대통령제)를 시행하고 있다.
(3) 독재 권력의 출현을 막기 위해 국가의 권력을 각각 독립된 기관이 나누어 맡도록 하는 것을 ((권력 분립), 국민 주권)이라고 한다.

수학 교과서 어휘

수록 교과서 수학 1
Ⅴ. 기본 도형과 작도
Ⅵ. 평면도형의 성질

단어와 그 뜻을 익히고, 빈칸에 알맞은 단어를 써 보자.

삼각형
석 三 + 모 角 + 모양 形
'角'의 대표 뜻은 '뿔'임.

세 꼭짓점과 세 변으로 이루어진 도형.
예 세 꼭짓점 A, B, C와 세 변 AB, BC, CA로 이루어진 도형을 삼각형이라고 한다.

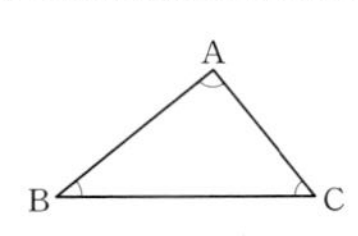

대변
마주할 對 + 가장자리 邊

마주 보는 변으로, 삼각형에서 한 꼭짓점과 마주 보는 변.
예 삼각형 ABC에서 각 A의 대변은 꼭짓점 A와 마주 보는 변 BC이다.

대각
마주할 對 + 모 角

마주 보는 각으로, 삼각형에서 변과 마주 보는 각.
예 삼각형 ABC에서 변 BC의 대각은 변 BC와 마주 보는 각 A이다.

(그림: $\overline{BC}$의 대각, ∠A의 대변)

합동
합할 合 + 같을 同
'同'의 대표 뜻은 '한가지'임.

포개었을 때 완전히 겹치는 것으로, 모양과 크기가 같아 완전히 포개어지는 관계.
예 서로 합동인 두 도형을 포개었을 때 완전히 겹치는 점을 대응점, 겹치는 변을 대응변, 겹치는 각을 대응각이라고 한다.

(그림: 대응점, 대응변, 대응각)
삼각형 ABC와 삼각형 DEF가 서로 합동일 때, △ABC≡△DEF임.

다각형
많을 多 + 모 角 + 모양 形

각이 많은 평면도형으로, 선분으로만 둘러싸인 도형.
예 변이 3개, 4개, 5개, …의 선분으로 둘러싸인 다각형을 삼각형, 사각형, 오각형, …이라고 한다.

정다각형
같을 正 + 많을 多 + 모 角 + 모양 形
'正'의 대표 뜻은 '바르다'임.

모든 변의 길이가 서로 같고, 각의 크기가 모두 같은 다각형.
예 왼쪽 직사각형은 네 각의 크기는 모두 같지만 변의 길이는 모두 같지 않으므로 정다각형이 아니다.

정삼각형 정사각형 정오각형 정육각형
▲ 정다각형

대각선
마주할 對 + 모 角 + 줄 線

마주 보는 두 각을 이은 선으로, 다각형에서 서로 이웃하지 않는 두 꼭짓점을 이은 선분.
예 삼각형은 꼭짓점이 3개인데 3개의 꼭짓점이 모두 이웃하고 있기 때문에 대각선을 그을 수 없다.

삼각형: 0개 사각형: 2개 오각형: 5개
▲ 다각형의 대각선 수

확인 문제

정답과 해설 ▶ 20쪽

1 뜻에 알맞은 단어를 빈칸에 써 보자.

			❶삼
			각
❷정	다	각	형

가로 열쇠 ❷ 모든 변의 길이가 서로 같고, 각의 크기가 모두 같은 다각형.
세로 열쇠 ❶ 세 꼭짓점과 세 변으로 이루어진 도형.

해설 | (1) 삼각형에서 변과 마주 보는 각은 '대각'이다. (2) 삼각형에서 한 꼭짓점과 마주 보는 변은 '대변'이다. (3) 모양과 크기가 같아 완전히 포개어지는 관계는 '합동'이다. (4) 다각형에서 서로 이웃하지 않는 두 꼭짓점을 이은 선분은 '대각선'이다.

2 ( ) 안에 들어갈 알맞은 단어를 보기에서 찾아 써 보자.

보기: 합동 대각선 대각 대변

(1) 삼각형에서 변과 마주 보는 각은 (대각)이다.
(2) 삼각형에서 한 꼭짓점과 마주 보는 변은 (대변)이다.
(3) 모양과 크기가 같아 완전히 포개어지는 관계를 (합동)이라고 한다.
(4) 다각형에서 서로 이웃하지 않는 두 꼭짓점을 이은 선분은 (대각선)이다.

해설 | (1) 꼭짓점 B와 마주 보는 변 AC가 각 B의 '대변'이다. (2) 곡선으로 이루어진 평면도형은 '다각형'이 아니고, 선분으로만 둘러싸인 도형이 '다각형'이다. (3) 두 사각형이 서로 합동일 때 각 A와 대응각 E의 크기는 같다. (4) 다각형에서 '대각선'은 서로 이웃하지 않는 두 꼭짓점을 이은 선분이므로 오각형은 5개의 대각선을 가진다.

3 빈칸에 들어갈 알맞은 단어를 초성을 바탕으로 써 보자.

(1) 삼각형 ABC에서 각 B의 대변은 꼭짓점 B와 마주 보는 변 AC이다.

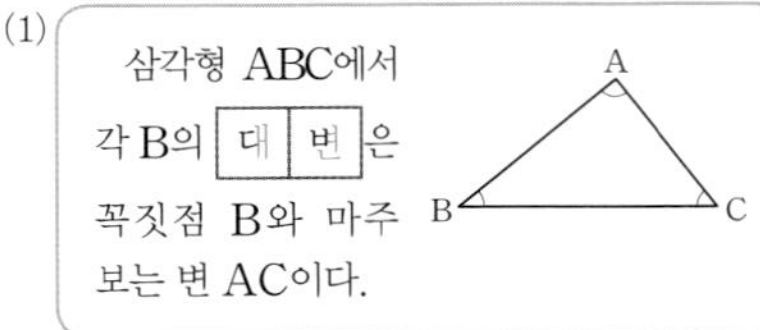

(2) 오른쪽 도형은 선분과 곡선으로 이루어진 도형이므로 다각형이 아니다.

(3) 사각형 ABCD와 사각형 EFGH가 서로 합동일 때, 각 A의 대응각인 각 E의 크기는 87°이다.

(4) 오각형의 한 꼭짓점에서 그을 수 있는 대각선의 개수는 2개이고, 오각형의 대각선 수는 5개이다.

2주차 4회 과학 교과서 어휘

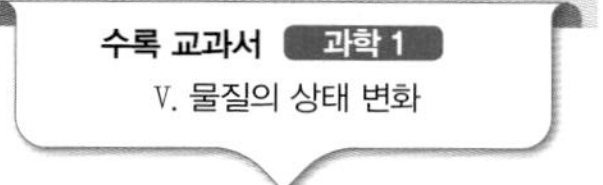

단어와 그 뜻을 익히고, 빈칸에 알맞은 단어를 써 보자.

기화
기체 氣 + 될 化
'氣'의 대표 뜻은 '기운'임.

액체에서 기체로 상태가 변하는 현상.
예 물을 끓이면 수증기가 되는 것은 [기화]의 예이다.

액화
즙 液 + 될 化
'液'의 대표 뜻은 '진(끈끈한 물질)'임.

기체에서 액체로 상태가 변하는 현상.
예 차가운 음료를 담은 컵 표면에 물방울이 맺히는 것은 [액화]의 예이다.

(그림: 액체 → 기화 → 기체, 기체 → 액화 → 액체)

드라이아이스

이산화 탄소를 압축하고 냉각하여 만든 흰색의 고체.
예 [드라이아이스]는 아이스크림이 녹지 않도록 포장할 때 넣어 주는 흰색의 덩어리이다.

승화
오를 昇 + 빛날 華

고체에서 기체로 상태가 변하거나 기체에서 고체로 상태가 변하는 현상.
예 드라이아이스가 시간이 지나면서 크기가 줄어들거나 없어지는 것은 [승화]의 예이다.

끓임쪽

액체가 갑자기 끓어오르는 것을 막기 위해 넣는 돌이나 유리 조각.
예 물의 온도가 100℃ 이상이 되면 갑자기 끓어 넘치는 경우가 생기는데, 물이 끓기 전에 [끓임쪽]을 넣어 주면 물이 넘치는 것을 막을 수 있다.

끓는점
끓는 + 점 點

액체에서 기체로 상태 변화가 일어날 때 일정하게 유지되는 온도.
예 물이 끓는 동안에는 열을 가해도 온도가 더 높아지지 않고 일정하게 유지되는데, 이 온도를 물의 [끓는점]이라고 한다.

녹는점
녹는 + 점 點

고체에서 액체로 상태 변화가 일어날 때 일정하게 유지되는 온도.
예 얼음이 녹는 동안에는 열을 가해도 온도가 더 높아지지 않고 일정하게 유지되는데, 이 온도를 얼음의 [녹는점]이라고 한다.

어는점
어는 + 점 點

액체에서 고체로 상태 변화가 일어날 때 일정하게 유지되는 온도.
예 물이 얼기 시작하거나 얼음이 녹기 시작할 때의 온도를 [어는점]이라고 한다.

확인 문제

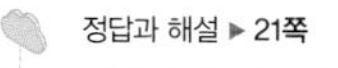

1 뜻에 알맞은 단어를 글자판에서 찾아 묶어 보자. (단어는 가로, 세로 방향에서 찾기)

❶ 액체에서 기체로 상태가 변하는 현상.
❷ 기체에서 액체로 상태가 변하는 현상.
❸ 기체에서 고체로, 고체에서 기체로 상태가 변하는 현상.
❹ 액체가 갑자기 끓어오르는 것을 막기 위해 넣는 돌이나 유리 조각.

해설 | (3) '어는점'은 액체에서 고체로 상태 변화가 일어날 때 일정하게 유지되는 온도를 뜻하는 단어이다.

2 밑줄 친 단어의 쓰임이 알맞으면 ○표, 알맞지 않으면 ×표 해 보자.

(1) 액체에서 기체로 상태 변화가 일어날 때 일정하게 유지되는 온도를 끓는점이라고 해. (○)

(2) 고체에서 액체로 상태 변화가 일어날 때 일정하게 유지되는 온도를 녹는점이라고 해. (○)

(3) 기체에서 고체로 상태 변화가 일어날 때 일정하게 유지되는 온도를 어는점이라고 해. (×)

해설 | (1) 풀잎에 이슬이 맺히는 것은 기체인 새벽 공기가 차가워져 액체 상태의 이슬로 변하는 현상이므로 '액화'의 예이다. (2) 젖은 빨래에 있는 액체인 물이 햇볕에 말라 기체가 되는 현상이므로 '기화'의 예이다. (3) 목욕탕 안에서 기체인 수증기가 액체인 물방울로 맺혀 흐려지는 현상이므로 '액화'의 예이다. (4) 고체 방충제가 기체로 변하는 현상이므로 '승화'의 예이다. (5) 기체인 공기 중의 수증기가 차가운 창문 유리에 붙어 고체인 성에로 변하는 현상이므로 '승화'의 예이다.

3 ( ) 안에 들어갈 알맞은 단어를 보기에서 찾아 써 보자.

보기: 기화 액화 승화

(1) 풀잎에 이슬이 맺히는 것은 (액화)의 예이다.
(2) 햇볕에 젖은 빨래가 마르는 것은 (기화)의 예이다.
(3) 목욕탕 거울에 물방울이 맺혀 흐려지는 것은 (액화)의 예이다.
(4) 고체 방충제가 시간이 흐르면서 크기가 점점 작아지는 것은 (승화)의 예이다.
(5) 창문에 성에가 생기는 것은 영하의 온도에서 공기 중의 수증기가 고체로 변하는 (승화)의 예이다.

2주차 5회

한자 어휘

失(실), 讀(독)이 들어간 단어

失 잃을 실

실(失)은 주로 '잃다'라는 뜻으로 쓰여. 지니고 있던 것이 없어져서 더 이상 갖지 않게 된 것을 뜻해. 실(失)은 '잘못하다', '어긋나다'라는 뜻도 있어.

독(讀)은 주로 '읽다'라는 뜻으로 쓰여. 글을 읽거나 책을 읽는 것을 말하지. 독(讀)은 '이해하다'라는 뜻으로도 쓰여.

단어와 그 뜻을 익히고, 빈칸에 알맞은 단어를 써 보자.

소탐대실
작을 小 + 탐낼 貪 + 큰 大 + 잃을 失

소탐(小貪) + 대실(大失)
작은 것을 탐함. 큰 것을 잃음.
사소한 것에 욕심을 부리다가 더 큰 손해를 볼 수 있어.

작은 것을 탐하다가 큰 것을 잃음.
예 공사비를 조금 아끼려다 큰 사고가 났으니 이것이야말로 소탐대실이다.

실수
잘못할 失 + 손 手

실(失)이 '잘못하다'라는 뜻으로 쓰였어.

조심하지 아니하여 잘못함. 또는 그런 행위.
예 실수로 유리병을 깨뜨리고 말았다.

실례
어긋날 失 + 예도 禮

실(失)이 '어긋나다'라는 뜻으로 쓰였어. '어긋나다'는 정해진 기준에서 벗어난다는 뜻이야.

말이나 행동이 예의에 어긋남. 또는 그런 말이나 행동.
예 남의 집에 밤늦게 찾아가는 것은 실례가 된다.

동음이의어
실례(열매 實+법식 例)
구체적인 실제의 예.
예 나는 상품을 사용하는 실례를 보여 주었다.

주경야독
낮 晝 + 밭 갈 耕 + 밤 夜 + 읽을 讀

주경(晝耕) + 야독(夜讀)
낮에 밭을 갊. 밤에 책을 읽음.
낮에는 농사를 짓고 밤에는 글을 읽는다는 뜻이야.

어려운 여건 속에서도 꿋꿋이 공부함.
예 삼촌은 꿈을 펼치기 위해 주경야독하며 야간 대학에 다니고 있다.

독해
이해할 讀 + 풀 解

독(讀)이 '이해하다'라는 뜻으로 쓰였어.

글을 읽어서 뜻을 이해함.
예 오늘 있었던 영어 시험은 독해 문제가 유난히 어려웠다.

확인 문제

정답과 해설 ▶ 22쪽

1 빈칸에 알맞은 단어가 되도록 글자를 조합해 써 보자.

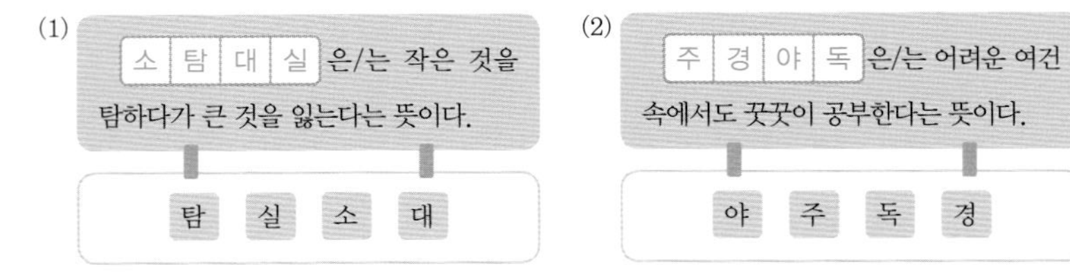

(1) 소탐대실 은/는 작은 것을 탐하다가 큰 것을 잃는다는 뜻이다.
탐 실 소 대

(2) 주경야독 은/는 어려운 여건 속에서도 꿋꿋이 공부한다는 뜻이다.
야 주 독 경

2 단어의 뜻을 찾아 선으로 이어 보자.

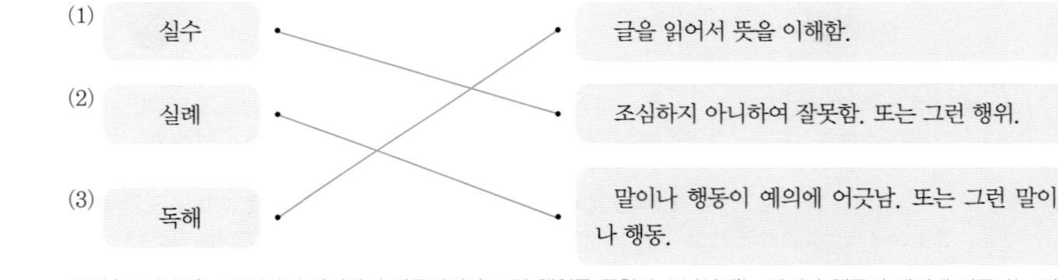

(1) 실수 • — • 조심하지 아니하여 잘못함. 또는 그런 행위.
(2) 실례 • — • 말이나 행동이 예의에 어긋남. 또는 그런 말이나 행동.
(3) 독해 • — • 글을 읽어서 뜻을 이해함.

해설 | (1) '실수'는 조심하지 아니하여 잘못하거나 그런 행위를 뜻한다. (2) '실례'는 말이나 행동이 예의에 어긋나는 것을 뜻한다. (3) '독해'는 글을 읽어서 뜻을 이해하는 것을 뜻한다.

해설 | (1) 조심하지 아니하여 잘못하는 것이나 그런 행위를 뜻하므로 '실수'가 알맞다. (2) 글을 읽어서 뜻을 이해하는 것을 뜻하므로 '독해'가 알맞다. (3) 어려운 여건 속에서도 꿋꿋이 공부하는 것을 뜻하므로 '주경야독'이 알맞다. (4) 작은 것을 탐하다가 큰 것을 잃는 것을 뜻하므로 '소탐대실'이 알맞다.

3 ( ) 안에 알맞은 말을 보기에서 찾아 써 보자.

보기: 독해 / 실수 / 소탐대실 / 주경야독

(1) 나는 학예회 무대에서 춤 동작을 잊어버리는 (실수)을/를 하였다.
(2) 나는 다양한 글을 찾아 읽으며 (독해) 실력을 키우기 위해 힘썼다.
(3) 이모는 낮에는 직장을 다니고, 밤에는 대학원을 다니며 (주경야독)을/를 하였다.
(4) 주차비를 아끼려고 불법 주차를 하다가 더 큰 벌금을 물게 되었으니 (소탐대실)이/가 되어 버렸다.

영문법 어휘

동사의 종류

문장에서 주어의 행동, 동작, 상황을 나타내는 동사에는 크게 4가지 종류가 있어. 문장에서의 쓰임에 따라 기능과 의미가 각각 다른 be동사(be verb), do동사(do verb), 조동사(auxiliary verb), 동사원형(base form of the verb)이 무엇인지 그 뜻과 예를 공부해 보자.

단어와 그 뜻을 익히고, 빈칸에 알맞은 단어를 써 보자.

be verb
be동사
be + 움직일 動 + 말 詞

이름, 직업, 직위 등 주어에 대한 정보를 설명하도록 연결해 주는 동사. 주어와 시제에 따라 am, are, is, was, were가 쓰임.
- I **am** Michael Jordan. (나는 Michael Jordan이다.)
  주어가 누구인지를 설명하도록 연결해 주는 be동사

예 "My friends are in the garden. (내 친구들이 정원에 있다.)"에서 are(있다)는 주어가 어디에 있는지를 나타내는 be 동 사 이다.

do verb
do동사
do + 움직일 動 + 말 詞

의문문을 만들거나 부정문을 만들 때 사용하는 동사. 동사 앞에 위치하여 의미는 따로 없는 기능적인 말. 주어와 시제에 따라 do, does, did가 쓰임.
- **Do** you want some water?(물을 좀 원하나요?)
  주어 you와 동사 want 앞에 위치하여 의문문을 만드는 do동사

예 "You do not like watching TV. (너는 TV 시청을 좋아하지 않아.)"에서 do는 부정어 not 앞에 놓여 부정문을 만드는 do 동 사 이다.

플러스 개념어 **도치**
동사는 보통 주어 뒤에 있으나 do동사를 이용해 의문문을 만들 때 do동사를 주어 앞으로 이동시키는 것을 도치 현상이라 함.
예 Do you want some juice? (주스를 좀 원하나요?)

auxiliary verb
조동사
도울 助 + 움직일 動 + 말 詞

동사 앞에 놓여 능력, 허락, 추측 등의 의미를 추가하여 동사를 보조하는 말. will, can, may 등이 있음.
- He **can** swim in ther river.
  동사 swim(수영하다)을 보조하여 '~할 수 있다'라는 의미를 추가하는 가능의 조동사
  (그는 강에서 수영을 할 수 있어.)

예 "May I come in? (제가 들어가도 되나요?)"에서 May는 허락을 구하는 역할을 하는 조 동 사 이다.

플러스 개념어 **조동사 축약형**
'축약'은 줄여서 간략하게 쓰는 것을 뜻하며, 조동사는 주어 또는 부정어 not과 축약을 이룸.
예 I'll(I will) be there someday. (나는 언젠가 그곳에 갈 거야.)
I can't(can not) go there. (나는 그곳에 갈 수 없어.)

base form of the verb
동사원형
움직일 動 + 말 詞 + 근원 原 + 모양 形

동사의 본래 형태를 나타내는 말로, 영어에서는 시제에 따라 동사의 형태가 변할 수 있음. 이런 변형된 동사의 원래 형태를 가리키는 말로, do동사나 조동사 뒤에 오는 동사는 반드시 동사원형이어야 함.
- Does he **walk** to school? (그는 학교에 걸어가니?)
  조동사 뒤 동사 walk(걷다)는 동사원형

예 "Could you send me email? (저에게 이메일 보내 주시겠어요?)"에서 조동사 Could 뒤의 동사 send(보내다)는 동 사 원 형 이다.

확인 문제

정답과 해설 ▸ 23쪽

1 단어의 뜻을 찾아 선으로 연결해 보자.

(1) be동사 • — • 주어의 정보를 설명하도록 연결해 주는 동사.
(2) do동사 • — • 의문문이나 부정문을 만들 때 사용하는 동사.
(3) 조동사 • — • 뒤의 동사가 능력, 허락, 추측의 의미를 갖도록 보조하는 말.
(4) 동사원형 • — • 동사의 본래 형태를 나타내는 말.

2 밑줄 친 단어의 동사 유형이 알맞으면 ○표, 알맞지 않으면 ×표 해 보자.

(1) **Do** you need any money? (너 돈이 좀 필요하니?) be동사 (×)

(2) Math and science **are** difficult. (수학과 과학은 어렵다.) do동사 (×)

(3) Judy **can** walk to school. (Judy는 학교에 걸어갈 수 있다.) 조동사 (○)

(4) We don't **travel** a lot of countries. (우리는 많은 나라들을 여행하지 못해.) 동사원형 (○)

해설 | (1) 의문문을 만드는 데 사용된 Do는 do동사이다. (2) 주어 Math and science(수학과 과학)의 상태를 설명하도록 연결해 주는 동사 are는 be동사이다. (3) can은 '~할 수 있다'라는 가능의 의미가 있는 조동사이다. (4) do동사 뒤에 나오는 동사 travel(여행하다)은 동사원형이다.

3 밑줄 친 단어의 동사 유형을 보기에서 찾아 써 보자.

보기: 동사원형 / 조동사 / do동사 / be동사

(1) Every window **is** shut. (모든 창이 닫혀 있다.) (be동사)

(2) **Do** you have a good idea? (너 좋은 생각을 가지고 있니?) (do동사)

(3) You don't **know** this yet. (너 아직 이걸 알지 못하니?) (동사원형)

(4) I **will** change my clothes. (나는 옷을 갈아입을 것이다.) (조동사)

해설 | (1) 주어 Every window(모든 창)의 상태를 설명하도록 연결해 주는 동사 is는 be동사이다. (2) 의문문을 만드는 데 사용된 Do는 do동사이다. (3) do동사 뒤에 나오는 동사 know(알다)는 동사원형이다. (4) will은 동사 change(갈아입다)의 의미를 보충해 주는 조동사이다.

2주차 1~5회에서 공부한 단어를 떠올리며 문제를 풀어 보자.

국어

1 밑줄 친 뜻을 가진 단어를 골라 ○표 해 보자.

민수: 선생님께서 추천해 주신 책 읽어 봤니? 공부에 도움이 되는 내용이 많더라.
지은: 응, 나도 읽었어. 중요한 내용을 잊지 않기 위해 <u>중요한 점만 골라 간략하게 정리해 두는 것</u>이 필요하겠어.

(도입 , (요약) , 구조)

해설 | 글에서 중요한 점만을 골라 간략하게 정리하는 일을 뜻하는 단어는 '요약'이다.

국어

2 문장에 어울리는 단어를 (   ) 안에서 골라 ○표 해 보자.

토의에 참여하는 사람 중 토의를 진행하는 사람을 (참가자 , (사회자) , 청중)(이)라고 한다.

해설 | 토의에서 토의를 진행하는 사람은 '사회자'이다. '참가자'는 토의에 참여하여 의견과 근거를 제시하는 사람이고, '청중'은 토의를 관람하는 사람이다.

사회

3 보기의 내용과 관련 있는 단어로 알맞은 것은? (②)

보기

인간은 누구나 동등하게 대우받을 권리를 가진다.

① 혁명 ② 평등 ③ 권력 ④ 차별 ⑤ 정치

해설 | 모든 사람이 성별, 인종, 재산, 신분 등에 의해 부당하게 차별당하지 않고 동등하게 대우받는 것을 뜻하는 단어는 '평등'이다.

사회

4 보기에서 설명하는 단어를 초성을 바탕으로 써 보자.

보기

- 입법부와 행정부가 엄격히 분리되어 서로 견제와 균형을 이루는 정부 형태.
- 대통령을 중심으로 국정이 운영됨.

→ | 대 | 통 | 령 | 제 |

해설 | 입법부와 행정부가 엄격히 분리되어 서로 견제와 균형을 이루는 정부 형태로, 대통령을 중심으로 국정이 운영되는 것은 '대통령제'이다.

수학

5 그림을 보고 문장에 어울리는 단어를 (   ) 안에서 골라 ○표 해 보자.

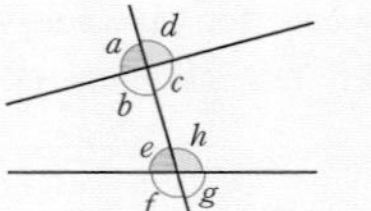

$\angle a$와 $\angle e$, $\angle d$와 $\angle h$처럼 두 직선이 다른 한 직선과 만나서 생기는 각 중 같은 쪽에 있는 각을 (엇각 , (동위각))이라고 한다.

해설 | 두 직선이 다른 한 직선과 만나서 생기는 각 중 같은 쪽에 있는 각을 '동위각'이라고 한다. '엇각'은 두 직선이 다른 한 직선과 만나서 생기는 각 중 서로 반대쪽에 어긋나 있는 각을 뜻한다.

수학

6 밑줄 친 단어의 쓰임이 알맞으면 ○표, 알맞지 않으면 ×표 해 보자.

(1) 삼각형에서 한 꼭짓점과 마주 보는 변을 <u>대변</u>이라고 한다. (○)

(2) 다각형 중에서 모든 변의 길이가 같고, 각의 크기가 모두 같은 것을 <u>합동</u>이라고 한다. (×)

해설 | (2) 다각형 중에서 모든 변의 길이가 같고, 각의 크기가 모두 같은 것을 '정다각형'이라고 한다.

과학

7 문장에 어울리는 단어를 (   ) 안에서 골라 ○표 해 보자.

버터는 일정한 모양과 부피를 가지는 (기체 , (고체))이다. 여기에 열을 가하면 액체로 변하는데, 이를 (응고 , (융해))라고 한다.

해설 | 버터는 일정한 모양과 부피를 가진 '고체'로, 버터에 열을 가하면 액체로 변하는데 이러한 현상을 '융해'라고 한다.

과학

8 밑줄 친 단어의 쓰임이 알맞으면 ○표, 알맞지 않으면 ×표 해 보자.

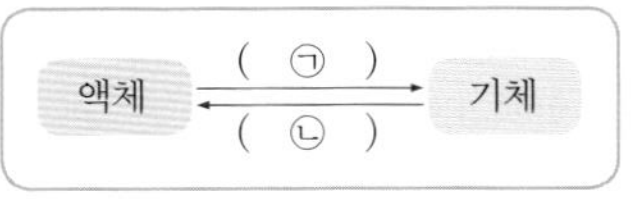

(1) ㉠은 액체에서 기체로 상태가 변하는 현상인 <u>승화</u>이다. (×)

(2) ㉡은 기체에서 액체로 상태가 변하는 현상인 <u>액화</u>이다. (○)

해설 | (1) 액체에서 기체로 상태가 변하는 현상을 '기화'라고 한다.

한자

9 뜻에 알맞은 단어가 되도록 글자를 모두 찾아 ○표 해 보자.

(1) 작은 것을 탐하다가 큰 것을 잃음. | 경 | (소) | 주 | (탐) | 서 | (대) | 준 | (실) |

(2) 어려운 여건 속에서도 꿋꿋이 공부함. | (주) | 실 | (경) | 례 | (야) | 해 | (독) | 수 |

해설 | (1) 작은 것을 탐하다가 큰 것을 잃는다는 뜻의 단어는 '소탐대실'이다. (2) 어려운 여건 속에서도 꿋꿋이 공부한다는 뜻의 단어는 '주경야독'이다.

영문법

10 밑줄 친 단어의 쓰임이 알맞으면 ○표, 알맞지 않으면 ×표 해 보자.

<u>Can</u> you <u>read</u> it? (너는 그것을 읽을 수 있니?)

(1) can은 동사의 의미를 추가하여 보조하는 <u>조동사</u>이다. (○)

(2) read는 주어의 정보를 설명하도록 연결해 주는 <u>be동사</u>이다. (×)

해설 | (1) '~할 수 있다'는 의미의 can은 동사의 의미를 추가하여 보조하는 '조동사'이다. (2) '읽다'라는 의미의 read는 조동사 can 뒤에 쓰인 동사원형이다. be동사에는 am, are, is, was, were가 있다.

어휘가 문해력이다

중학 1학년 2학기

3주차 정답과 해설

3주차 1회

국어 교과서 어휘

수록 교과서 국어 1-2
문법 – 품사의 종류와 특징 (1)

단어와 그 뜻을 익히고, 빈칸에 알맞은 단어를 써 보자.

명사 이름 名 + 말 詞

어떤 것의 이름을 나타내는 말.
예 명사는 '나무', '얼굴' 등과 같이 구체적인 사물이나 '행복', '평화' 등과 같이 추상적인 것의 이름을 나타내는 말이다.

플러스 개념어 **대명사**
어떤 것의 이름을 대신하여 나타내는 말.
예 나, 너, 이것, 여기

수사 셈 數 + 말 詞

어떤 것의 개수나 순서를 나타내는 말.
예 수사는 '하나', '둘' 등과 같이 개수를 나타내거나 '첫째', '둘째' 등과 같이 순서를 나타내는 말이다.

동사 움직일 動 + 말 詞

어떤 것의 움직임을 나타내는 말.
예 동사는 '먹다', '달리다', '만들다' 등과 같이 동작을 나타내는 말이다.

플러스 개념어 **활용**
동사와 형용사가 문장에서 쓰일 때 형태가 변하는 것을 '활용'이라고 함. 예를 들어, 형용사인 '작다'는 문장에서 '작았다', '작았니', '작아서' 등으로 형태가 변할 수 있음.

형용사 모양 形 + 모양 容 + 말 詞
'容'의 대표 뜻은 '얼굴'임.

어떤 것의 특성이나 상태를 나타내는 말.
예 형용사는 '맛있다', '쫄깃하다', '작다' 등과 같이 어떤 것의 특징이나 모양을 나타내는 말이다.

관형사 갓 冠 + 모양 形 + 말 詞

명사, 대명사, 수사를 꾸며 주는 말.
예 관형사는 명사, 대명사, 수사와 떨어져서 혼자서는 쓰일 수 없다.

조사와 감탄사도 있는데, 조사는 체언 뒤에 붙어 문법적인 관계나 특별한 뜻을 더해 주고, 감탄사는 말하는 이의 느낌이나 부름, 대답 등을 나타내는 말이야.

부사 도울 副 + 말 詞
'副'의 대표 뜻은 '버금(으뜸의 바로 아래)'임.

주로 동사, 형용사를 꾸며 주는 말.
예 부사는 문장에서 쓰일 때 형태가 변하지 않는다.

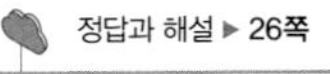

확인 문제

정답과 해설 ▶ 26쪽

1 단어의 뜻을 보기에서 찾아 사다리를 타고 내려간 곳에 기호를 써 보자.

보기
㉠ 어떤 것의 이름을 나타내는 말. 명사
㉡ 어떤 것의 움직임을 나타내는 말. 동사
㉢ 어떤 것의 개수나 순서를 나타내는 말. 수사
㉣ 어떤 것의 특성이나 상태를 나타내는 말. 형용사

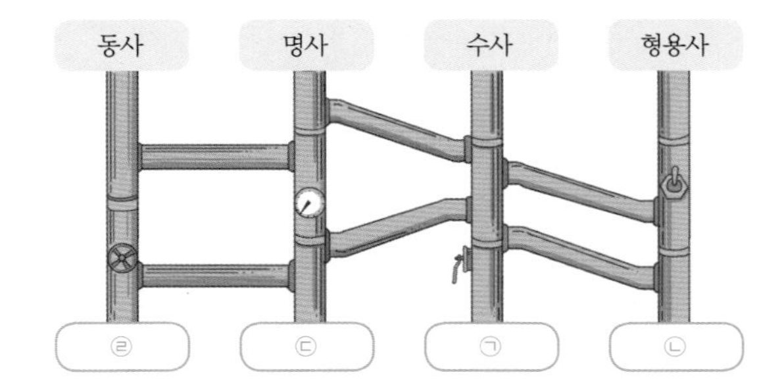

2 밑줄 친 단어가 알맞으면 ○표, 알맞지 않으면 ×표 해 보자.

(1) 주로 동사와 형용사를 꾸며 주는 말을 부사라고 한다. (○)

(2) 어떤 것의 이름을 대신하여 나타내는 말을 대명사라고 한다. (○)

(3) 동사와 형용사가 문장에서 쓰일 때 형태가 변하는 것을 응용이라고 한다. (×)

해설 | (1) 주로 동사와 형용사를 꾸며 주는 말은 '부사'이다. (2) 어떤 것의 이름을 대신하여 나타내는 말은 '대명사'이다. (3) 동사와 형용사가 문장에서 쓰일 때 형태가 변하는 것을 뜻하는 말은 '활용'이다. '응용'은 이미 얻은 지식을 다른 분야의 일에 적용하여 이용하는 일을 뜻한다.

3 보기에서 설명하는 단어를 써 보자.

보기
- 주로 명사, 대명사, 수사를 꾸며 주는 말이다.
- 체언과 떨어져서 혼자서 쓰일 수 없는 말이다.

(관형사)

해설 | 주로 명사, 대명사, 수사를 꾸며 주는 말로, 체언과 떨어져서 혼자서 쓰일 수 없는 말은 '관형사'이다.

사회 교과서 어휘

수록 교과서 사회 ①
Ⅹ. 정치 과정과 시민 참여

단어와 그 뜻을 익히고, 빈칸에 알맞은 단어를 써 보자.

정치 과정
정사 政 + 다스릴 治 + 지날 過 + 길 程
'程'의 대표 뜻은 '한도'임.

민주 사회에서 합리적 절차에 따라 정책을 만들어 갈등을 해결해 나가는 과정.
예 정책을 결정할 때는 시민이 적극적으로 참여하는 [정치 과정]을 거쳐야 한다.

법원
법 法 + 관서 院
'院'의 대표 뜻은 '집'임.

사법권을 행사하는 국가 기관. 분쟁 사건에 대하여 일정한 절차를 거쳐 공적인 판단을 하는 재판 등을 담당함. 대법원, 고등 법원, 지방 법원으로 조직됨.
예 [법원]은 정책과 관련한 분쟁이 생겼을 때 재판을 통해 판결한다.

동음이의어 법원(법 法 + 근원 源)
법이 생겨나는 근거 또는 존재 형식. 법관이 재판의 기준으로 적용하는 법 규범의 존재 형식을 가리킴.

이익 집단
이로울 利 + 더할 益 + 모을 集 + 모일 團
'團'의 대표 뜻은 '둥글다'임.

이익과 손해 관계를 같이하는 사람들이 자신들의 특수한 이익을 실현할 목적으로 만든 단체.
예 자신들의 이익을 실현하기 위해 [이익 집단]은 정부와 국회에 압력을 행사하기도 한다.

플러스 개념어 시민 단체
여러 가지 사회 문제를 해결하고 공동체의 가치를 지켜 나가기 위해 시민들이 자발적으로 만든 단체.

여론
많을 輿 + 논할 論
'輿'의 대표 뜻은 '수레'임.

사회를 구성하는 대다수의 사람이 공통으로 제시하는 의견.
예 언론은 국민들에게 정책에 관한 정보를 전달함으로써 [여론]을 형성하는 데 중요한 역할을 하고 있다.

선거
뽑을 選 + 들 擧
'選'의 대표 뜻은 '가리다'임.

조직이나 집단에서 그 대표자나 임원 등을 투표 같은 방법으로 가려 뽑는 행위.
예 [선거]는 선출된 대표자에게 정당성을 부여함으로써 합법적인 권한을 가지게 한다.

플러스 개념어 선거의 기본 원칙
- 보통 선거: 일정한 나이가 된 모든 국민에게 선거권을 주는 원칙.
- 평등 선거: 신분이나 재산, 성별, 학력 등 조건에 관계없이 한 사람이 한 표씩 투표할 수 있는 원칙.
- 직접 선거: 선거할 권리를 가진 사람이 직접 투표해야 한다는 원칙.
- 비밀 선거: 선거할 권리를 가진 사람이 어느 후보에게 투표했는지 비밀이 보장되어야 한다는 원칙.

지방 자치
땅 地 + 나라 方 + 스스로 自 + 다스릴 治
'地'의 대표 뜻은 '땅', '方'의 대표 뜻은 '모'임.

지역 주민과 그들이 뽑은 지역 대표들이 자기 지역의 일을 스스로 결정하고 처리하도록 하는 제도.
예 지역 주민의 자발적 참여를 통해 민주주의를 실현한다는 뜻에서 [지방 자치] 제도를 '풀뿌리 민주주의'라고도 한다.

확인 문제

정답과 해설 ▶ 27쪽

1 뜻에 알맞은 단어를 찾아 선으로 이어 보자.

(1) 사법권을 행사하는 국가 기관. — 법원
(2) 민주 사회에서 합리적 절차에 따라 정책을 만들어 갈등을 해결해 나가는 과정. — 정치 과정
(3) 지역 주민과 그들이 뽑은 지역 대표들이 자기 지역의 일을 스스로 결정하고 처리하도록 하는 제도. — 지방 자치

2 다음에서 말하는 선거의 기본 원칙을 보기에서 찾아 써 보자.

보기: 보통 선거 / 평등 선거 / 직접 선거 / 비밀 선거

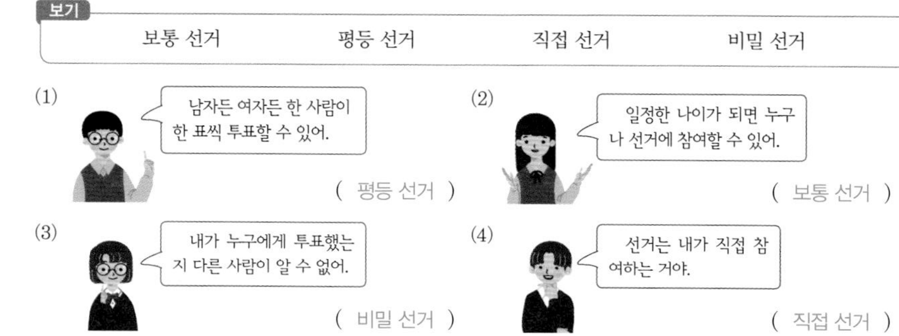

(1) (평등 선거)
(2) (보통 선거)
(3) (비밀 선거)
(4) (직접 선거)

해설 | (1) '평등 선거'는 성별, 재산, 학력 등에 상관없이 한 사람이 한 표씩 투표하는 것이다. (2) '보통 선거'는 일정한 나이가 되면 누구나 선거권을 갖는 것이다. (3) '비밀 선거'는 누구에게 투표했는지 비밀을 보장하는 것이다. (4) '직접 선거'는 선거할 권리를 가진 사람이 직접 투표하는 것이다.

3 빈칸에 들어갈 알맞은 단어를 보기의 글자를 조합해 써 보자.

보기: 이 / 여 / 론 / 익

(1) 사회를 구성하는 대다수의 사람이 공통으로 제시하는 의견을 [여론](이)라고 한다.
(2) 이익과 손해 관계를 같이하는 사람들이 자신들의 특수한 이익을 실현할 목적으로 만든 단체를 [이익] 집단이라고 한다.

해설 | (1) '여론'은 사회를 구성하는 대다수의 사람이 공통으로 제시하는 의견을 뜻한다. (2) '이익 집단'은 자신들의 특수한 이익을 실현할 목적으로 만든 단체이다.

수학 교과서 어휘

수록 교과서 수학 1
Ⅵ. 평면도형의 성질

단어와 그 뜻을 익히고, 빈칸에 알맞은 단어를 써 보자.

내각 안 内 + 각도 角 ('角'의 대표 뜻은 '뿔'임.)

안에 있는 각으로, 이웃한 두 변으로 이루어진 안쪽의 각.

예 한 꼭짓점과 두 변으로 만들어진 다각형의 안쪽에 있는 각을 내각이라고 한다.

외각 바깥 外 + 각도 角

바깥쪽에 있는 각으로, 한 변과 그 변에 이웃하는 변의 연장선이 이루는 각.

예 다각형의 한 내각의 꼭짓점에서 한 변과 그 변에 이웃한 변의 연장선이 이루는 각을 그 내각의 외각이라고 한다.

원 둥글 圓

평면 위의 한 점에서 일정한 거리에 있는 점으로 이루어진 곡선.

예 한 점 O로부터 일정한 거리에 있는 점들로 이루어진 도형을 원이라고 하고, 점 O는 원의 중심이다. (원의 중심에서 원 위의 한 점까지의 거리를 원의 반지름이라고 함.)

한 원에서 원의 반지름을 무수히 많이 그릴 수 있어.

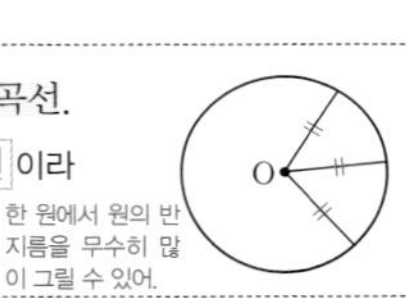

호 활 弧

원주 위의 두 점을 양 끝점으로 하는 원의 일부분.

예 원 O 위의 두 점 A, B에 의해 나누어지는 두 부분을 각각 호라고 한다. 초록색의 짧은 호를 '열호', 주황색의 긴 호를 '우호'라고 함. 점 A, B를 양 끝점으로 하는 호 AB는 '⌒'를 써서 $\overset{\frown}{AB}$로 나타낸다.

현 활시위 弦

원주 위의 서로 다른 두 점을 연결한 선분.

예 한 원 위의 두 점 A, B를 이은 선분을 현이라고 한다. 한 원의 현 중 가장 긴 것은 지름이다.

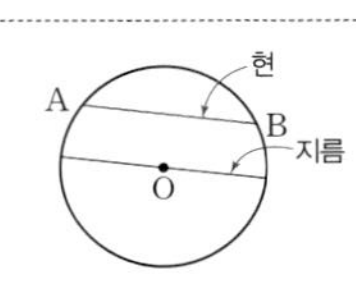

활꼴

원주 위의 서로 다른 두 점이 만드는 호와 현으로 이루어진 도형.

예 원 O에서 현 CD와 호 CD로 이루어진 활 모양의 도형이 활꼴이다.

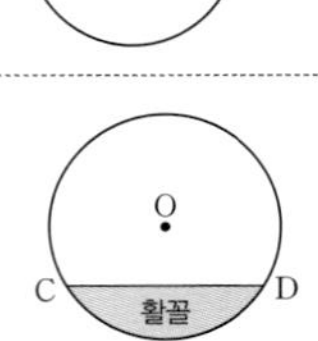

부채꼴

부채를 편 것과 같은 모양으로, 두 반지름과 그 사이에 있는 호로 둘러싸인 도형.

예 원 O에서 두 반지름 OA, OB와 호 AB로 이루어진 부채 모양의 도형을 부채꼴이라고 한다.

중심각 가운데 中 + 가운데 心 + 각도 角 ('心'의 대표 뜻은 '마음'임.)

부채꼴에서 두 반지름이 만드는 각.

예 원 O에서 두 반지름 OA, OB가 이루는 각 AOB가 부채꼴 AOB의 중심각이다.

확인 문제

정답과 해설 ▸ 28쪽

1 뜻에 알맞은 단어가 되도록 보기의 글자를 조합해 써 보자. (같은 글자가 여러 번 쓰일 수 있음.)

보기: 내 외 원 각

(1) 이웃한 두 변으로 이루어진 안쪽의 각. → 내 각

(2) 한 변과 그 변에 이웃하는 변의 연장선이 이루는 각. → 외 각

(3) 평면 위의 한 점에서 일정한 거리에 있는 점으로 이루어진 곡선. → 원

2 문장에 어울리는 단어를 ( ) 안에서 골라 ○표 해 보자.

(1) 원주 위의 두 점을 양 끝점으로 하는 원의 일부분은 ((호), 현)이고, 원주 위의 서로 다른 두 점을 연결한 선분은 (호, (현))이다.

(2) 원에서 두 반지름과 그 사이에 있는 호로 둘러싸인 도형은 ((부채꼴), 활꼴)이고, 원주 위의 서로 다른 두 점이 만드는 호와 현으로 이루어진 도형은 (부채꼴, (활꼴))이다.

(3) 한 꼭짓점과 두 변으로 만들어진 다각형의 안쪽에 있는 각은 ((내각), 외각)이고, 한 내각의 꼭짓점에서 한 변과 그 변에 이웃한 변의 연장선이 이루는 각은 그 내각의 (내각, (외각))이다.

해설 | (1) 원주 위의 두 점을 양 끝점으로 하는 원의 일부분은 '호'이고, 원주 위의 서로 다른 두 점을 연결한 선분은 '현'이다. (2) 두 반지름과 그 사이에 있는 호로 둘러싸인 도형은 '부채꼴'이고, 원주 위의 서로 다른 두 점이 만드는 호와 현으로 이루어진 도형은 '활꼴'이다. (3) 이웃한 두 변으로 이루어진 안쪽의 각은 '내각'이고, 한 변과 그 변에 이웃한 변의 연장선이 이루는 각은 '외각'이다.

3 빈칸에 들어갈 알맞은 단어를 초성을 바탕으로 써 보자.

(1) 원주 위의 두 점 A, B를 양 끝점으로 하는 원의 일부분을 호 AB라고 한다.

(2) 원주 위의 두 점 A, B를 이은 선분인 현 AB와 호 AB로 이루어진 도형을 활 꼴이라고 한다.

(3) 원의 두 반지름 OA, OB와 호 AB로 이루어진 부채꼴에서 각 AOB를 호 AB에 대한 중 심 각이라고 한다.

해설 | (1) 한 원 위의 두 점 A, B에 의해 나누어지는 두 부분은 각각 '호'이다. (2) 한 원에서 현과 호로 이루어진 도형은 '활꼴'이다. (3) 원이나 부채꼴에서 두 반지름이 만드는 각은 '중심각'이다.

과학 교과서 어휘

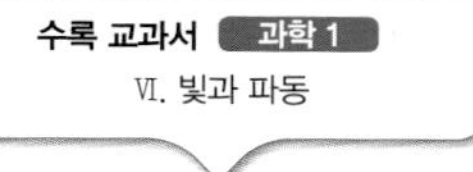

✎ 단어와 그 뜻을 익히고, 빈칸에 알맞은 단어를 써 보자.

광원
빛 光 + 근원 源

태양, 전구, 양초 등과 같이 빛을 내는 물체.
예 [광][원]에서 나오는 빛은 모든 방향으로 퍼진다.

빛의 직진
빛의 + 곧을 直 + 나아갈 進

광원에서 나온 빛이 곧게 나아가는 현상.
예 레이저 포인트의 빛은 공기 중에서 일직선 형태로 곧게 나아가는데, 이러한 현상을 [빛][의] [직][진]이라고 한다.

발광 다이오드
필 發 + 빛 光 + 다이오드

전류가 흐르면 빛을 방출하는 다이오드의 한 종류.
예 전자시계, 광고 전광판, LED 전등처럼 빛을 발하는 데 사용하는 다이오드를 [발][광] [다][이][오][드]라고 한다.

빛의 삼원색
빛의 +
석 三 + 근원 原 + 빛 色
'原'의 대표 뜻은 '언덕'임.

빛의 근원이 되는 세 가지 색으로, 여러 가지 빛을 만들 수 있는 빨간색, 초록색, 파란색을 가리킴.
예 우리 눈은 빛의 색을 느끼는 세 종류의 세포가 각각 빨간색, 초록색, 파란색 빛에 반응하는데, 이 세 가지 색의 빛을 [빛][의] [삼][원][색]이라고 한다.

▲ 빛의 삼원색

빛의 합성
빛의 +
합할 合 + 성질 性
'性'의 대표 뜻은 '성품'임.

두 가지 색 이상의 빛이 합쳐져서 다른 색의 빛으로 보이는 현상.
예 빛의 삼원색인 빨간색, 초록색, 파란색의 빛을 적절한 비율로 합치면 여러 가지 색의 빛을 만들어 낼 수 있는데, 이를 [빛][의] [합][성]이라고 한다.

화소
그림 畫 + 바탕 素
'素'의 대표 뜻은 '본디'임.

영상 장치에서 색을 만드는 작은 점.
예 [화][소]에서 나오는 삼원색의 빛의 세기를 조절하면 다양한 색의 빛이 만들어진다.

점묘화
점 點 + 그릴 描 + 그림 畫

점을 찍어 그린 그림.
예 [점][묘][화]는 각각의 점에서 반사된 빛이 합성되어 보이므로 점을 촘촘히 찍어도 어둡게 보이지 않는다.

확인 문제

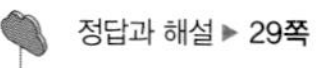

정답과 해설 ▶ 29쪽

1 단어의 뜻을 보기에서 찾아 사다리를 타고 내려간 곳에 기호를 써 보자.

보기
㉠ 빛을 내는 물체. 광원
㉡ 점을 찍어 그린 그림. 점묘화
㉢ 영상 장치에서 색을 만드는 작은 점. 화소

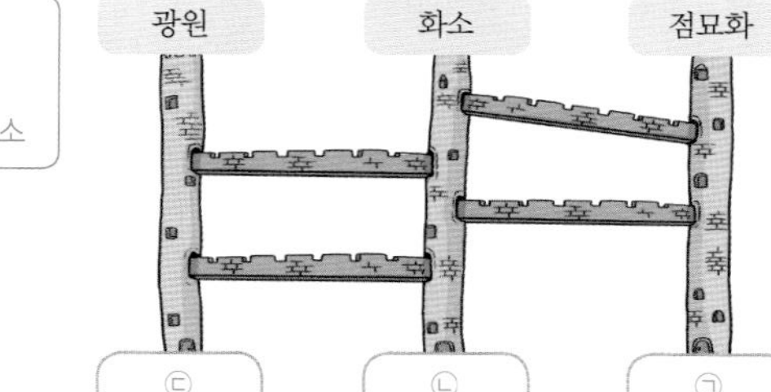
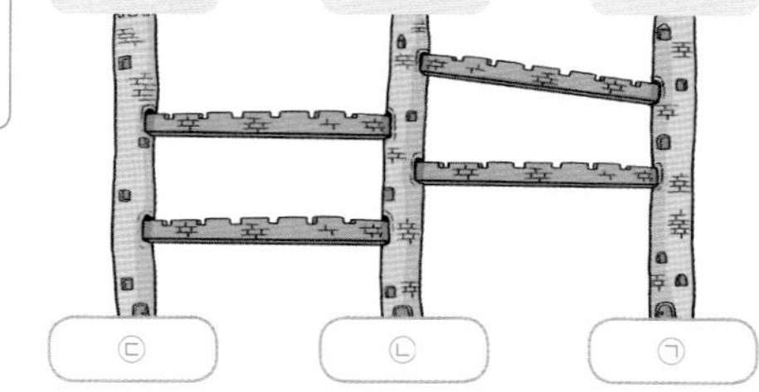

2 (　) 안에 들어갈 알맞은 단어를 보기에서 찾아 써 보자.

보기
발광 다이오드　직진　합성　삼원색

(1) 광원에서 나온 빛이 곧게 나아가는 현상을 빛의 (직진)(이)라고 한다.
(2) 전류가 흐르면 빛을 방출하는 다이오드의 한 종류를 (발광 다이오드)(이)라고 한다.
(3) 여러 가지 빛을 만들 수 있는 빨간색, 초록색, 파란색의 빛을 빛의 (삼원색)(이)라고 한다.
(4) 두 가지 색 이상의 빛이 합쳐져서 다른 색의 빛으로 보이는 현상을 빛의 (합성)(이)라고 한다.

해설 | (1) 영상 장치가 다양한 색의 빛으로 표현될 수 있는 것은 빛의 '삼원색'을 이용하기 때문이다. (2) 영상 장치에서 색을 만드는 작은 점은 '화소'인데, 화소가 많을수록 화면이 정밀하고 선명하다. (3) 여러 색을 합쳐 다양한 색의 빛을 만들어 내는 전광판은 빛의 '합성' 현상을 이용한 것이다.

3 빈칸에 들어갈 알맞은 단어를 초성을 바탕으로 써 보자.

(1) 컴퓨터 모니터나 휴대 전화 화면의 영상 장치는 빛의 [삼][원][색]인 빨간색, 파란색, 초록색 빛을 이용하여 다양한 색의 빛을 표현한다.

(2) 텔레비전이나 스마트 기기 등은 색을 만드는 작은 점인 [화][소]이/가 많을수록 화면이 정밀하고 선명하다.

(3) 전광판과 같은 영상 장치에는 빨간색, 초록색, 파란색 빛을 내는 전구 세 개가 짝을 이루어 배열되어 있으며, 각 전구의 빛이 [합][성]되어 다른 색이 나타난다.

국어 교과서 어휘

수록 교과서 국어 1-2
문법 – 품사의 종류와 특징 (2)

단어와 그 뜻을 익히고, 빈칸에 알맞은 단어를 써 보자.

품사
성질 品 + 말 詞
'品'의 대표 뜻은 '물건'임.

공통된 성질을 가진 것끼리 묶은 단어의 분류.
예 품사는 문장에서 형태가 변하는지, 어떤 기능을 하는지, 어떤 의미를 나타내는지에 따라 아홉 가지로 나눌 수 있다.

플러스 개념어 **품사의 분류**
품사는 명사, 대명사, 수사, 동사, 형용사, 관형사, 부사, 조사, 감탄사로 나뉨.

체언
몸 體 + 말씀 言

문장에서 몸의 기능을 하는 단어로, 주어나 목적어 등으로 쓰임.
예 대상의 이름을 나타내는 명사, 대상의 이름을 대신하여 나타내는 대명사, 수량이나 순서를 나타내는 수사를 묶어 체언이라고 한다.

국어의 품사는 문장에서 하는 역할(기능)에 따라 체언, 용언, 수식언, 관계언, 독립언으로 나눌 수 있어.

용언
부릴 用 + 말씀 言
'用'의 대표 뜻은 '쓰다'임.

문장에서 주로 서술어의 기능을 하는 단어.
예 대상의 움직임을 나타내는 동사와 대상의 상태나 성질을 나타내는 형용사를 묶어 용언이라고 한다.

수식언
꾸밀 修 + 꾸밀 飾 + 말씀 言
'修'의 대표 뜻은 '닦다'임.

문장에서 다른 말을 꾸며 주는 기능을 하는 단어.
예 체언을 꾸며 주는 관형사와 용언을 꾸며 주는 부사를 묶어 수식언이라고 한다.

관계언
관계할 關 + 맬 係 + 말씀 言

문장에 쓰인 단어들의 관계를 나타내는 단어.
예 체언 뒤에 붙어서 단어들 사이의 관계를 나타내거나 특별한 뜻을 더해 주는 조사를 관계언이라고 한다.

독립언
홀로 獨 + 설 立 + 말씀 言

문장에서 다른 단어와 관계를 맺지 않고 독립적으로 쓰이는 단어.
예 느낌, 부름, 대답을 나타내는 감탄사를 독립언이라고 한다.

확인 문제

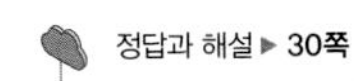
정답과 해설 ▶ 30쪽

1 단어의 뜻을 찾아 선으로 이어 보자.

(1) 용언 • — • 문장에서 주로 서술어로 쓰이는 단어.
(2) 체언 • — • 문장에서 몸의 기능을 하는 단어.
(3) 관계언 • — • 문장에 쓰인 단어들의 관계를 나타내는 단어.
(4) 독립언 • — • 문장에서 다른 단어와 관계를 맺지 않고 독립적으로 쓰이는 단어.
(5) 수식언 • — • 문장에서 다른 말을 꾸며 주는 기능을 하는 단어.

2 ( ) 안에 공통으로 들어갈 단어를 써 보자.

• 공통된 성질을 가진 것끼리 묶은 단어의 분류를 (품사)(이)라고 한다.
• (품사)은/는 명사, 대명사, 수사, 동사, 형용사, 관형사, 부사, 조사, 감탄사로 나눌 수 있다.

해설 | '품사'는 공통된 성질을 가진 것끼리 묶은 단어의 분류를 말하는 것으로, 명사, 대명사, 수사, 동사, 형용사, 관형사, 부사, 조사, 감탄사로 나눌 수 있다.

3 다음 대화에서 ( ) 안에 들어갈 단어로 알맞은 것은? (④)

하준: "꽃밭에 꽃이가 피었습니다."라는 문장에서 잘못된 부분을 찾아보자.
주원: '꽃이가'에서 '이가'가 적절하지 않아. 문장에 쓰인 단어들의 관계를 나타내는 단어를 수정해야 돼.
하준: (관계언)을/를 수정하라는 말이구나.

① 용언 ② 체언 ③ 독립언 ④ 관계언 ⑤ 수식언

해설 | '꽃이가'를 '꽃이'로 수정해야 하는데, '이가'처럼 문장에 쓰인 단어들의 관계를 나타내는 단어는 '관계언'이다.

3주차 3회 사회 교과서 어휘

수록 교과서 사회 ①
XI. 일상생활과 법

단어와 그 뜻을 익히고, 빈칸에 알맞은 단어를 써 보자.

공공복리
함께할 公 + 한가지 共 + 복 福 + 이로울 利
'公'의 대표 뜻은 '공평하다'임.

사회 구성원 전체에 공통되는 복지나 이익.
예 법은 소수 집단의 이익이 아닌 공공복리를 추구하는 것을 목적으로 한다.

공법
함께할 公 + 법 法

개인, 국가, 공공 단체 사이의 공적인 관계나 공적인 생활 관계를 규정하는 법.
예 공법은 국가나 공공 단체 등이 국민에게 명령하고 강제할 수 있는 권력을 행사하는 것과 관련된 내용을 규정한다.

사법
사사로울 私 + 법 法

개인과 개인 사이에 생기는 사적인 생활 관계를 규율하는 법.
예 사법은 개인과 개인 사이에 생기는 갈등과 분쟁을 해결하는 데 필요한 법으로, 민법과 상법이 있다.

사회법
모일 社 + 모일 會 + 법 法

사회적 약자를 보호하고 인간다운 생활을 보장하는 것을 목적으로 하는 법.
예 사회적 약자인 근로자를 보호할 목적으로 만든 노동법은 사회법에 속한다.

재판
결단할 裁 + 판결할 判
'裁'의 대표 뜻은 '마르다', '判'의 대표 뜻은 '판단하다'임.

구체적인 분쟁 사건을 해결하기 위해 법원이 일정한 절차를 거쳐 최종적으로 내리는 판단.
예 재판은 분쟁 사건으로 인한 갈등을 해결하는 기능을 한다.

플러스 개념어 **분쟁**
말썽을 일으켜 시끄럽게 다툼.

심급 제도
살필 審 + 등급 級 + 법도 制 + 법도 度
'制'의 대표 뜻은 '절제하다'임.

하나의 소송 사건의 재판 결과에 다른 의견이 있을 경우, 서로 다른 계급의 법원에서 반복하여 심판하는 상소 제도. 우리나라에서는 원칙적으로 삼심 제도를 채택하고 있음.
예 심급 제도에 따라 우리나라에서는 하나의 사건에 대해 세 번까지 재판을 받을 수 있다.

3심: 대법원
↑ 상고 ↑
2심: 지방 법원 합의부 / 고등 법원
↑ 항소 ↑
1심: 지방 법원 단독 판사 (판사 1명, 가볍고 간단한 죄) / 지방 법원 합의부 (판사 3명, 무거운 죄)

▲ 심급 제도

확인 문제

정답과 해설 ▶ 31쪽

1 뜻에 알맞은 단어를 빈칸에 써 보자.

	❶사	법
	회	
❷공	법	

가로 열쇠
❶ 개인과 개인 사이의 사적인 생활 관계를 규율하는 법.
❷ 개인, 국가, 공공 단체 사이의 공적인 관계나 공적인 생활 관계를 규정하는 법.
세로 열쇠
❶ 사회적 약자를 보호하고 인간다운 생활을 보장하는 것을 목적으로 하는 법.

2 빈칸에 들어갈 알맞은 단어를 찾아 선으로 이어 보자.

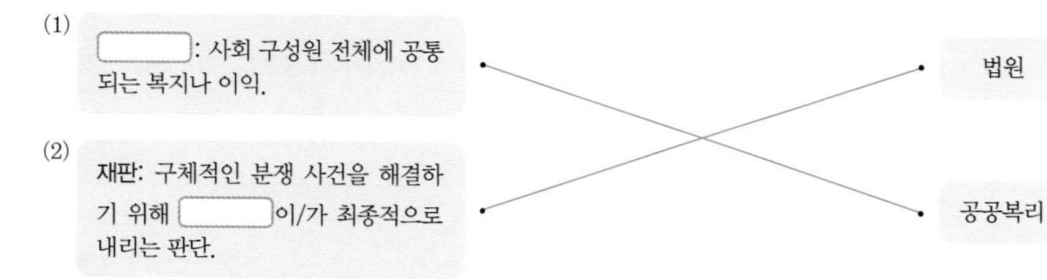

(1) [   ]: 사회 구성원 전체에 공통되는 복지나 이익. — 공공복리

(2) 재판: 구체적인 분쟁 사건을 해결하기 위해 [   ]이/가 최종적으로 내리는 판단. — 법원

해설 | (1) 사회 구성원 전체에 공통되는 복지나 이익을 뜻하는 단어는 '공공복리'이다. (2) 분쟁 사건을 해결하기 위해 재판을 하는 기관은 '법원'이다.

해설 | (1) 사회적 약자를 보호하기 위해 만든 법은 '사회법'이다. (2) 재판 결과에 대해 다른 의견이 있을 때 다시 재판을 받을 수 있게 하는 제도는 '심급 제도'이다. (3) 법은 공동체 구성원의 합의에 따른 것이기 때문에 모든 구성원의 '공공복리'를 추구하는 것을 목적으로 한다.

3 (　) 안에 들어갈 알맞은 단어를 보기에서 찾아 써 보자.

보기: 사회법 　 심급 제도 　 공공복리

(1) 장애인, 저소득층 등 사회적 약자의 삶의 질을 개선하는 데 국가가 나서야 한다는 요구가 커지면서 (사회법)이/가 등장하게 되었다.

(2) 우리나라에서는 재판을 받은 사람이 재판 결과에 반대 의사가 있을 때 다시 재판을 받을 수 있도록 하기 위해 (심급 제도)을/를 두고 있다.

(3) 법은 사회 질서를 유지하고, 객관적 기준을 제시하여 분쟁을 해결하고, 모든 구성원의 이익인 (공공복리)을/를 추구하는 것을 목적으로 한다.

수학 교과서 어휘

수록 교과서 수학 1
Ⅵ. 평면도형의 성질

단어와 그 뜻을 익히고, 빈칸에 알맞은 단어를 써 보자.

다면체
많을 多 + 평면 面 + 몸 體
'面'의 대표 뜻은 '낯(얼굴)'임.

다각형인 면으로만 둘러싸인 입체도형.
예 다면체에는 다각형 면의 수에 따라 사면체, 오면체, 육면체, … 등이 있다.

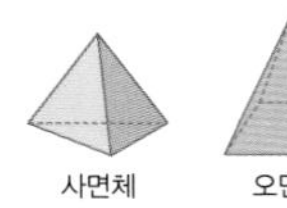
사면체
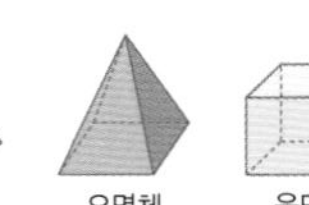
오면체
육면체

각기둥
모 角 + 기둥
'角'의 대표 뜻은 '뿔'임.

각진 기둥으로, 두 밑면이 서로 평행하고 합동인 다각형이며, 옆면은 모두 직사각형인 다면체.
예 등은 옆면이 모두 직사각형인 입체도형으로, 이를 각기둥이라고 한다.

각뿔
모 角 + 뿔

각진 뿔 모양의 도형으로, 밑면은 다각형이고, 옆면은 모두 삼각형인 다면체.
예 등은 옆면이 모두 삼각형인 입체도형으로, 이를 각뿔이라고 한다.

각뿔대
모 角 + 뿔 + 대 臺

각뿔을 밑면에 평행한 평면으로 잘랐을 때 생기는 입체도형 중 각뿔이 아닌 쪽의 다면체.
예 각뿔대에는 밑면의 모양에 따라 삼각뿔대, 사각뿔대, 오각뿔대, … 등이 있다.

삼각뿔대 사각뿔대

정다면체
같을 正 + 많을 多 + 평면 面 + 몸 體
'正'의 대표 뜻은 '바르다'임.

모든 면이 서로 합동인 정다각형이고, 각 꼭짓점에 모인 면의 개수가 모두 같은 다면체.
예 정다면체는 정사면체, 정육면체, 정팔면체, 정십이면체, 정이십면체의 5가지뿐이다.

정사면체 정육면체 정팔면체 정십이면체 정이십면체

Tip 정다면체의 면이 될 수 있는 도형은 정삼각형, 정사각형, 정오각형뿐임.

확인 문제

정답과 해설 ▶ 32쪽

1 단어의 뜻을 찾아 선으로 이어 보자.

(1) 각기둥 — 두 밑면이 서로 평행하고 합동인 다각형으로, 옆면이 모두 직사각형인 다면체.
(2) 각뿔 — 밑면이 다각형이고 옆면은 모두 삼각형인 다면체.
(3) 각뿔대 — 각뿔을 밑면에 평행한 평면으로 잘랐을 때 생기는 입체도형 중 각뿔이 아닌 쪽의 다면체.

2 뜻에 알맞은 단어가 되도록 보기의 글자를 조합해 써 보자. (같은 글자가 여러 번 쓰일 수 있음.)

보기: 체 다 정 면

(1) 다각형인 면으로만 둘러싸인 입체도형. → 다면체

(2) 모든 면이 서로 합동인 정다각형이고, 각 꼭짓점에 모인 면의 개수가 모두 같은 다면체. → 정다면체

해설 | (1) 사각뿔을 밑면에 평행한 평면으로 잘랐을 때 생기는 입체도형 중 각뿔이 아닌 쪽의 다면체는 '사각뿔대'이다.
(2) 정팔면체는 모든 면이 정삼각형이고 각 꼭짓점에 모인 면의 개수가 4개로 모두 같은 정다면체이다.
(3) '다면체'는 다각형인 면으로만 둘러싸인 입체도형을 가리키므로 그림의 원기둥, 구는 다면체가 아니다.

3 빈칸에 들어갈 알맞은 단어를 초성을 바탕으로 써 보자.

(1) 사각뿔을 밑면에 평행한 평면으로 잘랐을 때 생기는 두 다면체 중 각뿔이 아닌 쪽의 다면체는 사각뿔대이다.

(2) 정팔면체는 8개의 면이 정삼각형으로 이루어져 있고, 각 꼭짓점에 모인 면의 개수가 4개인 정다면체이다.

(3) 다음 도형은 다각형인 면으로만 둘러싸인 입체도형이 아니므로 다면체이/가 아니다.

3주차 4회

과학 교과서 어휘

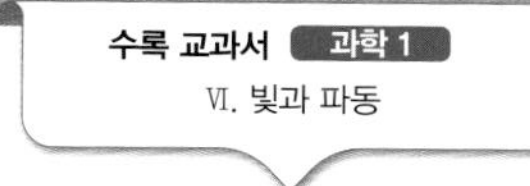

수록 교과서 과학 1
Ⅵ. 빛과 파동

단어와 그 뜻을 익히고, 빈칸에 알맞은 단어를 써 보자.

평면거울
평평할 平 + 평면 面 + 거울
'面'의 대표 뜻은 '낯(얼굴)'임.

거울면이 평평한 거울.
예 춤 연습실에서 자신의 모습을 비추어 보기 위해 사용하는 전신 거울은 거울면이 평평한 [평면거울]이다.

상
모양 像

거울에 보이는 물체와 닮은 모습.
예 평면거울에서는 물체와 거울면에 대칭인 위치에 [상]이 생긴다.

(그림: 평면거울, 상, 물체, 눈)

빛의 반사
빛의 + 돌이킬 反 + 비출 射
'射'의 대표 뜻은 '쏘다'임.

직진하던 빛이 물체에 부딪칠 때 진행 방향이 바뀌어 나아가는 현상.
예 자동차의 백미러를 통해 뒤에 오는 자동차를 볼 수 있는 것은 [빛의 반사] 때문이다.

반사 법칙
돌이킬 反 + 비출 射 + 법 法 + 법칙 則

반사면에 닿은 빛은 반사면에 수직인 선과 이루는 각이 서로 같도록 반사한다는 법칙.
예 거울에 들어온 빛이 반사될 때 거울로 들어오는 입사각과 거울에서 반사되어 나가는 반사각의 크기가 항상 같은 것을 빛의 [반사 법칙]이라고 한다.

플러스 개념어 입사 광선, 반사 광선, 법선

(그림: 입사 광선, 법선, 반사 광선, 입사각, 반사각, 평면거울)

- 입사 광선: 반사면으로 들어가는 빛을 나타내는 선.
- 반사 광선: 반사면에 반사되어 나가는 빛을 나타내는 선.
- 법선: 반사면에 수직인 선.

볼록 거울

거울면의 가운데가 볼록한 거울로, 넓은 범위를 보여 줌.
예 [볼록 거울]은 넓은 범위를 보여 주기 때문에 교통사고 방지용 안전 거울 등에 활용된다.

오목 거울

거울면의 가운데가 오목한 거울로, 가까이 있는 물체를 크게 확대하고, 빛을 모으는 성질이 있음.
예 [오목 거울]은 입안의 모습을 확대해 보여 주는 치과용 거울에 활용된다.

확인 문제

정답과 해설 ▶ 33쪽

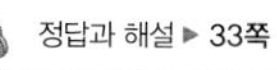

1 단어의 뜻을 찾아 선으로 이어 보자.

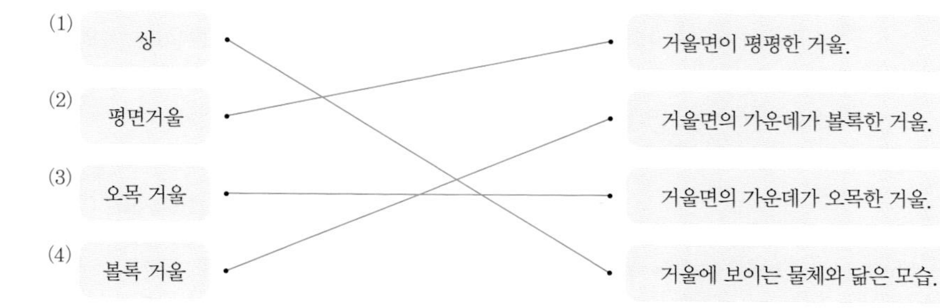

(1) 상 · · 거울면이 평평한 거울.
(2) 평면거울 · · 거울면의 가운데가 볼록한 거울.
(3) 오목 거울 · · 거울면의 가운데가 오목한 거울.
(4) 볼록 거울 · · 거울에 보이는 물체와 닮은 모습.

해설 | (1) 반사면으로 들어가는 빛을 나타내는 선은 '입사 광선', 반사면에 반사되어 나가는 빛을 나타내는 선은 '반사 광선'이다. (2) 입사 광선과 법선이 이루는 각은 '입사각', 반사 광선과 법선이 이루는 각은 '반사각'이다.

2 문장에 어울리는 단어를 (   ) 안에서 골라 ○표 해 보자.

(1) 반사면으로 들어가는 빛을 나타내는 선을 ((입사 광선), 반사 광선)이라고 하고, 반사면에 반사되어 나가는 빛을 나타내는 선을 (입사 광선 , (반사 광선))이라고 한다.

(2) 입사 광선과 법선이 이루는 각을 ((입사각), 반사각)이라고 하고, 반사 광선과 법선이 이루는 각을 (입사각 , (반사각))이라고 하는데, 입사각과 반사각의 크기가 서로 같도록 반사하는 것을 빛의 반사 법칙이라고 한다.

해설 | (1) '오목 거울'은 빛을 모으는 성질이 있어 태양 빛을 한곳에 모아 성화에 불을 붙일 때 사용된다. (2) 거울면이 평평한 '평면거울'은 거울에서 보는 상의 크기와 실제 물체의 크기가 같게 보인다. (3) 사고가 날 위험이 있는 도로의 모퉁이에 '볼록 거울'을 설치하면 반대편 모퉁이를 볼 수 있어서 사고의 위험을 줄일 수 있다.

3 (   ) 안에 들어갈 알맞은 단어를 보기 에서 찾아 써 보자.

보기
평면거울 볼록 거울 오목 거울

(1) 올림픽 성화에 불을 붙일 때는 태양 빛을 한곳에 모으기 위해 (오목 거울)을 이용한다.
(2) (평면거울)은 거울에서 보는 상의 크기와 물체의 크기가 같아 화장실 같은 곳에서 많이 사용한다.
(3) 사고가 날 위험이 있는 도로의 모퉁이에 (볼록 거울)을 설치하면 반대편 모퉁이를 볼 수 있어서 사고의 위험을 줄일 수 있다.

3주차 5회

한자 어휘

半(반), 氣(기)가 들어간 단어

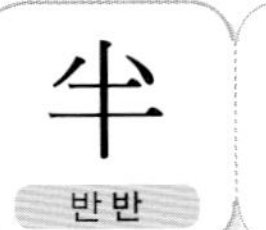

반 반

반(半)은 주로 '반'이라는 뜻으로 쓰여. 둘로 똑같이 나눈 것 가운데 하나를 '반'이라고 하지. 반(半)은 '나누다'라는 뜻으로 쓰일 때도 있어.

기운 기

기(氣)는 주로 '기운'이라는 뜻으로 쓰여. 어떤 일이 일어나려고 하는 움직임이나 분위기를 '기운'이라고 해. 기(氣)는 '기체', '힘'이라는 뜻으로도 쓰여.

단어와 그 뜻을 익히고, 빈칸에 알맞은 단어를 써 보자.

반신반의
반 半 + 믿을 信 + 반 半 + 의심할 疑

반신(半信) + 반의(半疑)
반은 믿음. 반은 의심함.
완전히 믿지 못할 때 '반신반의하다.'라고 해.

얼마쯤 믿으면서도 한편으로는 의심함.
예 사람들은 경찰의 수사 발표에 대해 반 신 반 의 하였다.

남반구
남녘 南 + 나눌 半 + 둥글 球
'球'의 대표 뜻은 '공(둥근 물체)'임.

반(半)이 '나누다'라는 뜻으로 쓰였어.

적도를 경계로 지구를 둘로 나누었을 때의 남쪽 부분.
예 호주, 브라질, 인도네시아는 남 반 구 에 위치한다.

기진맥진
기운 氣 + 다할 盡 + 맥 脈 + 다할 盡
'脈'의 대표 뜻은 '줄기'임.

기진(氣盡) + 맥진(脈盡)
기운이 다함. 맥이 다함.
기운이 다 빠져서 힘이 없는 상태를 말해.

기운이 다하고 맥이 다 빠져 스스로 몸을 가누지 못할 지경이 됨.
예 이리저리 뛰어다녔더니 기 진 맥 진 한 상태가 되었다.

연기
연기 煙 + 기체 氣

기(氣)가 '기체'라는 뜻으로 쓰였어.

무엇이 불에 탈 때에 생겨나는 흐릿한 기체나 기운.
예 짚을 태우자 연 기 가 피어올랐다.

동음이의어 연기(늘일 延 + 기약할 期) 정해진 시간과 때를 뒤로 물려서 늘리는 것.
예 시험이 일주일 뒤로 연기되었다.

기세
힘 氣 + 형세 勢

기(氣)가 '힘'이라는 뜻으로 쓰였어.

힘차게 뻗치는 모양이나 상태.
예 낯선 사람이 다가가자 그 개는 사나운 기 세 로 짖어 댔다.

확인 문제

정답과 해설 ▶ 34쪽

1 뜻에 알맞은 단어가 되도록 보기 의 글자를 조합해 써 보자. (같은 글자가 여러 번 쓰일 수 있음.)

보기: 기 신 반 진 의 인 맥

(1) 얼마쯤 믿으면서도 한편으로는 의심함. → 반 신 반 의

(2) 기운이 다하고 맥이 다 빠져 스스로 몸을 가누지 못할 지경이 됨. → 기 진 맥 진

해설 | (1) '연기'는 무엇이 불에 탈 때에 생겨나는 흐릿한 기체나 기운을 뜻한다. (2) '기세'는 힘차게 뻗치는 모양이나 상태를 뜻한다. (3) '남반구'는 적도를 경계로 지구를 둘로 나누었을 때의 남쪽 부분을 뜻한다.

2 단어의 뜻을 찾아 선으로 이어 보자.

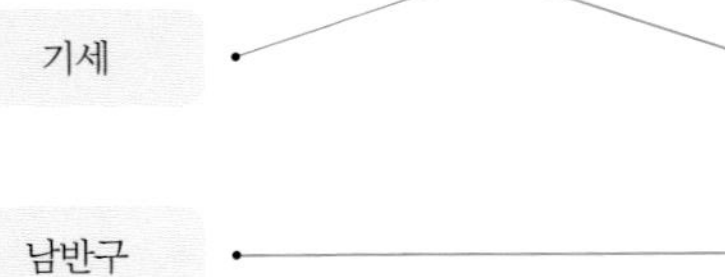

(1) 연기 — 무엇이 불에 탈 때에 생겨나는 흐릿한 기체나 기운.

(2) 기세 — 힘차게 뻗치는 모양이나 상태.

(3) 남반구 — 적도를 경계로 지구를 둘로 나누었을 때의 남쪽 부분.

해설 | (1) 무엇이 불에 탈 때에 생겨나는 흐릿한 기체나 기운을 뜻하므로 '연기'가 알맞다. (2) 얼마쯤 믿으면서도 한편으로는 의심하는 것을 뜻하므로 '반신반의'가 알맞다. (3) 기운이 다하고 맥이 다 빠져 스스로 몸을 가누지 못할 지경이 되는 것을 뜻하므로 '기진맥진'이 알맞다. (4) 힘차게 뻗치는 모양이나 상태를 뜻하므로 '기세'가 알맞다.

3 ( ) 안에 들어갈 알맞은 단어를 보기 에서 찾아 써 보자.

보기: 기세 연기 기진맥진 반신반의

(1) 산업 단지에 있는 공장의 굴뚝에서 매캐한 (연기)이/가 피어올랐다.

(2) 새로 개발된 암 치료제의 효능에 대해 의사들은 (반신반의)하는 반응을 보였다.

(3) 험난한 산행으로 (기진맥진)한 친구는 숙소에 도착하자마자 잠이 들었다.

(4) 후반전에 들어서자 우리나라의 선수들은 맹렬한 (기세)(으)로 공격을 가해 역전승을 거두었다.

3주차 5회

영문법 어휘

대명사의 종류

대명사에는 사람을 가리키는 인칭대명사(personal pronoun), 물건을 가리키는 지시대명사(demonstrative pronoun), 불특정한 대상을 가리키는 부정대명사(indefinite pronoun), 주어와 목적어가 같을 때 목적어 자리에 오는 재귀대명사(reflexive pronoun)가 있어. 이 4가지가 무엇인지 그 뜻과 예를 공부해 보자.

단어와 그 뜻을 익히고, 빈칸에 알맞은 단어를 써 보자.

personal pronoun 인칭대명사
사람 人 + 일컬을 稱 + 대신할 代 + 이름 名 + 말 詞

앞에 나온 사람을 언급할 때 사용하는 대명사. 인칭과 문장 속의 격에 따라 모양이 달라짐.

- Look at the guys. **They** are all my friends. (저 사람들을 봐. 그들은 내 친구들이야.)
  They(그들)는 앞의 the guys(저 사람들)를 가리키는 인칭대명사

예 "Jihi met some Americans. All of them are so kind. (지희는 몇몇 미국인들을 만났다. 그들은 모두 매우 친절하다.)"에서 앞에 있는 some Americans를 가리키는 them은 인칭대명사이다.

> 플러스 개념어 **1인칭, 2인칭, 3인칭**
> 1인칭은 말하는 사람이 자기 자신을 일컫는 경우, 2인칭은 말하는 사람이 상대방을 일컫는 경우, 3인칭은 말하는 사람 자신과 듣는 상대방을 제외한 제3의 것 모두를 일컫는 경우임. 인칭대명사에 따라 be동사가 결정됨.
> • 1인칭의 be동사: am
> • 2인칭의 be동사: are
> • 3인칭의 be동사: is

demonstrative pronoun 지시대명사
가리킬 指 + 보일 示 + 대신할 代 + 이름 名 + 말 詞

앞에 나온 사람이나 사물을 지적하거나 가리킬 때 사용하는 대명사. 문장 속의 격에 따라 모양이 달라지며, it(그것), this(이것), that(저것), these(이것들), those(저것들)가 있음.

- Look at **that**! It's a bulldog. (저것 봐. 불도그야.)
  that(저것)은 bulldog(불도그)를 가리키는 지시대명사

예 "Those are the beautiful flowers. (저것들은 아름다운 꽃들이야.)"에서 Those(저것들)는 the beautiful flowers(아름다운 꽃들)을 가리키는 지시대명사이다.

indefinite pronoun 부정대명사
아닐 不 + 정할 定 + 대신할 代 + 이름 名 + 말 詞

분명하게 정해서 말할 수 없는 불특정한 사람이나 사물을 가리킬 때 사용하는 대명사. one, ones와 every-, any-, some-, no-, 그리고 -one, -body, -thing 등이 있음.

- **Someone** is knocking at the door. (누군가가 문을 두드리고 있다.)
  누군지 명확하지 않으므로 Someone(누군가)은 부정대명사

예 "I have no pens. Can I borrow one? (내게는 펜이 없어. 하나 빌려 줄래?)"에서 a pen(펜 하나)을 가리키는 one은 부정대명사이다.

reflexive pronoun 재귀대명사
다시 再 + 돌아올 歸 + 대신할 代 + 이름 名 + 말 詞

주어와 목적어가 같을 때 뒤의 목적어는 대명사로 나타내야 하는데, 목적어가 주어와 동일한 인물일 때 사용하는 대명사. myself, yourself, himself, herself 등이 있음.

- I hit **myself**. (나는 내 자신을 때렸다.)
  주어 I(나)와 동일한 사람이 목적어이므로 myself(내 자신)는 재귀대명사

예 "You should believe yourself. (너는 너 자신을 믿어야 한다.)"에서 주어 you와 동일한 사람인 yourself는 재귀대명사이다.

> 플러스 개념어 **재귀대명사 강조 용법**
> 주어인 명사나 대명사 뒤에 놓여서 '자체로, ~ 자신이 직접'이라는 의미로 주어를 강조하여 쓰임.
> 예 This movie itself is okay, but not fresh. (이 영화는 그 자체로 괜찮지만 신선하지는 않아.)

확인 문제

정답과 해설 ▶ 35쪽

1 빈칸에 알맞은 단어를 글자판에서 찾아 묶어 보자. (단어는 가로, 세로 방향에서 찾기)

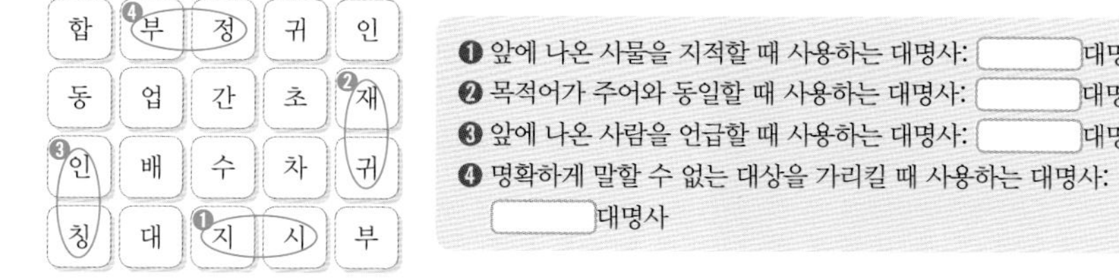

❶ 앞에 나온 사물을 지적할 때 사용하는 대명사: [   ]대명사
❷ 목적어가 주어와 동일할 때 사용하는 대명사: [   ]대명사
❸ 앞에 나온 사람을 언급할 때 사용하는 대명사: [   ]대명사
❹ 명확하게 말할 수 없는 대상을 가리킬 때 사용하는 대명사: [   ]대명사

2 대명사의 알맞은 이름을 찾아 선으로 이어 보자.

(1) this, that • • 재귀대명사
(2) she, he, our • • 인칭대명사
(3) myself, yourself • • 부정대명사
(4) someone, anyone • • 지시대명사

해설 | (1) this, that은 '이것', '저것'이라는 의미의 지시대명사이다. (2) she, he, our는 '그녀', '그', '우리'라는 의미의 인칭대명사이다. (3) myself, yourself는 '나 자신', '너 자신'이라는 의미의 재귀대명사이다. (4) someone, anyone은 둘 다 '누군가'라는 의미의 부정대명사이다.

3 밑줄 친 단어에 알맞은 대명사를 찾아 ○표 해 보자.

(1) I don't have <u>anything</u> to say. (나는 말할 것이 없다.) (인칭 , 지시 , 부정 , 재귀)대명사

(2) She is looking at <u>herself</u> in the mirror. (그녀는 거울로 그녀 자신을 보고 있다.) (인칭 , 지시 , 부정 , 재귀)대명사

(3) Will you read <u>me</u> the letter? (네가 그 편지를 나에게 읽어 줄래?) (인칭 , 지시 , 부정 , 재귀)대명사

(4) How much is <u>this</u>? (이거 얼마예요?) (인칭 , 지시 , 부정 , 재귀)대명사

해설 | (1) anything은 '어느 것'이라는 의미의 부정대명사이다. (2) herself는 '그녀 자신'이라는 의미의 재귀대명사이다. (3) me는 '나'라는 의미의 인칭대명사이다. (4) this는 '이것'이라는 의미의 지시대명사이다.

3주차 1~5회에서 공부한 단어를 떠올리며 문제를 풀어 보자.

국어
1 밑줄 친 단어의 쓰임이 알맞으면 ○표, 알맞지 않으면 ×표 해 보자.

(1) '가다', '걷다'처럼 어떤 것의 움직임을 나타내는 말을 형용사라고 한다. (×)

(2) '하늘', '구름', '비'처럼 어떤 것의 이름을 나타내는 말을 대명사라고 한다. (×)

(3) '하나', '첫째'처럼 어떤 것의 개수나 순서를 나타내는 말을 수사라고 한다. (○)

해설 | (1) '가다', '걷다'처럼 어떤 것의 움직임을 나타내는 말은 '동사'이다. (2) '하늘', '구름', '비'처럼 어떤 것의 이름을 나타내는 말은 '명사'이다. '대명사'는 어떤 것의 이름을 대신하여 나타내는 말이다.

국어
2 문장에 어울리는 단어를 ( ) 안에서 골라 ○표 해 보자.

명사, 대명사, 수사처럼 문장에서 주어나 목적어 등으로 쓰이는 단어는 ((체언), 용언)이고, 관형사, 부사처럼 문장에서 다른 말을 꾸며 주는 기능을 하는 단어는 (관계언, (수식언))이다.

해설 | 문장에서 주어나 목적어 등으로 쓰이는 단어는 '체언'이고, 문장에서 다른 말을 꾸며 주는 기능을 하는 단어는 '수식언'이다.

사회
3 빈칸에 공통으로 들어갈 단어를 써 보자.

사법권을 행사하는 국가 기관인 [법][원]에는 대[법][원], 고등 [법][원], 지방 [법][원]이/가 있다.

해설 | 사법권을 행사하는 국가 기관인 '법원'은 대법원, 고등 법원, 지방 법원으로 조직되어 있다.

사회
4 밑줄 친 뜻을 가진 단어로 알맞은 것은? (⑤)

법을 제정할 때는 사회 구성원 전체에 공통되는 복지나 이익 보장에 중점을 두어야 한다.

① 공법 ② 사법 ③ 재판 ④ 사회법 ⑤ 공공복리

해설 | 사회 구성원 전체에 공통되는 복지나 이익을 뜻하는 단어는 '공공복리'이다.

수학
5 그림을 보고 빈칸에 들어갈 단어를 초성을 바탕으로 써 보자.

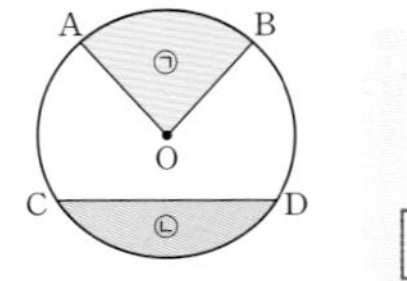

㉠은 두 반지름과 그 사이에 있는 호로 둘러싸인 도형으로 [부][채][꼴]이다.

㉡은 원주 위의 서로 다른 두 점이 만드는 호와 현으로 이루어진 도형으로 [활][꼴]이다.

해설 | 두 반지름과 그 사이에 있는 호로 둘러싸인 도형은 '부채꼴'이고, 원주 위의 서로 다른 두 점이 만드는 호와 현으로 이루어진 도형은 '활꼴'이다.

수학
6 문장에 어울리는 단어를 ( ) 안에서 골라 ○표 해 보자.

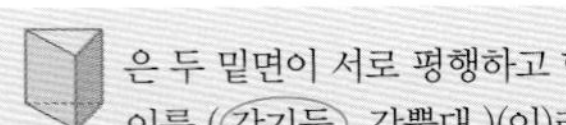
은 두 밑면이 서로 평행하고 합동인 다각형이고, 옆면은 모두 직사각형인 다면체이다. 이를 ((각기둥), 각뿔대)(이)라고 한다.

해설 | 두 밑면이 서로 평행하고 합동인 다각형이고, 옆면은 모두 직사각형인 다면체는 '각기둥'이다.

과학
7 빈칸에 보기 의 뜻을 가진 단어를 써 보자.

보기
두 가지 색 이상의 빛이 합쳐져서 다른 색의 빛으로 보이는 현상.

주영: 빨간색, 초록색, 파란색 빛을 합치면 무슨 색이 돼?
혜나: 그 세 가지 빛을 (합성)하면 흰색 빛이 돼.

해설 | 두 가지 색 이상의 빛이 합쳐져서 다른 색의 빛으로 보이는 현상을 '합성'이라고 한다.

과학
8 밑줄 친 말을 참고하여 빈칸에 들어갈 알맞은 단어를 써 보자.

자동차의 측면 거울처럼 넓은 범위를 보아야 할 때에는 거울면의 가운데가 볼록한 (볼록 거울)을/를, 현미경의 반사경처럼 물체를 확대해서 보아야 할 때나 등대의 탐조등처럼 빛을 모아야 할 때는 거울면의 가운데가 오목한 (오목 거울)을/를 사용한다.

해설 | 거울면의 가운데가 볼록한 거울은 '볼록 거울'이고, 거울면의 가운데가 오목한 거울은 '오목 거울'이다.

한자
9 빈칸에 들어갈 알맞은 글자를 보기 에서 찾아 써 보자.

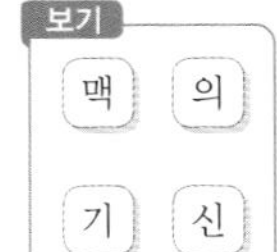

(1) 얼마쯤 믿으면서도 한편으로는 의심함. → [반][신][반][의]

(2) 기운이 다하고 맥이 다 빠져 스스로 몸을 가누지 못할 지경이 됨.

→ 
[기][진][맥][진]

해설 | (1) 얼마쯤 믿으면서도 한편으로는 의심하는 것을 뜻하는 단어는 '반신반의'이다. (2) 기운이 다하고 맥이 다 빠져 스스로 몸을 가누지 못할 지경이 된 것을 뜻하는 단어는 '기진맥진'이다.

영문법
10 문장에 어울리는 단어를 ( ) 안에서 골라 ○표 해 보자.

Jane likes to talk. So sometimes she talk to herself.
(Jane은 말하는 것을 좋아한다. 그래서 가끔 그녀는 그녀 자신에게 말을 걸기도 한다.)

→ she는 앞의 Jane을 가리키므로 ((인칭대명사), 부정대명사)이고, herself는 she와 동일한 인물이므로 ((재귀대명사), 지시대명사)이다.

해설 | '그녀'라는 의미의 she는 앞의 Jane을 가리키는 '인칭대명사'이고, '그녀 자신'이라는 의미의 herself는 she와 동일한 인물이므로 '재귀대명사'이다.

어휘가 문해력이다

중학 1학년 2학기

4주차 정답과 해설

국어 교과서 어휘

수록 교과서 국어 1-2
쓰기 – 통일성 있는 글 쓰기

단어와 그 뜻을 익히고, 빈칸에 알맞은 단어를 써 보자.

예상 독자
미리 豫 + 생각 想 + 읽을 讀 + 사람 者

글쓴이가 글을 쓰기 전에 미리 생각하여 둔, 글을 읽을 사람.
예 글쓰기를 하려면 먼저 글의 주제, 목적, [예상][독자] 등을 생각해 보아야 한다.

통일성
거느릴 統 + 하나 一 + 성질 性
'性'의 대표 뜻은 '성품'임.

글의 주제와 세부 내용이 서로 잘 연결된 특성.
예 [통일성]을 갖춘 글을 읽으면 글쓴이가 무엇을 말하려고 하는지 쉽게 이해할 수 있다.

플러스 개념어 **통일성 있는 글쓰기**
통일성 있는 글을 쓰기 위해서는 '계획하기, 내용 선정하기, 내용 조직하기, 표현하기, 고쳐쓰기'로 이어지는 글쓰기 과정에서 세부 내용이 주제를 효과적으로 드러내는지를 점검해야 함.

선정
가릴 選 + 정할 定

여러 가지 중에서 어떤 것을 선택하여 정하는 것.
예 글을 쓰기 위해 내용을 [선정]할 때는 그것이 주제를 뒷받침하기에 적절한 내용인지 판단해야 한다.

조직
짤 組 + 짤 織

내용을 짜서 이루거나 얽어서 만든 것.
예 글을 쓰는 과정에서 '[조직]하기'란 어떤 구조로 내용을 연결할지 정하는 것을 가리킨다.

개요
대강 槪 + 중요할 要
'槪'의 기본 뜻은 '대개(대부분)'임.

기본적인 부분만을 골라 간결하게 간추린 내용.
예 글의 [개요]를 짤 때에는 글의 내용을 어떤 순서로 배치할지 생각해 보아야 한다.

고쳐쓰기

글을 쓸 때 잘못된 부분을 바로잡아서 다시 쓰는 일.
예 쓴 글을 점검하고 수정하는 활동은 [고쳐쓰기] 단계에서 이루어진다.

확인 문제

정답과 해설 ▶ 38쪽

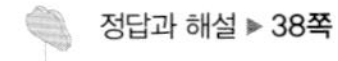

1 뜻에 알맞은 단어가 되도록 보기 의 글자를 조합해 써 보자.

보기: 선 개 조 정 요 직

(1) 기본적인 부분만을 골라 간결하게 간추린 내용. → [개][요]

(2) 내용을 짜서 이루거나 얽어서 만든 것. → [조][직]

(3) 여러 가지 중에서 어떤 것을 선택하여 정하는 것. → [선][정]

2 밑줄 친 단어의 쓰임이 알맞으면 ○표, 알맞지 않으면 ×표 해 보자.

(1) 글의 주제와 세부 내용이 서로 잘 연결된 특성을 통일성이라고 해. (○)

(2) 글쓴이가 글을 쓰기 전에 미리 생각하여 둔, 글을 읽을 사람을 등장인물이라고 해. (×)

(3) 글을 쓸 때 잘못된 부분을 바로잡아서 다시 쓰는 일을 다시 쓰기라고 해. (×)

해설 | (1) 글의 주제와 세부 내용이 서로 잘 연결된 특성을 '통일성'이라고 한다. (2) 글쓴이가 글을 쓰기 전에 미리 생각하여 둔, 글을 읽을 사람을 '예상 독자'라고 한다. (3) 글을 쓸 때 잘못된 부분을 바로잡아서 다시 쓰는 일을 '고쳐쓰기'라고 한다.

해설 | (1) 글을 쓸 때 잘못된 부분을 바로잡아서 다시 쓰는 일을 뜻하는 '고쳐쓰기'가 알맞다. (2) 글의 주제와 세부 내용이 서로 잘 연결된 특성을 뜻하는 '통일성'이 알맞다. (3) 글을 쓰기 전에 미리 생각하여 둔, 글을 읽을 사람을 뜻하는 '예상 독자'가 알맞다.

3 문장에 어울리는 단어를 ( ) 안에서 골라 ○표 해 보자.

(1) 내가 쓴 글을 좀 더 매끄럽게 다듬기 위해 ((고쳐쓰기), 다시 쓰기)를 했다.

(2) 주제와 관계없는 내용이 들어 있는 경우에는 (개성 , (통일성)) 있는 글이라고 보기 어렵다.

(3) 나를 소개하는 글을 쓰기 전에 ((예상 독자), 참가자)인 우리 반 친구들을 떠올려 보았다.

사회 교과서 어휘

수록 교과서 사회 ①
XII. 사회 변동과 사회 문제

단어와 그 뜻을 익히고, 빈칸에 알맞은 단어를 써 보자.

사회 변동
모일 社 + 모일 會 + 변할 變 + 움직일 動

사회 구조의 일부 또는 전체에 일정 규모 이상의 사회 변화가 나타나는 현상.
예 현대 사회에 들어서면서 사 회 변 동 의 속도는 점점 빨라지고 있다.

가치관
값 價 + 값 値 + 생각 觀
'觀'의 대표 뜻은 '보다'임.

인간이 자기를 포함한 세계나 어떤 대상의 가치나 의의에 관한 견해나 입장.
예 사회 변동은 과학 기술의 발전, 가 치 관 의 변화, 인구의 변화 등 다양한 요소가 상호 작용하는 과정에서 일어난다.

계층
차례 階 + 층 層
'階'의 대표 뜻은 '섬돌(돌층계)'임.

경제적, 정치적, 사회적으로 다양한 원인에 의해 서열화된 집단.
예 산업화에 따라 일부 계 층 에 산업화의 혜택이 집중되면서 빈부 격차가 커졌다.

권위주의
권세 權 + 위엄 威 + 주장할 主 + 뜻 義
'主'의 대표 뜻은 '임금', '義'의 대표 뜻은 '옳다'임.

일반적인 사실이나 상대의 의견을 무시한 채 권위를 내세우거나 권위에 따르는 태도.
예 권 위 주 의 정치 문화는 개인의 권리, 민주적 절차, 비판적 참여보다 구성원의 의무, 사회적 가치 등을 우선시하여 권력 집중형 통치를 가능하게 한다.

플러스 개념어 **권위**
남을 지휘하거나 다스려 따르게 하는 힘.

저출산
낮을 低 + 낳을 出 + 낳을 産

일정 수준보다 아이를 적게 낳음.
예 저 출 산 문제를 해결하기 위해서는 출산과 양육에 대한 부담을 줄여 주어야 한다.

고령화
높을 高 + 나이 齡 + 될 化

한 사회에서 노인의 인구 비율이 높은 상태로 되는 현상.
예 고 령 화 현상으로 노후의 삶과 건강을 유지하는 데 들어가는 비용이 늘어나고 있다.

플러스 개념어 **고령화 사회**
의학의 발달과 식생활의 향상 등의 이유로 평균 수명이 늘어남에 따라 총 인구에서 65세 이상인 고령자의 인구 비율이 점차 높아져 가는 사회.

확인 문제

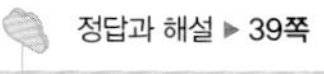

정답과 해설 ▶ 39쪽

1 빈칸에 알맞은 단어가 되도록 글자를 조합해 써 보자.

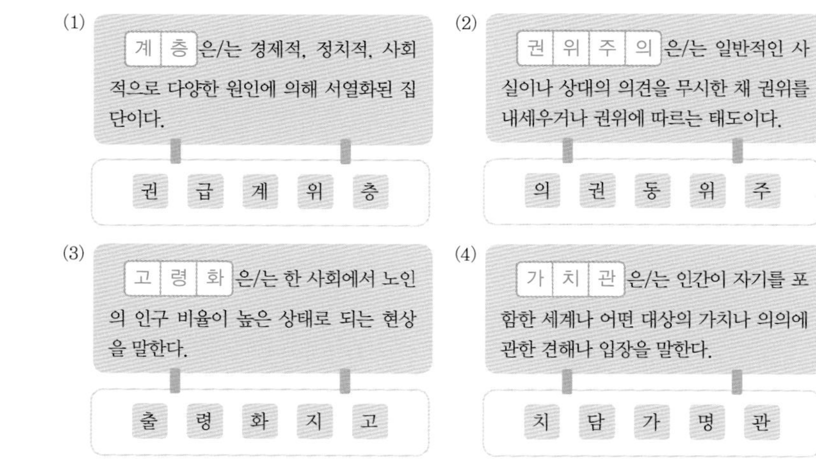

(1) 계 층 은/는 경제적, 정치적, 사회적으로 다양한 원인에 의해 서열화된 집단이다.
권 급 계 위 층

(2) 권 위 주 의 은/는 일반적인 사실이나 상대의 의견을 무시한 채 권위를 내세우거나 권위에 따르는 태도이다.
의 권 동 위 주

(3) 고 령 화 은/는 한 사회에서 노인의 인구 비율이 높은 상태로 되는 현상을 말한다.
출 령 화 지 고

(4) 가 치 관 은/는 인간이 자기를 포함한 세계나 어떤 대상의 가치나 의의에 관한 견해나 입장을 말한다.
치 담 가 명 관

해설 | (1) 노동력 부족은 '저출산'이 가져올 사회 문제 중 하나이다. (2) '사회 변동'은 사회 구조의 일부 또는 전체에 걸쳐 일정 규모 이상의 사회 변화가 나타나는 현상을 뜻한다.

2 빈칸에 들어갈 알맞은 단어를 초성을 바탕으로 써 보자.

(1)
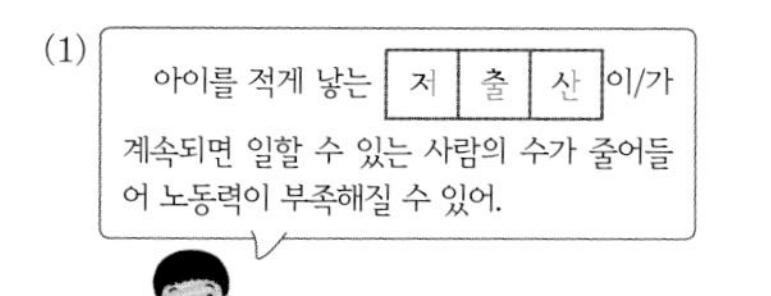

(2)

해설 | (1) 의학 기술의 발달, 생활 수준의 향상으로 평균 수명이 늘어나면서 '고령화' 사회가 되고 있다. (2) 경제적, 정치적, 사회적으로 다양한 원인에 의해 서열화된 집단을 '계층'이라고 한다. (3) 우리나라는 짧은 기간 동안 큰 성장을 이루었기 때문에 급격한 '사회 변동'을 겪었다.

3 ( ) 안에 들어갈 알맞은 단어를 보기에서 찾아 써 보자.

보기
계층 고령화 사회 변동

(1) 총 인구에서 65세 이상의 인구가 7% 이상인 사회를 (고령화) 사회라고 한다.
(2) (계층)은/는 경제적, 사회적 원인 등으로 서열화된 사람들의 집단을 말한다.
(3) 우리나라는 짧은 기간에 산업화와 정보화를 이루었기 때문에 그 과정에서 급격한 (사회 변동)을/를 겪었다.

수학 교과서 어휘

단어와 그 뜻을 익히고, 빈칸에 알맞은 단어를 써 보자.

회전체 돌 回 + 구를 轉 + 물체 體 '回'의 대표 뜻은 '돌아오다', '體'의 대표 뜻은 '몸'임.	회전해서 얻어진 입체로, 한 직선을 축으로 하여 평면도형을 돌려서 생기는 입체도형. 예 한 직선을 축으로 하여 직사각형을 한 바퀴 돌릴 때 생기는 회전체는 원기둥이다. 플러스 개념어 회전축: 평면도형을 회전할 때 중심이 되는 직선. (그림: 회전축, 원기둥)
원기둥 둥글 圓 + 기둥	위와 아래에 있는 면이 서로 평행하고 합동인 원으로 이루어진 입체도형. 예 (그림) 등과 같은 입체도형을 원기둥이라고 한다.
원뿔 둥글 圓 + 뿔	밑면이 원이고, 옆면이 곡면인 뿔 모양의 입체도형. 예 (그림) 등과 같은 입체도형을 원뿔이라고 한다.
원뿔대 둥글 圓 + 뿔 + 대 臺	원뿔을 밑면에 평행한 평면으로 자를 때 생기는 두 입체도형 중에서 원뿔이 아닌 입체도형. 예 원뿔을 밑면에 평행인 평면으로 잘랐을 때, 원뿔의 꼭짓점을 포함하지 않는 입체도형을 원뿔대라고 한다. (그림: 높이, 밑면, 옆면, 밑면)
선대칭도형 줄 線 + 마주할 對 + 걸맞을 稱 + 그림 圖 + 모양 形 '稱'의 대표 뜻은 '일컫다'임.	한 직선에 대해 대칭인 도형으로, 어떤 직선을 따라 접었을 때 완전히 겹쳐지는 도형. 예 회전체는 회전축을 대칭축으로 하는 선대칭도형이다. (그림: 대칭축)
겉넓이	입체도형의 겉면의 넓이의 합. 예 기둥의 겉넓이를 구할 때 전개도를 이용하면 편리하다. (그림: 밑넓이, 밑면의 둘레, 높이) (기둥의 겉넓이)$=2\times$(밑넓이)$+$(옆넓이)
부피	넓이와 높이를 가진 입체도형이 공간에서 차지하는 크기. 예 사각기둥의 부피는 (가로)×(세로)×(높이)를 이용하여 구한다. (그림: 높이, 세로, 가로) 사각기둥의 밑넓이는 (가로)×(세로)이므로 사각기둥의 부피는 (가로)×(세로)×(높이) → 밑넓이

확인 문제

정답과 해설 ▶ 40쪽

1 뜻에 알맞은 단어를 빈칸에 써 보자.

가로 열쇠

❶ 위와 아래에 있는 면이 서로 평행하고 합동인 원으로 이루어진 입체도형. 원기둥

❷ 밑면이 원이고, 옆면이 곡면인 뿔 모양의 입체도형. 원뿔

세로 열쇠

❶ 원뿔을 밑면에 평행한 평면으로 자를 때 생기는 두 입체도형 중에서 원뿔이 아닌 입체도형. 원뿔대

해설 | (1) '겉넓이'는 입체도형의 겉면의 넓이의 합을 뜻하는 단어로, 기둥의 '겉넓이'는 2×(밑넓이)+(옆넓이)이다. (2) 어떤 직선을 따라 접었을 때 완전히 겹쳐지는 도형을 '선대칭도형'이라고 한다. (3) 입체도형이 공간에서 차지하는 크기가 '부피'이므로 직육면체의 부피는 (가로)×(세로)×(높이)를 이용하여 구한다. 직육면체는 사각기둥이다. (4) 한 직선을 축으로 하여 평면도형을 돌려서 생기는 입체도형을 '회전체'라고 한다.

2 (   ) 안에 들어갈 알맞은 단어를 보기에서 찾아 써 보자.

보기: 회전체 선대칭도형 겉넓이 부피

(1) 기둥의 (겉넓이)은/는 $2\times$(밑넓이)$+$(옆넓이)이다.

(2) 어떤 직선을 따라 접었을 때 완전히 겹쳐지는 도형은 (선대칭도형)이다.

(3) 직육면체의 (부피)은/는 (가로)×(세로)×(높이)를 이용하여 구한다.

(4) 한 직선을 축으로 하여 평면도형을 돌릴 때 생기는 입체도형은 (회전체)이다.

해설 | (1) '겉넓이'는 입체도형의 겉면의 넓이의 합이므로 전개도를 이용하여 합동인 밑면의 넓이 2개와 옆넓이를 더하여 겉넓이를 구할 수 있다. (2) 사각기둥의 (가로)×(세로)×(높이)를 이용하면 사각기둥의 '부피'를 구할 수 있다.

3 빈칸에 들어갈 알맞은 말을 초성을 바탕으로 써 보자.

(1) 원기둥의 겉넓이는 원기둥의 전개도에서 밑면인 원의 넓이와 옆면인 직사각형의 넓이를 이용하여 구한다.

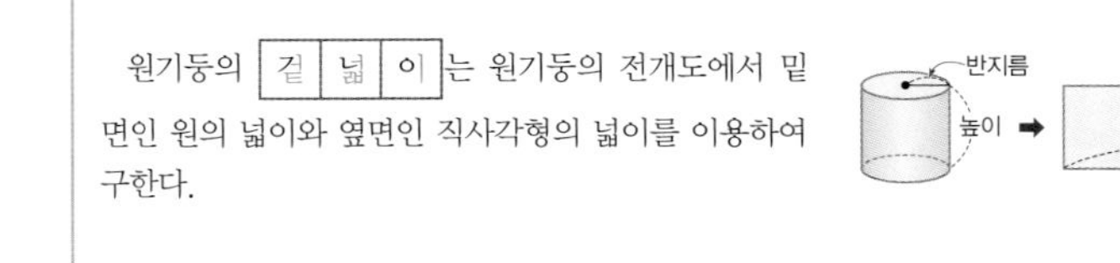

(2) 사각기둥의 부피는 (밑넓이)×(높이)이다. 사각기둥의 밑넓이는 $3\times4=12(\text{cm}^2)$이고, 높이는 6 cm이므로 사각기둥의 부피는 $12\times6=72(\text{cm}^3)$이다.

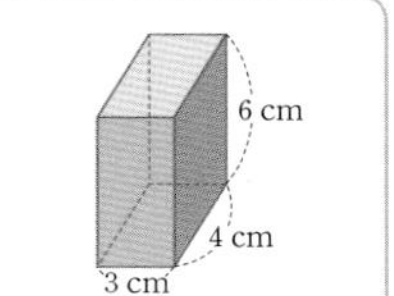

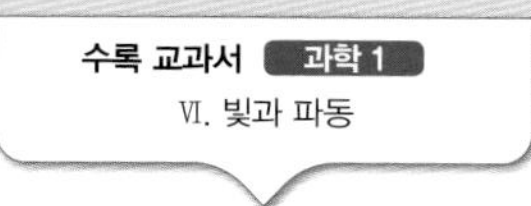

과학 교과서 어휘

수록 교과서 과학 1
Ⅵ. 빛과 파동

단어와 그 뜻을 익히고, 빈칸에 알맞은 단어를 써 보자.

구면 거울
둥글 球 + 모양 面 + 거울
'球'의 대표 뜻은 '공(둥근 물체)', '面'의 대표 뜻은 '낯(얼굴)'임.

반사면이 둥근 모양인 거울.
예 볼록 거울이나 오목 거울과 같이 반사면이 둥근 모양인 거울을 구면 거울이라고 한다.

볼록 렌즈

가운데 부분이 볼록한 렌즈.
예 볼록 렌즈를 통과한 빛은 렌즈에서 꺾여 한 점에 모인다.

플러스 개념어 렌즈
빛을 모으거나 퍼지게 하기 위하여 수정이나 유리 등을 갈아 만든 투명한 도구.

초점
▲ 볼록 렌즈

오목 렌즈

가운데 부분이 오목한 렌즈.
예 오목 렌즈를 통과한 빛은 렌즈에서 꺾여 퍼져 나아간다.

초점
▲ 오목 렌즈

원시
멀 遠 + 볼 視

먼 곳은 잘 보이나 가까운 곳은 잘 보이지 않는 눈의 상태.
예 원시는 물체의 상이 망막 뒤에 맺혀 가까이 있는 물체가 선명하게 보이지 않는 시력 이상을 가리킨다.

근시
가까울 近 + 볼 視

가까운 곳은 잘 보이나 먼 곳은 잘 보이지 않는 눈의 상태.
예 근시는 물체의 상이 망막 앞에 맺혀 멀리 있는 물체가 선명하게 보이지 않는 시력 이상을 가리킨다.

진동
떨 振 + 흔들릴 動
'振'의 대표 뜻은 '떨치다', '動'의 대표 뜻은 '움직이다'임.

물체가 일정 범위에서 반복해서 흔들리며 움직이는 것.
예 바이올린 줄을 튕겼다 놓았을 때 줄이 떨리는 것처럼, 어떤 기준을 중심으로 왔다 갔다 하는 움직임을 진동이라고 한다.

파동
물결 波 + 흔들릴 動

한곳에서 생긴 진동이 주위로 퍼져 나가는 것.
예 호수에 돌을 던지면 수면이 출렁거리면서 물결이 만들어진다. 이때 물결의 진동이 수면을 따라 멀리 퍼져 나가는데, 이를 파동이라고 한다.

플러스 개념어
파원(물결 波 + 근원 源)
파동이 만들어지는 곳.

확인 문제

정답과 해설 ▶ 41쪽

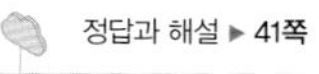

1 뜻에 알맞은 단어가 되도록 보기의 글자를 조합해 써 보자. (같은 글자가 여러 번 쓰일 수 있음.)

보기: 거 구 동 면 울 진 파 원

(1) 파동이 만들어지는 곳. → 파 원

(2) 반사면이 둥근 모양인 거울. → 구 면 거 울

(3) 한곳에서 생긴 진동이 주위로 퍼져 나가는 것. → 파 동

(4) 물체가 일정 범위에서 반복해서 흔들리며 움직이는 것. → 진 동

해설 | (1) 가운데 부분이 주변보다 두꺼우면 '볼록 렌즈', 가운데 부분이 주변보다 얇으면 '오목 렌즈'라고 한다. (2) '근시'는 가까운 곳은 잘 보이나 먼 곳은 잘 보이지 않는 눈의 상태이고, '원시'는 먼 곳은 잘 보이나 가까운 곳은 잘 보이지 않는 눈의 상태이다.

2 문장에 어울리는 단어를 ( ) 안에서 골라 ○표 해 보자.

(1) 가운데 부분이 볼록한 렌즈를 (볼록 렌즈(○) , 오목 렌즈)라고 하고, 가운데 부분이 오목한 렌즈를 (볼록 렌즈 , 오목 렌즈(○))라고 한다.

(2) 가까운 곳은 잘 보이나 먼 곳은 잘 보이지 않는 눈의 상태를 (원시 , 근시(○))라고 하고, 먼 곳은 잘 보이나 가까운 곳은 잘 보이지 않는 눈의 상태를 (원시(○) , 근시)라고 한다.

해설 | (1) 햇빛을 모아 종이를 태울 수 있는 돋보기는 빛이 렌즈에서 꺾여 한 점에서 모이는 '볼록 렌즈'로 만든 것이다. (3) '파동'은 한 지점의 진동이 옆으로 전달되어 가는 것으로, 지진파로 전달된 에너지에 의해 건물이 무너지는 것은 '파동'의 예이다. (4) 용수철에 매달린 물체와 같이 일정 범위에서 반복해서 흔들리며 움직이는 것은 '진동'이다.

3 밑줄 친 단어의 쓰임이 알맞으면 ○표, 알맞지 않으면 ×표 해 보자.

(1) 햇빛을 모아 종이를 태울 수 있는 돋보기는 오목 렌즈로 만든 것이다. (×)

(2) 빛의 발생지는 광원, 지진파의 발생지는 진원, 파동의 발생지는 파원이다. (○)

(3) 지진파로 전달된 에너지에 의해 건물이 무너지는 것은 진동 현상을 보여 주는 예이다. (×)

(4) 파동은 용수철에 매달린 물체와 같이 일정 범위에서 반복해서 흔들리며 움직이는 것을 말한다. (×)

(5) 가야금, 해금 등의 줄을 튕기면 음파가 발생하여 공기 중으로 퍼져 나가는데, 이는 파동의 예이다. (○)

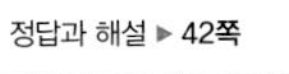

국어 교과서 어휘

수록 교과서 국어 1-2
쓰기 – 매체의 특성을 고려하여 표현하기

단어와 그 뜻을 익히고, 빈칸에 알맞은 단어를 써 보자.

매체
매개할 媒 + 몸체 體
'媒'의 대표 뜻은 '중매', '體'의 대표 뜻은 '몸'임.

사람들의 생각이나 느낌을 전달하고 공유하는 수단.

예 일상에서 쉽게 접할 수 있는 매체에는 인터넷, 라디오 등이 있다.

플러스 개념어 **매체의 종류**
책, 신문, 전화, 라디오, 사진, 광고, 영화, 텔레비전, 컴퓨터, 인터넷 등이 있음.

영상
비칠 映 + 모양 像

영화 화면의 막이나 텔레비전 화면, 모니터 등에 비추어지는 모양.

예 만화 영화는 영상 매체의 한 종류이다.

플러스 개념어 **영상 언어**
영상 매체로 어떤 내용을 표현하고 전달할 때 사용하는 의사소통 방법으로, 시각적 요소와 청각적 요소가 있음. 시각적 요소에는 카메라의 위치와 각도, 자막 등이 있고 청각적 요소에는 배경 음악이나 효과음 등이 있음.

블로그

사이버 공간에서 누리꾼이 자신의 관심사에 따라 자유롭게 게시물을 작성하여 올리는 웹 사이트.

예 우리 모임은 공식 블로그를 통해 정보를 공유하고 있다.

소식
소식 消 + 살 息
'消'의 대표 뜻은 '사라지다', '息'의 대표 뜻은 '(숨을) 쉬다'임.

멀리 떨어져 있는 사람의 상황을 알리는 말이나 글.

예 휴대 전화를 사용하면 글을 쓰는 것보다 더 빨리, 더 많은 사람에게 소식을 전할 수 있다.

언어폭력
말씀 言 + 말씀 語 + 사나울 暴 + 힘 力

말을 할 때 교양이 없는 이야기를 늘어놓거나 욕설, 협박하는 일.

예 때로는 언어폭력이 물리적인 폭력보다 더 큰 상처를 남길 수 있다.

인신공격
사람 人 + 몸 身 + 칠 攻 + 칠 擊

다른 사람의 신체나 행동 또는 그 사람과 관련된 일이나 상황에 관한 것을 들어 비난하는 일.

예 인터넷 매체를 활용하여 생각을 표현할 때는 상대방에게 인신공격이나 욕설, 비방 등을 하지 않아야 한다.

확인 문제

정답과 해설 ▶ 42쪽

1 단어의 뜻을 보기에서 찾아 사다리를 타고 내려간 곳에 기호를 써 보자.

보기
㉠ 사람들의 생각이나 느낌을 전달하고 공유하는 수단. 매체
㉡ 영상 매체로 어떤 내용을 표현하고 전달할 때 사용하는 의사소통 방법. 영상 언어
㉢ 영화 화면의 막이나 텔레비전 화면, 모니터 등에 비추어지는 모양. 영상
㉣ 다른 사람의 신체나 행동 또는 그 사람과 관련된 일이나 상황에 관한 것을 들어 비난하는 일. 인신공격

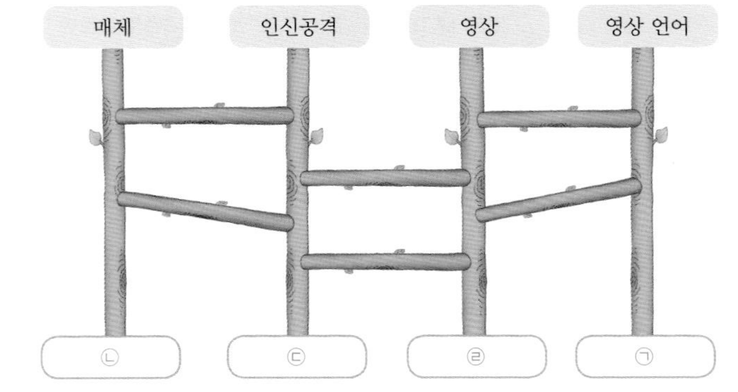

해설 | (1) '인신공격'은 다른 사람의 신체나 행동 또는 그 사람과 관련된 일이나 상황에 관한 것을 들어 비난하는 일을 뜻한다. (2) '언어폭력'은 말을 할 때 교양이 없는 이야기를 늘어놓거나 욕설, 협박하는 일을 뜻한다. (3) '소식'은 멀리 떨어져 있는 사람의 상황을 알리는 말이나 글을 뜻한다.

2 단어의 뜻이 알맞으면 ○표, 알맞지 않으면 ×표 해 보자.

(1) 인신공격: 멀리 떨어져 있는 사람의 상황을 알리는 말이나 글. (×)

(2) 언어폭력: 말을 할 때 교양이 없는 이야기를 늘어놓거나 욕설, 협박하는 일. (○)

(3) 소식: 누리꾼이 자신의 관심사에 따라 자유롭게 게시물을 작성하여 올리는 웹 사이트. (×)

해설 | (1) 사이버 공간에서 누리꾼이 자신의 관심사에 따라 자유롭게 게시물을 작성하여 올리는 웹 사이트를 뜻하는 '블로그'가 알맞다. (2) 사람들의 생각이나 느낌을 전달하고 공유하는 수단을 뜻하는 '매체'가 알맞다. (3) 말을 할 때 교양이 없는 이야기를 늘어놓거나 욕설, 협박하는 일을 뜻하는 '언어폭력'이 알맞다.

3 ( ) 안에 들어갈 알맞은 단어를 보기에서 찾아 써 보자.

보기
매체 블로그 언어폭력

(1) 나는 요리에 관심이 많아서 요리 방법을 공유하는 (블로그)을/를 운영하고 있다.

(2) 독도의 가치를 많은 사람에게 알리기 위해 인쇄 (매체) 중 신문을 활용하기로 하였다.

(3) (언어폭력)을/를 방지하려면 자기가 한 말이 상대방에게 상처가 되지는 않았는지 되돌아보는 태도가 필요하다.

4주차 3회

사회 교과서 어휘

수록 교과서 사회 ①
Ⅻ. 사회 변동과 사회 문제

단어와 그 뜻을 익히고, 빈칸에 알맞은 단어를 써 보자.

국민연금
나라 國 + 백성 民 + 해 年 + 돈 金
'金'의 대표 뜻은 '쇠'임.

노령, 장애, 사망 등으로 소득이 없을 때 국가가 생활 보장을 위하여 정기적으로 지급하는 금액.

예 고령화 사회에 대응하기 위해서는 [국민연금]과 같은 사회적 안전망을 튼튼하게 만들어야 한다.

국적
나라 國 + 문서 籍

일정한 사람이 한 나라의 구성원이 되는 자격. 우리나라는 부모의 국적에 따라 자녀의 국적을 결정하고 있음.

예 우리나라의 인구 구성에서 외국인과 이주민의 인종과 [국적]이 다양해졌다.

노사 갈등
일할 勞 + 부릴 使 + 칡 葛 + 등나무 藤

노동자와 사용자 사이에 임금이나 노동 조건 등에 대한 입장 차이로 인해 발생하는 갈등.

예 [노사] [갈등]이 심해지면 근로자가 생산 활동이나 업무를 일시적으로 중단하는 파업을 벌이기도 한다.

플러스 개념어 **파업**
노동자와 사용자 간에 갈등이 계속되어 노동자들이 생산 활동이나 업무를 일시적으로 중단하는 것.

다차원
많을 多 + 버금 次 + 근본 元
'버금'은 으뜸의 바로 아래를 뜻하는 말임. '元'의 대표 뜻은 '으뜸'임.

어떤 일이나 물건을 보거나 생각하는 갈래가 다양함.

예 현대 사회에서는 [다차원]적으로 변동이 일어나고 있어 사회 문제 역시 다양하게 나타난다.

지구 온난화
땅 地 + 둥글 球 + 따뜻할 溫 + 따뜻할 暖 + 될 化
'球'의 대표 뜻은 '공(둥근 물체)'임.

자연적인 원인이나 인간의 활동으로 지구의 기온이 높아지는 현상.

예 [지구] [온난화]는 지구 전체에 영향을 끼치는 중요한 환경 문제이다.

플러스 개념어 **온실 효과**
대기 중의 기체가 지표에서 나오는 적외선을 흡수하여 지표의 기온을 높이는 현상.

쓰레기 종량제
쓰레기 + 따를 從 + 양 量 + 법도 制
'量'의 대표 뜻은 '헤아리다', '制'의 대표 뜻은 '절제하다'임.

쓰레기 배출량을 줄이고 재활용품을 분리 배출하도록 유도하기 위해 쓰레기 배출량에 따라 수수료를 부과하는 제도.

예 [쓰레기] [종량제] 실시는 쓰레기로 인한 환경 오염 문제를 해결하기 위한 방법 중 하나이다.

확인 문제

정답과 해설 ▶ 43쪽

1 뜻에 알맞은 단어를 글자판에서 찾아 묶어 보자. (단어는 가로, 세로, 대각선 방향에서 찾기)

다	차	원	난	종
금	파	노	기	국
업	연	사	적	관

❶ 일정한 사람이 한 나라의 구성원이 되는 자격.
❷ 어떤 일이나 물건을 보거나 생각하는 갈래가 다양함.
❸ 노동자와 사용자 간에 갈등이 계속되어 노동자들이 생산 활동이나 업무를 일시적으로 중단하는 것.

해설 | (1) '노사 갈등'은 노동자와 사용자 사이에 임금이나 노동 조건 등에 대한 입장 차이로 발생한다. (2) '국민연금'은 소득이 없을 때 국가가 생활 보장을 위하여 정기적으로 지급하는 금액을 말한다. (3) '지구 온난화'는 지구의 기온이 높아지는 현상을 말한다. (4) '국적'은 일정한 사람이 한 나라의 구성원이 되는 자격을 말한다.

2 (   ) 안에 들어갈 알맞은 단어를 보기에서 찾아 써 보자.

보기: 국적 / 국민연금 / 노사 갈등 / 지구 온난화

(1) 우리 삼촌이 다니는 회사가 지금 (노사 갈등)(으)로 파업 중이래.

(2) (국민연금)을/를 들어 놓으면 노후 생활에 안정적으로 대비할 수 있어.

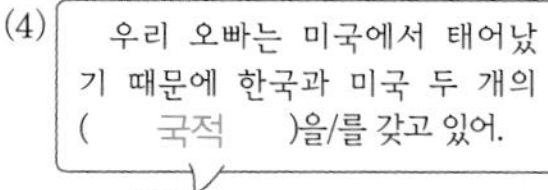

(3) (지구 온난화)(으)로 빙하가 녹으면서 북극곰들이 먹이를 찾아 헤엄치다가 죽는 사고가 자주 일어나고 있대.

(4) 우리 오빠는 미국에서 태어났기 때문에 한국과 미국 두 개의 (국적)을/를 갖고 있어.

해설 | (1) '온실 효과'는 대기 중의 기체가 지표에서 나오는 적외선을 흡수하여 지표의 기온을 높이는 현상을 말한다. (2) '쓰레기 종량제'는 쓰레기 배출량에 따라 수수료가 부과되는 제도를 말한다. (3) '노사 갈등'은 노동자와 사용자 사이에 임금이나 노동 조건 등에 대한 입장 차이로 인해 발생한다.

3 (   ) 안에 들어갈 알맞은 단어를 보기에서 찾아 써 보자.

보기: 노사 갈등 / 온실 효과 / 쓰레기 종량제

(1) (온실 효과)은/는 태양의 열이 지구로 들어와서 나가지 못하고 순환되는 현상이다.

(2) 1992년에 환경 단체들은 쓰레기 배출량을 줄이고 환경을 보호하기 위해 (쓰레기 종량제)을/를 정부에 제안하였다.

(3) (노사 갈등)은/는 노동자와 회사 사이에서 임금, 근로 시간, 복지, 노동 조건에 관한 서로의 입장이 일치하지 않을 때 발생한다.

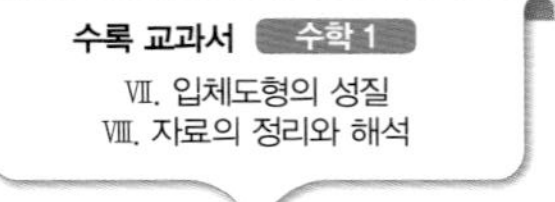

수학 교과서 어휘

수록 교과서 수학 1
Ⅶ. 입체도형의 성질
Ⅷ. 자료의 정리와 해석

✎ 단어와 그 뜻을 익히고, 빈칸에 알맞은 단어를 써 보자.

변량
변할 變 + 양 量
'量'의 대표 뜻은 '헤아리다'임.

변화하는 수량으로, 자료를 수량으로 나타낸 것.
예 성적, 키, 가격 등의 자료를 수로 나타낸 것을 [변][량]이라고 한다.

계급
차례 階 + 등급 級
'階'의 대표 뜻은 '섬돌(돌층계)'임.

변량을 일정한 간격으로 나눈 구간.
예 오른쪽 표는 국어 성적을 6개의 [계][급]으로 나누어 나타낸 것이다.

계급값
차례 階 + 등급 級 + 값

각 계급을 대표하는 값.
예 계급의 가운데 값인 [계][급][값]은 각 계급의 양 끝값의 평균이다.

국어 성적(점)	학생 수(명)
40 ~ 50	1
50 ~ 60	2
60 ~ 70	5
70 ~ 80	7
80 ~ 90	3
90 ~ 100	2
합계	20

▲ 도수분포표

도수
횟수 度 + 수량 數
'度'의 대표 뜻은 '법도', '數'의 대표 뜻은 '셈'임.

각 계급에 속하는 자료의 개수.
예 오른쪽 표에서 각 계급에 속하는 변량의 수를 [도][수]라고 한다.

도수분포표
횟수 度 + 수량 數 + 나눌 分 + 펼 布 + 도표 表
'表'의 대표 뜻은 '겉'임.

각 계급의 도수를 조사하여 나타낸 표.
예 주어진 자료를 여러 개의 계급으로 나누어 각 계급에 속하는 도수를 조사하여 나타낸 표를 [도][수][분][포][표]라고 한다.

히스토그램

각 계급의 크기를 가로로, 각 계급의 도수를 세로로 하는 직사각형을 차례로 그려 나타낸 그래프.
예 계급의 크기는 일정하므로 [히][스][토][그][램]에서 직사각형의 가로의 길이는 일정하다.

(명) 8 6 4 2 / 0 6 12 18 24 30 36 42(회)
▲ 히스토그램

도수분포다각형
횟수 度 + 수량 數 + 나눌 分 + 펼 布 + 많을 多 + 모 角 + 모양 形
'角'의 대표 뜻은 '뿔'임.

도수분포를 나타내는 다각형으로, 히스토그램에서 양 끝에 도수가 0인 계급을 하나씩 더 만들고, 각 직사각형 윗변의 중점을 선분으로 연결한 그래프.
예 [도][수][분][포][다][각][형]과 가로축으로 둘러싸인 부분의 넓이는 히스토그램에서 직사각형의 넓이의 합과 같다.

(명) 5 4 3 2 1 / 0 10 20 30 40 50 60(분)
▲ 도수분포다각형

상대도수
서로 相 + 대할 對 + 횟수 度 + 수량 數

상대적인 도수로, 도수의 총합에 대한 각 계급의 도수의 비율.
예 [상][대][도][수]는 전체 도수에 대한 각 계급의 도수의 비율로,
(어떤 계급의 [상][대][도][수]) $= \dfrac{(\text{그 계급의 도수})}{(\text{전체 도수})}$ 이다.
→ 전체 도수는 도수의 총합임.

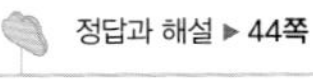

확인 문제

정답과 해설 ▸ 44쪽

1 뜻에 알맞은 단어를 글자판에서 찾아 묶어 보자. (단어는 가로, 세로, 대각선 방향에서 찾기)

도	다	변	량	상
사	수	각	리	대
반	계	분	형	도
계	급	값	포	수
히	스	토	그	표

❶ 각 계급을 대표하는 값. 계급값
❷ 자료를 수량으로 나타낸 것. 변량
❸ 각 계급에 속하는 자료의 개수. 도수
❹ 변량을 일정한 간격으로 나눈 구간. 계급
❺ 각 계급의 도수를 조사하여 나타낸 표. 도수분포표

해설 | (1) 전체 '도수'에 대한 각 '계급'의 '도수'의 비율이 '상대도수'이다. (2) 주어진 자료를 몇 개의 '계급'으로 나누어 각 '계급'에 속하는 '도수'를 조사하여 나타낸 표가 '도수분포표'이다. (3) 각 '계급'의 크기를 가로로, 각 계급의 '도수'를 세로로 하는 직사각형을 차례로 그려 나타낸 그래프가 '히스토그램'이다.

2 ( ) 안에 들어갈 알맞은 단어를 보기에서 찾아 써 보자.

보기: 계급 도수

(1) 전체 (도수)에 대한 각 (계급)의 (도수)의 비율은 상대도수이다.

(2) 주어진 자료를 몇 개의 (계급)으로 나누어 각 (계급)에 속하는 (도수)을/를 조사하여 나타낸 표를 도수분포표라고 한다.

(3) 각 (계급)의 크기를 가로로, 각 계급의 (도수)을/를 세로로 하는 직사각형을 차례로 그려 나타낸 그래프를 히스토그램이라고 한다.

해설 | (1) 가로축은 시간을 6개의 계급으로 나누고, 세로축은 각 계급에 속하는 인원수를 직사각형으로 그려 나타낸 그래프는 '히스토그램'이다. (2) 히스토그램에서 양 끝에 도수가 0인 계급을 하나씩 더 만들고 각 직사각형 윗변의 중점을 선분으로 연결한 그래프는 '도수분포다각형'이다.

3 빈칸에 들어갈 알맞은 단어를 초성을 바탕으로 써 보자.

(1) 가로축에 각 계급의 양 끝값을, 세로축에 도수를 쓰고, 각 계급의 크기를 가로로, 도수를 세로로 하는 직사각형을 차례로 그린 그래프를 [히][스][토][그][램]이라고 한다.

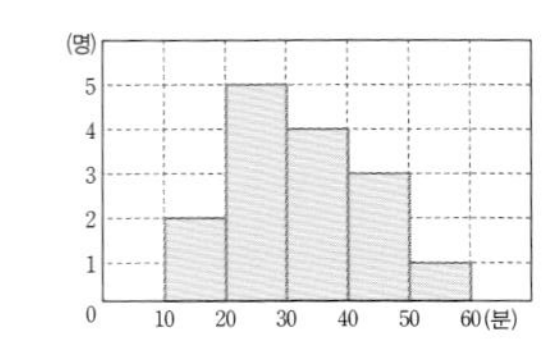

(2) 히스토그램에서 양 끝에는 도수가 0인 계급을 하나씩 더 만들고, 각 직사각형의 윗변의 중점을 잡고 그 중점을 선분으로 연결하여 그린 그래프를 [도][수][분][포][다][각][형]이라고 한다.

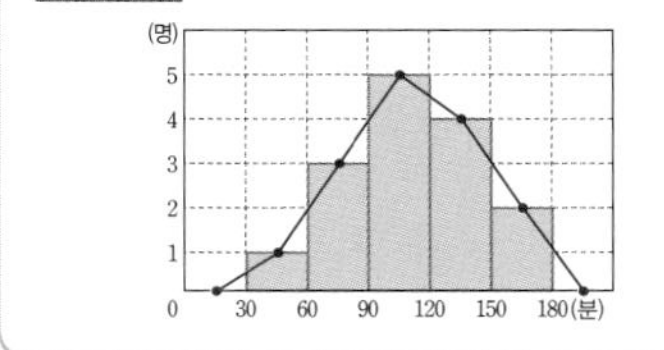

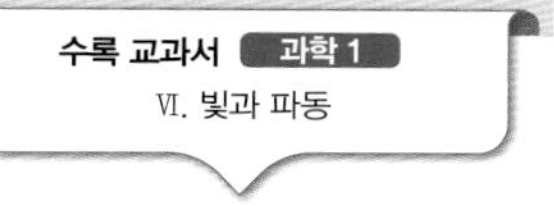

4주차 4회

과학 교과서 어휘

단어와 그 뜻을 익히고, 빈칸에 알맞은 단어를 써 보자.

매질 매개할 媒 + 바탕 質 ('媒'의 대표 뜻은 '중매'임.)

파동을 전달하는 물질.

예 파동이 퍼질 때 [매질]은 제자리에서 진동만 할 뿐 파동과 함께 이동하지는 않는다.

횡파 가로 橫 + 물결 波

파동이 진행하여 나아가는 방향과 매질의 진동 방향이 수직을 이룰 때의 파동.

예 매질은 제자리에서 파동의 진행 방향과 수직으로 진동하므로 높은 곳과 낮은 곳이 반복적으로 생기는데, 이 파동을 [횡파]라고 한다.

(그림: 파동의 진행 방향, 매질의 진동 방향, 마루, 골, 진폭, 파장, 진동 중심)

마루	매질의 위치가 가장 높은 곳.
골	매질의 위치가 가장 낮은 곳.
진폭	진동 중심에서 마루 또는 골까지의 거리.
파장	마루에서 마루, 골에서 골까지의 거리.

종파 세로 縱 + 물결 波

파동이 진행하여 나아가는 방향과 매질의 진동 방향이 같을 때의 파동.

예 매질은 제자리에서 파동의 진행 방향과 나란하게 진동하므로 빽빽한 부분과 듬성듬성한 부분이 반복적으로 생기는데, 이 파동을 [종파]라고 한다.

(그림: 파동의 진행 방향, 빽빽한 부분, 듬성듬성한 부분, 매질의 진동 방향, 파장)

주기 돌 週 + 기간 期 ('期'의 대표 뜻은 '기약하다'임.)

반복이 일어나는 데 걸리는 시간.

예 지구가 태양의 주위를 한 번 도는 데 걸리는 시간이 1년인 것처럼, 반복 운동이 일어나는 데 걸리는 시간을 [주기]라고 한다.

플러스 개념어 **진동수**: 1초 동안에 되풀이되는 진동 횟수로, 진동수를 나타내는 단위는 Hz(헤르츠)임.

음색 소리 音 + 상태 色 ('色'의 대표 뜻은 '빛깔'임.)

음의 성질이나 특성. 악기나 사람의 소리에서 파동의 모양이 달라 서로 구분되는 특징.

예 전자 키보드로 여러 가지 악기 소리를 재현하는 것은 각각 다른 [음색]을 가진 소리를 활용하는 것이다.

소리의 3요소 소리의 + 3 + 중요할 要 + 성질 素 ('素'의 대표 뜻은 '본디'임.)

소리의 특징을 나타내는 소리의 크기, 소리의 높낮이, 음색.

예 일상생활에서 여러 소리를 구별할 수 있는 것은 [소리의] [3요소]가 다르기 때문이다.

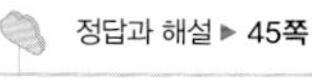

확인 문제

정답과 해설 ▶ 45쪽

1 단어의 뜻을 보기에서 찾아 사다리를 타고 내려간 곳에 기호를 써 보자.

보기
㉠ 음의 성질이나 특성. 음색
㉡ 파동을 전달하는 물질. 매질
㉢ 반복이 일어나는 데 걸리는 시간. 주기

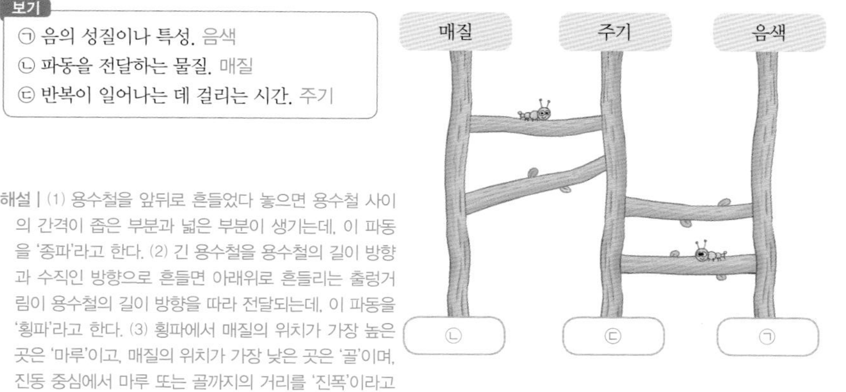

해설 | (1) 용수철을 앞뒤로 흔들었다 놓으면 용수철 사이의 간격이 좁은 부분과 넓은 부분이 생기는데, 이 파동을 '종파'라고 한다. (2) 긴 용수철을 용수철의 길이 방향과 수직인 방향으로 흔들면 아래위로 흔들리는 출렁거림이 용수철의 길이 방향을 따라 전달되는데, 이 파동을 '횡파'라고 한다. (3) 횡파에서 매질의 위치가 가장 높은 곳은 '마루'이고, 매질의 위치가 가장 낮은 곳은 '골'이며, 진동 중심에서 마루 또는 골까지의 거리를 '진폭'이라고 한다.

2 문장에 어울리는 단어를 ( ) 안에서 골라 ○표 해 보자.

(1) 용수철을 앞뒤로 흔들었다 놓으면 용수철 사이의 간격이 좁은 부분과 넓은 부분이 생기는데, 이 파동을 ((종파), 횡파)라고 한다.

(2) 긴 용수철을 용수철의 길이 방향과 수직인 방향으로 흔들면 아래위로 흔들리는 출렁거림이 용수철의 길이 방향을 따라 전달되는데, 이 파동을 (종파 , (횡파))라고 한다.

(3) 횡파에서 매질의 위치가 가장 높은 곳은 ((마루), 골), 매질의 위치가 가장 낮은 곳은 (마루 , (골)), 진동 중심에서 마루 또는 골까지의 거리를 ((진폭), 파장)이라고 한다.

해설 | (1) 우리는 공기의 진동을 통해 소리를 들을 수 있으므로 '매질'이 알맞다. (2) 파동의 모양이 달라 구분되는 특징이므로 '음색'이 알맞다. (3) 리본 손잡이를 아래위로 계속해서 흔들면 파도 모양이 만들어지므로 '횡파'가 알맞다.

3 빈칸에 들어갈 알맞은 단어를 초성을 바탕으로 써 보자.

(1) 우리가 듣는 소리는 주로 [매][질]인 공기의 진동을 통해 전달된다.

(2) 사람마다 목소리에 고유한 파동의 모양이 있어 서로 다르게 들리는데, 이것이 바로 [음][색]의 차이이다.

(3) 리본 체조 경기에서 6m 길이의 리본이 달린 손잡이를 아래위로 계속해서 흔들면 파도 모양이 만들어지는데, 이는 [횡][파]의 예이다.

한자 어휘

苦(고), 得(득)이 들어간 단어

苦 쓸 고

고(苦)는 주로 '쓰다'라는 뜻으로 쓰여. 싫거나 괴로운 상태를 '쓰다'라고 하지. 고(苦)는 '괴롭다', '애쓰다'라는 뜻으로 쓰일 때도 있어.

得 얻을 득

득(得)은 주로 '얻다'라는 뜻으로 쓰여. 구하거나 찾아서 가지는 것을 '얻다'라고 하지. 득(得)은 '깨우치다'라는 뜻으로도 쓰여.

단어와 그 뜻을 익히고, 빈칸에 알맞은 단어를 써 보자.

고진감래
쓸 苦 + 다할 盡 + 달 甘 + 올 來

고진(苦盡) + 감래(甘來)
쓴 것이 다함. 단 것이 옴.
쓴 것이 다하면 단 것이 온다는 말로, '고생 끝에 낙이 온다.'라는 속담과 같은 뜻이야.

고생 끝에 즐거움이 옴.

예 고진감래라는 말처럼, 그는 어려움을 참고 이겨 낸 덕분에 사업에서 큰 성공을 이루었다.

고민
괴로울 苦 + 답답할 悶

'고(苦)'가 '괴롭다'라는 뜻으로 쓰였어.

마음속으로 괴로워하고 애를 태움.

예 열심히 노력하는데도 성적이 오르지 않아서 고민이 많다.

유의어 고뇌(괴로울 苦 + 괴로워할 惱)
몸과 마음이 괴로움.
예 진로 문제 때문에 고뇌에 빠졌다.

노고
힘들일 勞 + 애쓸 苦
'勞'의 대표 뜻은 '일하다'임.

고(苦)가 '애쓰다'라는 뜻으로 쓰였어.

힘들여 수고하고 애씀.

예 스승의 날을 맞아 선생님의 노고에 보답하고자 작은 선물을 준비했다.

일거양득
하나 一 + 들 擧 + 두 兩 + 얻을 得

일거(一擧) + 양득(兩得)
한 번 듦. 둘을 얻음.
'꿩 먹고 알 먹는다.'라는 속담과 같은 뜻이야.

한 가지 일을 하여 두 가지 이익을 얻음.

예 쓰레기를 분리해서 버리면 쓰레기도 줄이고 환경도 보호할 수 있어서 일거양득이다.

설득
말씀 說 + 깨우칠 得

득(得)이 '깨우치다'라는 뜻으로 쓰였어.

상대편이 이쪽 편의 이야기를 따르도록 여러 가지로 깨우쳐 말함.

예 나의 끈질긴 설득 끝에 친구는 축구를 계속하기로 했다.

확인 문제

정답과 해설 ▶ 46쪽

1 빈칸에 알맞은 단어가 되도록 글자를 조합해 써 보자.

(1) 고진감래은/는 고생 끝에 즐거움이 온다는 뜻이다.
래 진 감 고

(2) 일거양득은/는 한 가지 일을 하여 두 가지 이익을 얻는다는 뜻이다.
양 일 득 거

2 단어의 뜻을 찾아 선으로 이어 보자.

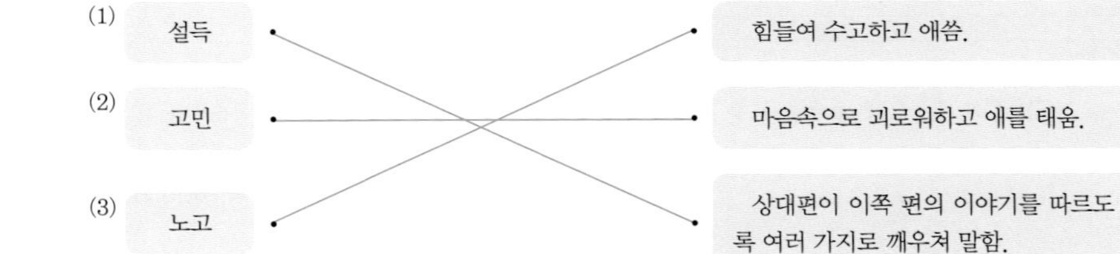

(1) 설득 · · 힘들여 수고하고 애씀.
(2) 고민 · · 마음속으로 괴로워하고 애를 태움.
(3) 노고 · · 상대편이 이쪽 편의 이야기를 따르도록 여러 가지로 깨우쳐 말함.

해설 | (1) '설득'은 상대편이 이쪽 편의 이야기를 따르도록 여러 가지로 깨우쳐 말하는 것을 뜻한다. (2) '고민'은 마음속으로 괴로워하고 애를 태우는 것을 뜻한다. (3) '노고'는 힘들여 수고하고 애쓰는 것을 뜻한다.

해설 | (1) 상대편이 이쪽 편의 이야기를 따르도록 여러 가지로 깨우쳐 말하는 것을 뜻하는 '설득'이 알맞다. (2) 마음속으로 괴로워하고 애를 태우는 것을 뜻하는 '고민'이 알맞다. (3) 한 가지 일을 하여 두 가지 이익을 얻는 것을 뜻하는 '일거양득'이 알맞다. (4) 고생 끝에 즐거움이 오는 것을 뜻하는 '고진감래'가 알맞다.

3 ( ) 안에 들어갈 알맞은 단어를 보기에서 찾아 써 보자.

보기: 고민 설득 고진감래 일거양득

(1) 친구는 나에게 미술부에 들어오라고 (설득)하였다.
(2) 나는 두 친구 중에 누구 편을 들어야 할지 (고민)에 빠졌다.
(3) 줄넘기를 하면 키도 크고 살도 빠질 수 있으니 이것이야말로 (일거양득)이다.
(4) 막노동부터 시작한 그는 커다란 기업체의 사장이 된 뒤 (고진감래)의 기쁨을 누렸다.

영문법 어휘

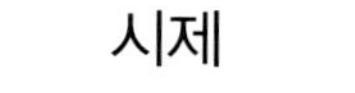

시제

시제는 말하는 시간을 기준으로 어떤 사건이나 사실이 일어난 시간상의 위치를 나타내는 말이야. 현재의 시점을 나타내는 현재시제(present tense), 현재 동작이 진행 중임을 나타내는 현재진행시제(present progressive), 과거 시점을 나타내는 과거시제(past tense), 미래 시점을 나타내는 미래시제(future tense)가 무엇인지 그 뜻과 예를 공부해 보자.

단어와 그 뜻을 익히고, 빈칸에 알맞은 단어를 써 보자.

present tense
현재시제
지금 現 + 있을 在 + 때 時 + 규정 制
'現'의 대표 뜻은 '나타나다', '制'의 대표 뜻은 '절제하다'임.

말하는 시점이 현재이거나 일상적이고 습관적으로 일어나는 일을 나타내는 말.

- I **play** the violin every day.
  play는 날마다 하는 습관적인 행동을 나타내는 현재시제
  (나는 바이올린을 매일 **연주한다**.)

예 "I am home, mom. (저 집에 왔어요, 엄마.)"에서 동사 am은 현재 시점을 나타내는 현재시제이다.

플러스 개념어 **주어가 3인칭, 단수일 때, 현재형 동사 만들기**
- 대부분의 동사: 동사원형에 s를 붙임.
  예 finds, walks, reads
- -o, -s, -x, -ch, -sh로 끝나는 동사: 동사원형에 es를 붙임.
  예 buses, boxes, churches
- '자음+y'로 끝나는 동사: y를 i로 고치고 es를 붙임.
  예 study → studies

present progressive
현재진행시제
지금 現 + 있을 在 + 나아갈 進 + 갈 行 + 때 時 + 규정 制

현재 말하고 있는 시점에서 동작이나 상황이 진행 중임을 나타내는 말. 보통 동사 앞에 be동사를 두고 동사 자신은 -ing으로 바꾸어 나타냄.

- He **is walking** down the street. (그는 거리로 걸어가고 있다.)
  be동사 is와 walking은 진행 중인 동작을 나타내는 현재진행시제

예 "They are making lots of noise. (그들이 아주 시끄럽게 떠들고 있어.)"에서 are making은 진행 중인 동작을 나타내는 현재진행시제이다.

past tense
과거시제
지날 過 + 갈 去 + 때 時 + 규정 制

과거나 지난 일을 언급할 때를 나타내는 말. 과거시제의 동사는 불규칙한 형태도 있지만 대체로 동사 뒤에 -d나 -ed를 붙여 만듦.

- The dancer **changed** her partner.
  changed는 과거의 일을 나타내는 과거시제
  (그 무용수는 자신의 파트너를 **바꾸었다**.)

예 "I watched a soccer game yesterday. (나는 어제 축구 경기를 봤어.)"에서 동사 watched(봤다)는 어제 있었던 일을 나타내는 과거시제이다.

플러스 개념어 **규칙 변화와 불규칙 변화**
불규칙 동사는 동사의 과거시제에서 동사 어미에 -d나 -ed가 붙지 않음.
- 규칙 변화: liked, walked
- 불규칙 변화: make-made, write-wrote, give-gave

future tense
미래시제
아닐 未 + 올 來 + 때 時 + 규정 制

앞으로 일어날 일에 대해 언급할 때 사용하는 말. 조동사 will 다음에 동사를 두어 나타냄.

- He **will go** to the dentist tomorrow. (그는 내일 치과에 갈 거야.)
  will go는 내일 일어날 일에 대해 언급하는 미래시제

예 "They will be there tonight! (그들은 오늘밤 거기에 있을 것이다!)"에서 will be는 미래의 시점을 나타내는 미래시제이다.

확인 문제

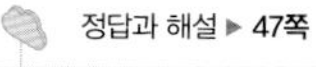

정답과 해설 ▶ 47쪽

1 빈칸에 들어갈 알맞은 단어를 글자판에서 찾아 묶어 보자. (단어는 가로, 세로 방향에서 찾기)

태	정	초	현
권	과	거	재
현	주	미	진
재	거	래	행

❶ 지난 일에 대해 언급할 때 사용하는 (   )시제
❷ 동작이나 상황이 진행 중일 때 사용하는 (   )시제
❸ 앞으로 일어날 일을 언급할 때 사용하는 (   )시제
❹ 일상적이고 습관적인 행동에 대해 사용하는 (   )시제

2 각 학생들의 말이 현재시제, 현재진행시제, 과거시제, 미래시제 중 무엇인지 빈칸에 알맞게 써 보자.

(1) I will do it. (미래시제)
(2) I am doing it. (현재진행시제)
(3) I did it. (과거시제)
(4) I do it. (현재시제)

해설 | (1) 'I will do it.'은 '나는 그것을 할 것이다.'라는 의미로 미래시제이다. (2) 'I am doing it.'은 '나는 그것을 하고 있다.'라는 의미로 현재진행시제이다. (3) 'I did it.'은 '나는 그것을 하였다.'라는 의미로 과거시제이다. (4) 'I do it.'은 '나는 그것을 한다.'라는 의미로 현재시제이다.

3 밑줄 친 부분의 시제로 알맞은 것에 ○표 해 보자.

(1) This idea **will be** successful. (이 아이디어는 성공적일 것이다.)
(현재 , 현재진행 , 과거 , (미래))시제

(2) Jake **is changing** a tire. (Jake가 타이어를 갈고 있다.)
(현재 , (현재진행) , 과거 , 미래)시제

(3) This skirt **looks** good. I will buy it. (이 치마는 좋아 보여. 나 그거 살 거야.)
((현재) , 현재진행 , 과거 , 미래)시제

(4) She **gave** me a short answer. (그녀는 내게 짧은 답변을 주었다.)
(현재 , 현재진행 , (과거) , 미래)시제

해설 | (1) will be는 '~일 것이다'라는 의미로 미래시제이다. (2) is changing은 '변하고 있다'라는 의미로 현재진행시제이다. (3) looks는 '~로 보이다'라는 의미로 현재시제이다. (4) gave는 '주었다'라는 의미로 과거시제이다.

4주차 1~5회에서 공부한 단어를 떠올리며 문제를 풀어 보자.

국어
1 밑줄 친 뜻을 가진 단어를 ( ) 안에 써 보자.

재현: 글쓰기 과제는 어떻게 되어 가고 있니?
민호: 선생님께서 글을 쓰기 전에 기본적인 부분만을 골라 간결하게 간추린 내용을 미리 써 보는 게 좋다고 하셔서 지금 (개요)을/를 짜는 중이야.

해설 | 기본적인 부분만을 골라 간결하게 간추린 내용을 뜻하는 단어는 '개요'이다.

국어
2 빈칸에 들어갈 단어로 알맞은 것은? (③)

다른 사람의 신체나 행동 또는 그 사람과 관련된 일이나 상황에 관한 것을 들어 [ ] 일을 '인신공격'이라고 한다.

① 설득하는 ② 구슬리는 ③ 비난하는 ④ 비평하는 ⑤ 타이르는

해설 | '인신공격'은 다른 사람의 신체나 행동 또는 그 사람과 관련된 일이나 상황에 관한 것을 들어 '비난하는' 일을 뜻한다.

사회
3 빈칸에 들어갈 알맞은 단어를 초성을 바탕으로 써 보자.

일정 수준보다 아이를 적게 낳는 [지|출|산]과 노인의 인구 비율이 높은 상태인 [고|령|화]는 노동력 부족으로 이어져 경제 성장을 늦추고 사회적 비용을 증가시키는 문제로 이어질 수 있다.

해설 | 일정 수준보다 아이를 적게 낳는 것을 '저출산'이라고 하고, 노인의 인구 비율이 높은 상태인 것을 '고령화'라고 한다.

사회
4 밑줄 친 뜻을 가진 단어가 되도록 글자를 모두 찾아 ○표 해 보자.

자연적인 원인이나 인간의 활동으로 지구의 기온이 높아지는 현상인 이것은 '온실 효과'로도 불리는데, 이를 막기 위해 화석 연료의 사용을 줄이고, 바람이나 태양열 같은 대체 에너지 사용을 늘려야 한다.

→ ㉷지 소 ㉷구 도 ㉷온 실 ㉷난 효 ㉷화

해설 | 자연적인 원인이나 인간의 활동으로 지구의 기온이 높아지는 현상을 뜻하는 단어는 '지구 온난화'이다.

수학
5 밑줄 친 뜻을 가진 도형으로 알맞은 것은? (①)

이것은 밑면이 원이고, 옆면이 곡면인 뿔 모양의 입체도형이다.

① 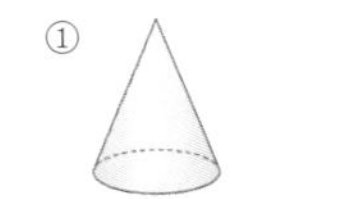 ② ③  ④ ⑤ 

해설 | ①은 원뿔, ②는 원기둥, ③은 구, ④는 삼각뿔, ⑤는 사각뿔대이다. 밑줄 친 뜻을 가진 도형은 '원뿔'이다.

정답과 해설 ▶ 48쪽

수학
6 문장에 어울리는 단어를 ( ) 안에 골라 ○표 해 보자.

자료를 수량으로 나타낸 것을 ((변량), 도수)(이)라고 하고, 이를 일정한 간격으로 나눈 구간을 ((계급), 상대도수)(이)라고 한다.

해설 | 자료를 수량으로 나타낸 것은 '변량'이고, 변량을 일정한 간격으로 나눈 구간은 '계급'이라고 한다.

과학
7 빈칸에 공통으로 들어갈 단어를 써 보자.

(렌즈)은/는 빛을 모으거나 퍼지게 하기 위하여 수정이나 유리 등을 갈아 만든 투명한 도구이다. 가운데 부분이 볼록한 볼록 (렌즈)은/는 가까운 거리에 있는 것을 크게 보여 주고, 가운데 부분이 오목한 오목 (렌즈)은/는 물체를 작고 똑바르게 보여 준다.

해설 | 빛을 모으거나 퍼지게 하기 위하여 수정이나 유리 등을 갈아 만든 투명한 도구를 '렌즈'라고 하는데, 렌즈에는 볼록 렌즈와 오목 렌즈가 있다.

과학
8 빈칸에 들어갈 단어로 알맞은 것은? (④)

파동이 진행하여 나아가는 방향과 파동을 전달하는 [ ]의 진동 방향을 비교하여 그 방향이 같을 때의 파동을 종파, 수직을 이룰 때의 파동을 횡파라고 한다.

① 골 ② 진폭 ③ 마루 ④ 매질 ⑤ 주기

해설 | 파동이 진행하여 나아가는 방향과 '매질'의 진동 방향이 같을 때의 파동을 종파, 수직을 이룰 때의 파동을 횡파라고 한다.

한자
9 다음 대화에서 경호의 상황을 나타내는 단어로 알맞은 것은? (⑤)

연아: 이번 시험에 합격했다며? 정말 축하해.
경호: 고마워. 몇 년 동안 공부하느라 너무 힘들었는데, 이제야 그 보상을 받은 것 같아.

① 일거양득 ② 거두절미 ③ 소탐대실 ④ 반신반의 ⑤ 고진감래

해설 | 고생 끝에 즐거움이 온다는 뜻의 '고진감래'가 알맞다.

영문법
10 밑줄 친 단어의 시제를 보기에서 찾아 써 보자.

보기
과거시제 현재시제 현재진행시제 미래시제

He ㉠ is reading the book he ㉡ bought yesterday. And he ㉢ will finish reading tomorrow.
(그는 어제 샀던 책을 읽고 있다. 그리고 그는 내일 책 읽기를 끝낼 것이다.)

(1) ㉠ → (현재진행시제) (2) ㉡ → (과거시제) (3) ㉢ → (미래시제)

해설 | (1) ㉠은 '읽고 있다'라는 뜻으로 진행 중인 동작을 나타내는 '현재진행시제'이다. (2) ㉡은 '샀다'라는 뜻으로 어제 있었던 일을 나타내는 '과거시제'이다. (3) ㉢은 '끝낼 것이다'라는 뜻으로 내일 일어날 일을 나타내는 '미래시제'이다.

정답과 해설

3주차 어휘 학습 점검

중학 1학년 2학기

3주차에서 학습한 어휘를 잘 알고 있는지 ✔ 해 보고,
잘 모르는 어휘는 해당 쪽으로 가서 다시 한번 확인해 보세요.

국어

사회

수학

과학

한자

영문법

잘라서 책갈피로 활용해 보세요.

4주차 어휘 학습 점검

중학 1학년 2학기

4주차에서 학습한 어휘를 잘 알고 있는지 ✓ 해 보고,
잘 모르는 어휘는 해당 쪽으로 가서 다시 한번 확인해 보세요.

국어

사회

수학

과학

영문법

한자